D0243469

Teatro completo

Letras Hispánicas

Juan del Encina

Teatro completo

Edición de Miguel Ángel Pérez Priego

CATEDRA

LETRAS HISPANICAS

Reservados todos los derechos. De conformidad con lo dispuesto en el art. 534-bis del Código Penal vigente, podrán ser castigados con penas de multa y privación de libertad quienes reprodujeren o plagiaren, en todo o en parte, una obra literaria, artística o científica fijada en cualquier tipo de soporte sin la preceptiva autorización.

© Ediciones Cátedra, S. A. 1991
Telémaco, 43. 28027 Madrid
ISBN: 84-376-1020-6
Depósito legal: M. 35.365-1991
Printed in Spain

Impreso en Gráficas Rogar, S. A.
Fuenlabrada (Madrid)

Índice

Introducción

A Domingo Ynduráin

I. Perfil biográfico y literario

En 1469 (o 1468, según algún otro testimonio menos directo), en Salamanca, hubo de nacer Juan del Encina, conforme se desprende de su propia declaración en la *Trivagia,* donde asegura que, cuando emprendió viaje a Jerusalén en 1519 («Terciado ya el año de los diez y nueve, / después de los mil y quinientos encima»), eran ya «los años cincuenta de mi edad cumplidos»[1]. Fue hijo de Juan de Fermoselle, zapatero de oficio y vecino de la ciudad del Tormes, quien aún en 1489 vivía «frontero de las Escuelas», y tuvo seis hermanos, el mayor de los cuales, Diego, sería catedrático de música en la universidad, y otro de ellos, Miguel, alcanzaría el puesto de racionero y capellán de coro en la catedral[2].

Cursó estudios universitarios y se graduó de bachiller en leyes, al tiempo que también se ordenaba de menores, lo que en el futuro le iba a permitir aspirar a diversos beneficios eclesiásticos. En las aulas salmantinas recibiría instrucción latina del propio Antonio de Nebrija, a quien rinde elogios nuestro autor en su *Arte de poesía castellana*[3], y allí

---

1 Cito por la edición de Ana M.ª Rambaldo, *Juan del Encina, Obras completas,* II, Madrid, 1978, vv. 369-370 y v. 105, también vv. 57-79: «Agora no es ora que yo más aguarde, / aviendo cumplido los años cinqüenta, / a me preparar a dar a Dios qüenta.»

2 Los datos sobre los orígenes familiares de Juan del Encina y sobre su vida en Salamanca han sido aportados por la documentación que publicó R. Espinosa Maeso, «Nuevos datos biográficos de Juan del Encina», *BRAE,* 8 (1921), págs. 640-56.

3 *Arte de poesía castellana:* «el dotíssimo maestro Antonio de Lebrixa...», «el notable maestro de Lebrixa...», etc. (*Obras completas,* ed. cit., págs. 6 y ss.).

seguiría también cursos de retórica y de música. Alternando con sus estudios, en 1484 entró de mozo de coro en la catedral y, en 1490, ascendió a capellán del mismo, cambiando por entonces su apellido paterno por el de Encina, con el que ya siempre se firmaría y sería conocido[4]. En sus años de vida universitaria, fue también paje del maestrescuela y cancelario de la universidad don Gutierre de Toledo, quien, una vez que Encina terminó sus estudios, le introdujo al servicio de su hermano don Fadrique Álvarez de Toledo, segundo duque de Alba[5]. Esto ocurría tras un periodo de tiempo mal documentado en la vida del poeta, en el transcurso del cual Encina perdió la plaza de capellán, estuvo después en la vega de Granada y anduvo no poco ocupado en galanteos y versos de amores[6].

En 1492, entra al servicio del duque en el palacio de Alba de Tormes, lugar al que don Fadrique se había retirado con su familia una vez concluida la guerra de Granada y llegado el final de la reconquista. Allí permanecería Encina unos cinco años, a lo largo de los cuales ejerció actividades de músico, poeta y dramaturgo (tanto de autor como de actor dramático). A los duques dedica la compilación de todas sus obras, recogidas en el *Cancionero* de 1496 y ante ellos, en la capilla y salas de palacio, con ocasión de las fiestas de Navidad, Carnaval o Semana Santa, representó

---

[4] *Vid.* E. Giménez Caballero, «Hipótesis a un problema de Juan del Encima», *RFE*, 14 (1927), págs. 59-69.

[5] Don Fadrique era hijo de don García Álvarez de Toledo, primer duque de Alba (1472), y de doña María Enríquez, hija del almirante don Fadrique Enríquez y hermana de doña Juana Enríquez, quien era segunda esposa de Juan II de Aragón y madre de Fernando el Católico. El duque don Fadrique era, pues, primo del Rey Católico. Su esposa fue doña Isabel de Zúñiga y Pimentel.

[6] En esa época, ejerciendo sus estudios de leyes, pudo desempeñar tareas de juez y corregidor, pero es poco probable que lo hiciera ya en 1495 y en la villa santanderina de Aguayo, como ha querido sugerir José Luis Varela, «Juan del Encina, juez», en *Spanische Literatur im Goldenen Zeitalter*, Francfort, 1973, págs. 519-23. Los vv. 1461-1464 de la *Trivagia* dan cuenta de su presencia en la vega de Granada: «Y es toda una vega de montes cercada, / y un valle muy ancho, muy llano y muy luengo, / que proprio semeja, si buen viso tengo, / la vega en España que vi de Granada.»

diversas piezas teatrales (al menos, las ocho que en aquel cancionero se contienen).

Hacia 1497 hubo de dejar definitivamente el palacio de Alba, pues en marzo de ese año le son cedidas las casas que tenía su hermano en la parroquia de Santo Tomás, en Salamanca, y en la *Égloga de las grandes lluvias,* compuesta para la Navidad de 1498, aunque todavía se dice al servicio de los duques, confiesa que no reside ya en palacio. Por aquellas fechas es probable que representara, en los ambientes estudiantiles de Salamanca, su *Auto del repelón,* no recogido ya hasta el *Cancionero* de 1507. Y en la misma Salamanca, en 1497, puso en escena la *Representación sobre el poder del Amor,* dedicada al príncipe don Juan, quien tras contraer matrimonio con Margarita de Austria visitaba a finales de septiembre la ciudad del Tormes, en la que inesperadamente moría el 4 de octubre de ese mismo año[7].

En 1498, al fallecer el maestro Fernando de Torrijos, cantor de la catedral, Encina optó a la vacante producida en competencia con Lucas Fernández, quien era promovi-

---

[7] En abril de 1947, el príncipe había casado con Margarita, hija del emperador Maximiliano y hermana de Felipe el Hermoso; las bodas se celebraron en Burgos, de donde el matrimonio se trasladó a Salamanca. Durante las fiestas con que esta ciudad celebró la llegada de los príncipes (dentro de ellas tendría lugar la *Representación* de Encina), don Juan enfermó gravemente y murió a los tres días; el cadáver fue trasladado a Ávila y enterrado en el convento de Santo Tomás. Gran aficionado a la lectura y a la música, tuvo como preceptor a fray Diego de Deza y en torno a él se formó un grupo de cortesanos de los que fue educador Pedro Mártir de Anglería; Gonzalo Fernández de Oviedo escribió precisamente un *Libro de la cámara del príncipe don Juan.* Encina pudo tener acceso a esa corte del príncipe gracias al duque don Fadrique, quien era paje de don Juan. Como ha dicho Américo Castro: «En la figura del malogrado príncipe convergían los anhelos de un pueblo en un momento de plenitud vital; su corte estaba abierta a artistas y gente docta; la ciencia, la música, la poesía española iniciaban rumbos nuevos al amparo de aquel joven de dulce carácter, impregnado de saber aristotélico y de latinidad, y a quien tal vez una fiebre tifoidea, una complexión débil y excesos amorosos cortaron prematuramente el curso de la vida» («El príncipe don Juan», en *Teresa la Santa y otros ensayos,* Madrid, 1972, págs. 163-73). Puede verse nuestro estudio «Historia y literatura en torno al príncipe don Juan. La *Representación sobre el poder del Amor* de Juan del Encina», en *Historias y ficciones,* Actas del Coloquio sobre la literatura del Siglo XV, celebrado en Valencia del 29 al 31 de octubre de 1990 (en prensa).

do por dos influyentes personajes del cabildo, su tío Alonso González Cantalapiedra y el canónigo Francisco de Salamanca. El apoyo que, por su parte, Encina recibió del arcediano Bernardino López de Logroño hubo de pesar menos en la decisión del cabildo, puesto que en enero de 1499 éste hacía provisión de la plaza en favor de Lucas Fernández y quedaba excluido nuestro poeta, quien, sin embargo, no dejaría de pleitear por ella en años sucesivos desde Roma.

Fracasado y desengañado[8], Encina decidió abandonar su patria y trasladarse a Italia en busca de nuevos horizontes. Se estableció en Roma y parece que pronto llegó a introducirse en la corte del papa Alejandro VI, el español Rodrigo Borja, que ocupó el solio pontificio de 1492 a 1503. Enseguida hubo de abrirse paso y alcanzar influencias en aquella corte muy abierta a todo lo español, de manera que en 1500 obtenía ya beneficios en varias iglesias de la diócesis de Salamanca y hasta conseguía un poder papal sobre la ración de la plaza de cantor de la que años atrás había sido excluido. Sabemos, sin embargo, que el cabildo salmantino volvió a oponer resistencia y apeló tal provisión, con lo que el pleito se prolongó durante varios años, sin que haya llegado a conocerse el fallo definitivo. Sólo es seguro que en 1507 Lucas Fernández no ocupaba ya aquella plaza de cantor[9].

De su estancia y actividad en Roma por esos años, de 1502 a 1506, Richard Sherr ha ofrecido recientemente nuevos datos, exhumados de documentos de los archivos vaticanos[10]. Por ellos sabemos que en 1503 y 1504 Encina

---

[8] Tal vez ese estado de ánimo y esa decisión estén reflejados, como suponía F. Asenjo Barbieri, en el villancico que él mismo edita en el *Cancionero musical de los siglos XV y XVI*, Madrid, 1890, núm. 382: «Quédate, carillo, adiós.— / ¿Do quieres, Juan, aballar?— / A Estremo quiero pasar. / Quédate adiós, compañero, / ya me despido de ti; / no digas que me partí / sin saludarte primero; / sábete que ya no quiero / por esta sierra morar; / a Estremo quiero pasar (...).»

[9] Véase R. Espinosa, «Nuevos datos...», art. cit., págs. 649-51.

[10] R. Sherr, «A note on the biography of Juan del Encina», *BCom*, 34 (1982), págs. 159-72.

despliega una intensa actividad a la caza de beneficios en distintas iglesias españolas, vacantes por fallecimiento de otros familiares de la corte de Alejandro VI, en la que tal vez hubiese sido introducido por el propio César Borgia, a quien hacia 1500 parece que servía nuestro poeta[11]. De igual modo, se sabe ahora que en 1505, a la muerte del pontífice, se hallaba Encina al servicio del cardenal español Francisco de Lorris. Éste, gran aficionado a las artes y a las letras, casi tanto como a los placeres mundanos —se rumoreó en su tiempo que murió de excesos sexuales—, admitió en su corte a nuestro poeta, le proporcionó alguna canongía y, con el objeto de que pudiera acogerse a los privilegios de los conclavistas, aprovechando una vacante producida entre ellos, hasta llegó a inscribir su nombre en el cónclave que eligió a Julio II.

Durante el pontificado de éste (1503-1513), Encina siguió gozando, pues, de gran favor en la curia romana y, en 1508, recibió del papa la dignidad de arcediano de la catedral de Málaga, de la que, en abril de 1509 y en nombre de nuestro poeta, tomaba posesión su hermano Pedro de Hermosilla[12]. En enero de 1510, se hallaba ya Encina en su nuevo destino malagueño, aunque pronto surgieron desavenencias con el cabildo, que se resistía a admitirlo en su seno por no estar ordenado de mayores. No obstante, a comienzos de 1512, es comisionado como representante de la clerecía malagueña en el concilio provincial de Sevilla e igualmente era autorizado para emprender viaje a Roma, en donde ya se encontraba en noviembre de dicho año. De esta segunda estancia de Encina en Italia tenemos la interesante noticia de su actividad dramática en la corte roma-

---

[11] En uno de los documentos extractados por Sherr se alude a Encina, «quod dictus orator in serviciis Illustrissimi duci Cesari Borgia de Francia insistendo dixit se familiaris et continuus comensalis Alexandri Sexti...», art. cit., pág. 168.

[12] La permanencia de Encina en Málaga y los cargos allí desempeñados por él están perfectamente documentados en los trabajos de Rafael Mitjana, *Sobre Juan del Encina, músico y poeta (Nuevos datos para su biografía)*, Málaga, 1895, y «Nuevos documentos relativos a Juan del Encina», *RFE*, 1 (1914), págs. 275-88, quien aporta datos de los libros de actas capitulares del archivo de la catedral.

na, en concreto, en la casa del cardenal de Arborea —el valenciano Jacobo Serra—, donde, el 6 de enero de 1513, después de la cena, en presencia de Federico Gonzaga y ante un nutrido auditorio español e italiano, «representó» una comedia en la que él mismo «intervino para exponer la fuerza y accidentes del amor». Así lo cuenta Stazio Gadio, acompañante del joven Federico, en una carta dirigida al duque de Mantua, padre de éste:

> Zovedì a VI, festa de li Tre Re, il signor Federico (...) si redusse alle XXIII hore a casa dil cardinale Arborensis, invitato da lui ad una commedia (...) Cenato adunche si redussero tutti in una sala, ove si havea ad representare la comedia. Il predetto revrendissimo era sedendo tra il signor Federico, posto a man dritta, et lo ambassator di Spagna a man sinistra, et molti vescovi poi a torno, tutti spagnoli: quella sala era tutta piena de gente, e più de le due parte erano spagnoli, et più putane spagnole vi erano che homini italiani, perché la comedia fu recitata in lingua castiliana, composta da Zoanne de Lenzina, qual intervenne lui ad dir le forze et accidenti di amore, et per quanto dicono spagnoli non fu molto bella et pocho delettò al signor Federico[13].

Tal obra se viene identificando con la *Égloga de Plácida y Vitoriano,* que según Juan de Valdés fue compuesta en Roma y, según opinión poco fundada de Moratín, allí se imprimiría en 1514. Podría tratarse también, como supuso Carolina Michaëlis, de la *Representación sobre el poder del Amor,* donde asimismo se expone muy vivamente aquella fuerza y accidentes de amor[14]. La denominación de «comedia», sin embargo, parece más acorde con la primera de las obras citadas, que así es calificada en el v. 79 de su propio

---

[13] Sigo el texto publicado últimamente por Fabrizio Cruciani, *Teatro nel Rinascimento. Roma 1450-1550,* Roma, Bulzoni, 1983, pág. 363.

[14] Carolina Michaëlis de Vasconcellos, «Nótulas sobre cantares e vilhancicos peninsulares e a respeito de Juan del Encina», *RFE,* 5 (1918), páginas 337-66; F. Wolf y M. Menéndez Pelayo, «Sobre Juan de la Encina», *La España Moderna,* 7 (1895), págs. 91-98, siguen a Juan de Valdés y creen que es la de *Plácida y Vitoriano.*

texto: «Y así acaba esta *comedia* / con gran plazer y consuelo.»

A mediados de 1513 Encina estaba de nuevo en Málaga, desempeñando otra vez funciones de representación del cabildo ante la corte, y al año siguiente, a pesar de la oposición de aquel, que quiso privarle de parte de su beneficio, marchó una vez más a Roma, ahora a la corte de León X[15]. Allí permanecería hasta mediados de 1516, ya que en mayo de ese año recibe en Málaga orden de viajar a Valladolid a requerimiento del obispo Diego Ramírez de Villaescusa. Al año siguiente daba cuenta de su misión al cabildo malagueño y les comunicaba que había sido nombrado «Subcolector de expolios de la Cámara apostólica». Desde el 12 de septiembre de 1517, en que de nuevo le vemos viajando a la corte, no hay más noticias de Encina en Málaga. En un documento de 21 de febrero de 1519 aparece ya un don Juan de Zea reclamando el arcedianazgo malagueño, en razón de la permuta que con él había hecho Juan del Encina por un beneficio simple en la iglesia de Morón (el cual hubo de interesar más a nuestro poeta, debido a que no obligaba a residencia y le permitiría, por tanto, una mayor libertad de movimientos).

Hacia finales de 1517 o comienzos de 1518 Encina emprendía, en efecto, su cuarto viaje a Italia y poco después se producía un profundo cambio espiritual en su persona. Ya cumplidos los cincuenta años de su edad, decide ordenarse sacerdote y celebrar su primera misa en Jerusalén. Se une entonces a la expedición del marqués de Tarifa y, desde Venecia, emprenden viaje por mar a la Ciudad Santa, adonde llegan el 4 de agosto de 1519. Dos días después Encina decía su primera misa, visitaba los santos lugares y velaba tres noches el Santo Sepulcro. El 17 de agosto

---

[15] Frente a lo sostenido por Gil González Dávila y secundado por otros eruditos del pasado, como ha mostrado R. Mitjana, ob. cit., págs. 22-24, no hay prueba ni documentación expresa alguna de que Encina fuese maestro ni cantor de la capilla pontificia. C. Michaëlis, art. cit., pág. 366 n., sugiere que quizá estuviese agregado al servicio particular de León X en calidad de músico.

abandonaban Jerusalén y regresaban a Venecia. El marqués continuó viaje a España, en tanto que Encina se dirigió a Roma, donde escribió, con el recuerdo todavía fresco, la narración en verso de aquellos sucesos que, con el título de *Trivagia o vía sacra de Hierusalem,* se publicaba, al parecer, dos años después en la misma ciudad de Roma y de la que nos ha llegado la impresión que se hacía muchos años más tarde en Lisboa, en 1580, junto a la relación del viaje del citado marqués de Tarifa, don Fadrique Enríquez de Rivera[16].

Del pontífice León X —se ha querido suponer que como dote al ingresar Encina en el sacerdocio— obtuvo nuestro poeta el cargo de prior de la catedral de León. En su nombre y poco antes del viaje a Tierra Santa, el 14 de marzo de 1519, tomó posesión el canónigo Antonio de Obregón. Encina siguió residiendo en Roma, pero a la muerte de León X, en 1521, hubo de decidir abandonar definitivamente Italia y ocuparse de las funciones de su priorato leonés, al que, en efecto, le vemos ya entregado desde 1523, según la documentación conservada[17]. Con escasas ausencias de la ciudad, en León hubo de pasar los últimos años de su vida, que se extinguiría hacia diciembre de 1529 o enero de 1530, fechas en las que era presentado su testamento y se daba posesión a un nuevo prior en la catedral leonesa. Cinco años más tarde, conforme había dejado dispuesto, su cuerpo fue trasladado a Salamanca y allí enterrado debajo del coro de la catedral[18].

Hay un rasgo vital que domina toda la personalidad de Juan del Encina y que, como ha estudiado J. Richard Andrews, no es otro que el de su permanente anhelo de fama

---

[16] Para una interpretación de la obra de Encina desde la espiritualidad del converso, véase F. Márquez Villanueva, «La *Trivagia* y el problema de la conciencia religiosa de Juan del Encina», *La Torre,* 1 (1987), págs. 473-500.

[17] R. Espinosa, art. cit., pág. 654.

[18] R. Espinosa, art. cit., págs. 655-56. No tiene mayor fundamento, pues, la opinión sostenida por González Dávila, luego secundada por otros, de que Encina muriera en Salamanca.

y de prestigio[19]. Esa búsqueda afanosa se manifiesta tenazmente en cada uno de los episodios de su vida, desde sus orígenes humildes y primeros estudios en Salamanca hasta su entrada al servicio de la corte de Alba, sus pretensiones al puesto de cantor en la catedral, o sus reiterados viajes y estancias en Italia al servicio de la curia papal, que le llevan a perseguir y alcanzar importantes beneficios en las catedrales de Málaga y León. Todos y cada uno de esos pasos nos muestran a un Encina inquieto, desasosegado e intrigante, preocupado siempre por encaramarse en más holgados estamentos sociales. Complementaria de esa búsqueda de prestigio social, es también la preocupación por una «honra humanística» y literaria, el anhelo de prestigio intelectual, por el que igualmente se afana nuestro autor. Surgen de esa búsqueda de reconocimiento humanístico obras como la *Translación de las «Bucólicas» de Virgilio,* el tratado teórico del *Arte de poesía castellana* o el retórico y elevado *Triunfo de la Fama*, dedicado a los Reyes Católicos. Ese mismo anhelo de fama literaria e intelectual revela, en último término, su reiterada insistencia en la justificación del estilo pastoril, en el que había compuesto buena parte de su obra. Así lo proclama, por ejemplo, a la hora de publicar su *Cancionero* y recopilar en él sus obras:

> Forçáronme también a ello los detratores y maldizientes, que publicavan no se estender mi saber sino a cosas pastoriles y de poca autoridad; pues, si bien es mirado, no menos ingenio requieren las cosas pastoriles que las otras, mas antes yo creería que más[20].

En cuanto a su obra literaria, conviene notar que la mayor parte de ella es producción temprana y juvenil, compuesta antes de su estancia en Italia, y que fue recogida en-

---

[19] J. Richard Andrews, *Juan del Encina, Prometheus in Search of Prestige,* Berkeley-Los Ángeles, 1959.

[20] «A los ylustres y maníficos señores don Fadrique de Toledo y doña Ysabel Pementel, Duques de Alba, Marqueses de Coria, etc. Comiença el prohemio por Juan del Enzina en la copilación de sus obras», *Cancionero de 1496,* f. 11*v.*

seguida en las sucesivas ediciones de su *Cancionero,* propiamente entre 1496 y 1509, aparte algunos pliegos sueltos. Por el contrario, los casi veinticinco últimos años de su vida, ocupados en incesantes viajes y pequeñas intrigas a que le mueven sus múltiples ambiciones, fueron prácticamente de nula creatividad literaria, de la que además viene a renegar en los versos ya otoñales de la *Trivagia,* cuando se ha producido su reconversión espiritual:

> Con fe protestando mudar de costumbre,
> dexando de darme a cosas livianas
> y a componer obras del mundo ya vanas,
> mas tales que puedan al ciego dar lumbre.

Aunque el presente estudio sólo tiene por objeto el teatro de nuestro autor, merece la pena detenerse mínimamente en el resto de su obra, con el fin de no perder la visión global del lugar que ocupa Encina en la historia literaria. Su obra no dramática se abre —si seguimos el orden y disposición del *Cancionero*— con el *Arte de poesía castellana,* un breve tratado en prosa sobre teoría poética, de gran interés por ser de uno de los primeros del género en nuestra literatura y por las ideas mismas que expone. Resulta así de notable importancia la proclamación que hace, por ejemplo, de una edad dorada a la que ha llegado la poesía castellana, la afirmación de la antigüedad y excelencias de la poesía, la concepción de ésta como arte y no como simple disposición natural, o las numerosas y sugerentes observaciones sobre metros, recursos poéticos y «galas de trobar»[21]. A continuación de este tratado, y luego de una serie de largos y no muy logrados poemas religiosos sobre distintas festividades, himnos y oraciones, destaca la *Translación de las Bucólicas,* original traducción en verso de la obra de Virgilio, pero, conforme a los dictados de la exégesis

---

[21] Fue editada y estudiada por J. C. Temprano, «El *Arte de poesía castellana de Juan del Encina (Edición y notas)*», *BRAE,* 53 (1973), págs. 321-50; véase además F. López Estrada, *Las poéticas castellanas de la Edad Media,* ed. y estudio, Madrid, Taurus, 1984.

medieval, interpretada y adaptada simbólicamente a los sucesos contemporáneos de la España de los Reyes Católicos[22]. De gran empeño literario resultan los tres extensos poemas alegóricos: el *Triunfo de la Fama,* dirigido a los Reyes, en el que narra el poeta, en elevado estilo y teniendo muy presente a Juan de Mena, su recorrido por la fuente Castalia y la casa de la Fama; el *Triunfo de Amor,* dedicado a don Fadrique de Toledo, donde describe el autor su visión de los palacios de Cupido, los bosques de los penados amadores y el castillo de Venus, en medio de un incesante desfile de personajes mitológicos y de la antigüedad; y la *Tragedia trobada,* donde lamenta, también en estilo elevado y sonoros versos de arte mayor, la prematura y desgraciada muerte del príncipe don Juan.

Pero tal vez lo mejor y menos perecedero de la poesía de Encina haya que buscarlo en sus poemas líricos[23]. En este género, efectivamente, le son atribuidos infinidad de canciones, villancicos, glosas y romances, algunos de ellos de muy alta categoría poética por su musicalidad y condensación expresiva, como éste muy conocido:

No te tardes que me muero,
carcelero,
no te tardes que me muero.
Apressura tu venida
porque no pierda la vida;
que la fe no está perdida,
carcelero,

[22] La obra ha sido estudiada y comentada, entre otros, por Marcial J. Bayo, *Virgilio y la pastoral española del Renacimiento,* Madrid, 1959, págs. 23-64; J. A. Anderson, *Juan del Encina: aesthetics of his poetry,* Ann Arbor, Michigan, 1985; A. Blecua, «Virgilio en España en los siglos XVI y XVII», en *Studia Virgiliana,* Univ. Autónoma de Barcelona, 1985. Véase también J. R. Andrews, ob. cit., págs. 33-53.

[23] Véase Juan del Encina, *Poesía lírica y cancionero musical,* ed. de R. O. Jones y Carolyn R. Lee, Madrid, Castalia, 1975. Es muy discutible, en cambio, la opinión sostenida por R. O. Jones, «Encina y el *Cancionero* del British Museum», *Hf,* 4 (1961), págs. 1-21, acerca de que nuestro poeta fuera el recopilador de ese importantísimo y magno cancionero, muy próximo al *General* de 1511, custodiado en la British Library (Add. 10431) y conocido también como *Cancionero de Rennert.*

no te tardes que me muero (...)
Sácame desta cadena,
que recibo muy gran pena,
pues tu tardar me condena,
carcelero,
no te tardes que me muero (...)

El tema dominante de esas composiciones es el amoroso, por lo común tratado, como vemos, en el habitual marco cortés y con sus mismos convencionalismos expresivos (aunque no falta tampoco un tratamiento más desenfadado y escabroso: «¡Si abrá en este baldrés / mangas para todas tres! / Tres moças daquesta villa / desollaban una pija / para manga a todas tres...»). A su lado, cobra especial relieve la temática pastoril, frecuentemente en villancicos dialogados —a veces a lo divino—, a los que trasvasa algunos de los motivos de la poesía amorosa cortesana. De gran lirismo son también las canciones y villancicos sacros, especialmente los dedicados a la Virgen, al igual que la serie de romances y glosas.

Testimonio del mucho ingenio y habilidades poéticas de Encina son, finalmente, diversos poemas jocosos que le darían gran celebridad. Así, los *Disparates trobados,* sobre el viejo tópico del mundo al revés («Anoche de madrugada / ya después de mediodía, / vi venir en romería / una nave muy cargada...»), o la *Almoneda trobada,* donde describe el ajuar de un estudiante que se traslada a Bolonia:

(...) Primeramente un Tobías
y un Catón y un Dotrinal,
con un Arte manual
y unas viejas omelías;
y un libro de cetrerías
para caçar quien pudiere,
y unas nuevas profecías
que dizen que en nuestros días
será lo que Dios quisiere (...)

BIBLIOTHECAE REGIAE

Cancionero de todas las obras de Juan del enzina: con otras cosas nueuamente añadidas.

II. La obra dramática y el proceso de transmisión

La producción dramática de Encina está constituida por un total de catorce piezas teatrales, casi todas calificadas de «églogas» por el autor (sólo dos son tituladas «representación» y una «auto»). Por los datos que poseemos, hubieron de componerse entre 1492, fecha de su entrada al servicio de los duques de Alba, y 1513, fecha probable de la representación de la *Égloga de Plácida y Vitoriano,* como quedó dicho, o en todo caso, editada por esos años, como se verá[24].

El teatro de nuestro poeta se nos ha transmitido a través de dos cauces textuales diferentes: de un lado, las varias ediciones impresas de cancionero de autor, que se suceden en los últimos años del siglo XV y primeros del XVI, y en las que se van acumulando progresivamente nuevas piezas teatrales hasta completar un total de doce distintas; y, de otro, diverso número de pliegos sueltos, impresos por esas mismas fechas o poco después, que vuelven a editar obras ya recogidas en el cancionero de autor —a veces con variantes significativas— o dan a conocer nuevos textos dramáticos.

La primera edición del *Cancionero de las obras de Juan del Enzina* es la de Salamanca, de 6 de junio de 1496, con toda probabilidad revisada por el propio autor, entonces aún residente en la ciudad, y publicada en la que se conoce como imprenta de la *Gramática* de Nebrija[25]. En trece folios aparte, reservados al final del texto, la edición incluye las primeras ocho piezas teatrales que conocemos de Encina: las dos *Églogas de Navidad,* las dos *Representaciones de Pa-*

---

[24] Sobre la cronología de las obras, véase apartado IV.

[25] Se conservan dos ejemplares de esta edición del *Cancionero,* uno en la Real Academia Española y otro en El Escorial. Para la descripción de esta y las demás ediciones que se irán citando del *Cancionero* de Encina, véase más abajo «Las fuentes textuales». Sobre la relación con la imprenta nebrisense, R. O. Jones, «Encina y el *Cancionero...»,* art. cit.

sión y Resurrección, las dos *Églogas de Carnaval* y las dos *Églogas en requesta de unos amores.* Estas mismas ocho obras se mantendrán en las dos ediciones siguientes del *Cancionero:* la de Sevilla, Pegnicer y Herbst, 1501, y la de Burgos, Andrés de Burgos, 1505, ambas realizadas cuando Encina se encontraba ya en Italia.

A pesar de que el autor ya está ausente de la ciudad, nuevas piezas dramáticas pasan a incorporarse a la siguiente edición salmanticense del *Cancionero,* por Hans Gysser, en 1507. En esta rara edición, de la que ha sobrevivido un único ejemplar conservado en la Biblioteca del Palacio Real de Madrid, se añaden, en efecto, dos nuevas obras: la *Égloga sobre los infortunios de las grandes lluvias,* reelaboración del viejo drama de Navidad, y la *Representación ante el príncipe don Juan sobre el poder del Amor,* auténtico «triunfo de amor» que gozaría de notable difusión. Dos años más tarde se publicaba una edición todavía más completa del *Cancionero,* también en Salamanca, por el mismo impresor, el 7 de agosto de 1509. En ésta, a las diez piezas ya conocidas, se añaden otras dos hasta entonces no inventariadas: la *Égloga de Fileno, Zambardo y Cardonio* y el *Auto del repelón.* Con estas doce obras recogidas, ya no se publicará otra edición más completa del cancionero. La siguiente y última que se haga, la de Zaragoza, por Jorge Coci, en 1516, incluye sólo las diez de *C1507,* pero omite las dos nuevas de *C1509.*

En resumen, contamos con seis ediciones distintas del *Cancionero* de Juan del Encina, pero en realidad sólo tres de ellas resultan verdaderamente activas, en cuanto que suponen una aportación de nuevos textos teatrales: la de 1496 —por ser la primera—, la de 1507 y la de 1509. Es decir, las tres impresas en Salamanca, donde el nombre del autor era bien conocido y los impresores, si no él mismo o sus familiares, podían cuidar mejor la edición de sus obras.

El pliego suelto, como dijimos, fue también importantísimo cauce de transmisión del teatro enciniano. En pliegos y no en folios de cancionero, nos han llegado dos piezas de su última producción, con las que se eleva su obra hasta el total de catorce hoy conocidas: la *Égloga de Cristino y Febea,* conservada en un único ejemplar en folio, s.l., s.i, s.a. (aunque posterior a 1509), que perteneció al duque de T'Serclaes y, en la actualidad, en la Biblioteca de Menéndez Pelayo de Santander[26]; y la *Égloga de Plácida y Vitoriano,* transmitida en sendos pliegos sueltos, uno de la Biblioteca Nacional de Madrid, s.l., s.i., s.a. (pero, según Norton: Burgos, Alonso de Melgar, entre 1518 y 1520), y otro, también s.l., s.i., s.a., pero anterior al citado, que se halla incluido en un volumen facticio de la Bibliothèque de l'Arsenal de París, que contine una variada colección de textos teatrales españoles de la primera mitad del siglo XVI[27].

Otras piezas, ya conocidas por las ediciones de cancionero, gozaron también de la difusión del pliego suelto. Así, las dos églogas de Carnaval, divulgadas también en una suelta, s.l., s.i., s.a. (pero Norton: Sevilla, Jacobo Cromberger, *ca.* 1515), que forma parte de las series de pliegos del bibliófilo parisiense J. J. De Bure, que fueron adquiridas por la Bibliothèque Nationale (hoy catalogados bajo las signaturas *Rés. Yg. 86-112)* y que, como iremos viendo, contienen otras obras más de Encina[28]. También muy difundida en pliegos fue la *Representación ante el príncipe don Juan,* de la que se hicieron no menos de tres tiradas independientes: una s.l., s.i., s.a. (pero hacia 1525, en opinión de Salvá), conservada en la Biblioteca Nacional de Madrid; otra, también s.l., s.i., s.a. (pero Norton: Toledo, Juan de Villaquirán, 1513-1520), recogida en el volumen de pliegos de la Biblioteca Pública de Oporto; y una tercera, igualmente s.l., s.i., s.a. (pero Norton: Burgos, Fadrique de Basilea, 1515-1519), incluida en la citada colección de la Bibliothèque Nationale de París.

Dos ediciones sueltas se conservan asimismo de la *Églo-*

---

[26] Para este y los demás pliegos sueltos citados, véase su descripción pormenorizada en el apartado «Las fuentes textuales» de la presente introducción.

[27] El volumen fue descrito por H. C. Heaton, «A volume of rare sixteenth century spanish dramatic works», *RR,* 18 (1927), págs. 339-45.

[28] De la colección parisiense trata Antonio Rodríguez-Moñino en su *Diccionario bibliográfico de pliegos sueltos poéticos (siglo XVI),* Madrid, Castalia, 1970, págs. 61-62.

ga de Fileno, Zambardo y Cardonio: una en la Biblioteca Nacional de Madrid, s.l., s.i., s.a., y otra en la mencionada colección parisiense, también sin datos de impresión. No existen, sin embargo, a pesar de lo que muchas veces se ha creído y repiten con insistencia editores y repertorios e índices bibliográficos, ediciones sueltas de esta *Égloga de Zambardo* ni del *Auto del repelón* que fueran impresas en Salamanca, por Hans Hysser, en 1509. Como mostró muy claramente F. J. Norton, lo que por tales se considera no son sino falsificaciones fotográficas perpetradas por el erudito José Sancho Rayón en el pasado siglo, quien, manteniendo el colofón original en cada suelta, reduce en cambio el tamaño de la impresión, de folio a cuarto, y deja a una sola columna las dos del texto primitivo:

> Detailed examination revels that not only has the colophon in all three works the same setting of type, but that the two quartos were photographic pastiches of the relevant text of the *Cancionero,* the *Coplas* being supplied with a made-up tittle-page with a border reproduced on a reduced scale from Gysser's material[29].

De gran interés resulta el estudio de la relación textual de estos pliegos con las ediciones de cancionero. De las dos églogas de Carnaval, por ejemplo, esto es, la *Égloga de la noche postrera de Carnal* y la *Égloga representada la mesma noche de Antruejo,* editadas por primera vez en *C1496,* y luego en todas las ediciones sucesivas del *Cancionero,* hay también, según dijimos, una impresión suelta de hacia 1515. El cotejo de ambos textos pone claramente de manifiesto que el del pliego es muy inferior al original. Aunque ha querido res-

---

[29] F. J. Norton, *Priting in Spain 1501-1520,* Cambridge University Press, 1966, pág. 29. A las falsificaciones de Sancho Rayón ha dedicado un detallado estudio Víctor Infantes, *Una colección de burlas bibliográficas: las reproducciones fotolitográficas de Sancho Rayón,* Valencia, Albatros, 1982 (las piezas de Encina, en págs. 44-47). La inexistencia de una suelta en el caso del *Auto del repelón* es claro que resta argumentos a la tesis de Oliver T. Myers, «Juan del Encina and the *Auto del repelón*», *HR,* 32 (1964), págs. 189-201, quien negaba la paternidad de Encina aduciendo, entre otras razones, que no aparecía el nombre de éste en la pretendida «suelta».

petar el texto primitivo, ha introducido una serie de variantes, la mayoría de las cuales revelan una injustificable corrección del habla pastoril que aquél presentaba, como *fuzia* por *huzia* (*Ég. V*, v. 6), *gesto* por *gesta* (*V*, v. 97), *me preguntar* por *repreguntar* (*V*, v. 190), quizá *señor* por *senor* (*V*, vv. 229 y 233)[30], *manteca* por *mandega* (*V*, v. 94), *luego* por *llugo* (*Ég. VI*, v. 189), *cara el ganado* por *carra el ganado* (*VI*, v. 228), así como algunas confusiones y omisiones, quizá menos significativas: *quatro témpora* por *cuatra témpora* (*V*, v. 173), *debrocado y aun mortal* por *debrocado ya, mortal* (*V*, v. 11), *llanto* por *llanteo* (*V*, v. 33), omisión del v. 43 de *V*, *Lloriente, el hi de Menga* por *Lloriente y el hi de Menga* (*VI*, v. 109), etcétera.

La *Representación ante el príncipe don Juan sobre el poder del Amor* hubo de gozar de gran aceptación, a juzgar por los varios textos que la han transmitido. Las circunstancias trágico-amorosas de la muerte del joven príncipe recién casado, así como el tema de la omnipotencia triunfal del Amor, incluso sobre los míseros pastores, hubieron de favorecer sin duda aquella popularidad. Los pliegos poéticos, por su parte, presentan algunas modificaciones significativas respecto del texto de *C1507*. Lo primero que observamos es una rúbrica muy diferente, en la que se han omitido las referencias concretas a la representación de la obra ante el Príncipe y se ha prescindido del estilo retoricista y artificioso, acorde con la condición áulica y elevada de la pieza. Destinada seguramente ahora a una representación menos restringida y circunstancial, la rúbrica se hace más sencilla y condensada, limitándose a una exposición directa, lógica y precisa del argumento:

> Égloga trobada por Juan del Enzina, en la qual representa el Amor de cómo andava a tirar en una selva. Y cómo salió un pastor llamado Pelayo a dezille que por qué andava a tirar en lugar devedado. Y después cómo lo hirió Amor. Y de cómo vino otro pastor llamado Bras a consolallo, y otro pastor llamado Juanillo, y un Escudero que llegó a ellos.

---

[30] Véase Joseph E. Gillet, «Señor 'senor'», *NRFH*, 3 (1949), págs. 264-267, y nota 229 de la *Ég. V* en esta edición.

En segundo lugar, en la parte que llamaríamos «triunfo de Amor», se ha producido una significativa amplificación de la lista de personajes sojuzgados por Amor, en la que además de los pastores citados en el texto primitivo, se añade ahora una larga lista de desdichados amantes bíblicos y mitológicos, que deja probado más contundente y universalmente el poder del Amor:

Héctor a Pantasilea
con su fama en amores
y Jassón con sus primores
a Medea,
e a Menalcas Galatea
por amar quedó en historia
de gran gloria (...)
Por amores Clitemestra
la muerte tractó al marido,
y dio vida a su querido
Hipermaestra (...)
Por Ester el rey Assuero,
y por Argia Polinices (...),
por Rachel
Jacob sirvió catorze años,
a Narciso con engaños
Amor le fue muy cruel.
Con el fuerte del Amor
nunca fuerças tomar oses,
que también venció a los dioses
su valor (...)

Tal amplificación resulta un tanto improcedente y rebasa la simple pregunta que el pastor Bras había dirigido al Escudero haciéndole notar que no había mencionado a pastores sojuzgados por Amor (vv. 341-345). Éste le responderá citándole a tres célebres pastores y amantes bíblicos, Salomón, David y Sansón (vv. 346-350). En el texto de las sueltas, sin embargo, la relación de amantes es desmesurada y viene inducida tanto por la tradición genérica de los «triunfos de amor» como por la misma muerte del príncipe don Juan, que ha venido a ampliar, de modo desdichadamente irrefutable, los dominios del poder del Amor.

Un tercer añadido es el del cantar final. En *C1507*, la obra acababa con el concierto de los pastores para entonar un cantarcillo de amores, el cual, sin embargo, no era recogido en el texto, tal vez porque podía utilizarse alguno ya popularizado. Los pliegos sí presentan villancico expreso, que no es otro que el muy bello «Ojos garços ha la niña», ya publicado como poema independiente en *C1496:*

> Ojos garços ha la niña,
> ¿quién gelos namoraría?
> Son tan bellos y tan vivos
> que a todos tienen cativos,
> mas muéstralos tan esquivos
> que roban el alegría.
> Roban el plazer y gloria,
> los sentidos y memoria,
> de todos llevan vitoria
> con su gentil galanía.
> Con su gentil gentileza
> ponen fe con más firmeza,
> hazen vivir en tristeza
> al que alegre ser solía.
> *Fin*
> No ay ninguno que los vea
> que su cativo no sea,
> todo el mundo los desea
> contemplar de noche y día.

Estos versos nada tienen que ver con la acción de la obra, que no ha tratado de ninguna mujer concreta y sólo se ha movido en un plano abstracto de reflexión sobre el Amor. Añadidos ahora en esta versión posterior de las sueltas[31],

[31] En realidad, los pliegos sueltos —en los que hay abundantes errores conjuntivos y lagunas comunes— no partieron del texto de *C1507* (ni de *C1509* ni *C1516*, que no hacen sino repetirlo), puesto que lo mejoran en al menos tres lugares claramente erróneos: el v. 168, que falta en todos los cancioneros y que, sin embargo, leen con toda nitidez los pliegos («aunque vengas más perhecho»); el v. 191, que debe leerse «Quédate agora, malvado» (en rima con *señalado, lastimado*); y finalmente, tras el v. 239, debe omitirse un verso superfluo que traen los cancioneros, pero que desechan con razón las

parecen concentrar la atención en una mujer particular y tal vez quieran ser un recuerdo de los rasgados y expresivos ojos de Margarita de Austria[32], la joven y bella esposa de don Juan, causa de su ardiente y trágica pasión amorosa.

De la *Égloga de Fileno, Zambardo y Cardonio,* que apareció publicada por primera vez en *C1509,* se hicieron también, según dijimos, dos ediciones sueltas: una (la que designamos como *EZP),* muy próxima y fiel al texto de dicho cancionero, y otra *(EZM),* mucho más alejada y con variantes de bulto. Las diferencias más notables se hallan al principio y al final de la obra. Esta, que arranca —en un comienzo muy enciniano— con el monólogo del protagonista, el pastor Fileno, lamentando sus penas de amores («Ya pues consiente mi mala ventura...»), es modificada por la suelta con el añadido de dos coplas precedentes, puestas en boca del pastor Zambardo:

> Descansar yo quiero en aqueste prado
> que, miafé, vengo de cansancio lleno;
> quiçá que verná en tanto Fileno,
> que suel' por aquí repastar su ganado;
> que ha mucho tiempo que nol é habrado
> y esme, por cierto, muy leal amigo,
> muestra que tema gran prazer comigo,
> avremos gasajo más que dobrado.
> Y mientras no viene, yo quiero dormir
> y dar esta yerva a este borrego,

---

sueltas («con un canto»). Los pliegos parecen remontarse, pues, a un original que no poseía esos errores, pero que sí pudieron deslizársele al impresor de *C1507.* De ese original surgiría también una copia interpuesta que acomodaba la obra a nuevas y más amplias circunstancias de representación, no ya la primigenia ante el príncipe don Juan, en Salamanca, a fines de septiembre de 1497. Esa copia sería luego amplificada o enmendada en determinados versos por sucesivas impresiones —y quizá representaciones—, de las cuales ofrecen muestra los pliegos conservados. D. Becker, «De l'usage de la musique dans le théâtre de Juan del Encina», en *Juan del Encina et le théâtre du XVe siècle...,* pág. 33, piensa sugerentemente en una ulterior representación, más italianizante, en la corte valenciana de los duques de Calabria.

32 Así lo sospechaba Carolina Michaëlis de Vasconcellos, «Nótulas sobre cantares...», art. cit., pág. 349.

que cierto me hallo de cansancio lleno.
¡Ea, pues, vía, sus, a estendir!
Tú, sueño, no tardes, comiença a venir,
porque si viniere Fileno me halle
chapado, ligero, que pueda luchalle,
que siempre me suele a mí escometir.

Tales coplas vienen a justificar mejor la presencia de Zambardo en aquel lugar, como confidente de Fileno, e incluso introducen de una manera más anecdótica la acción, pero son, sin embargo, contrarias a los propósitos de Encina expresos en la rúbrica de la pieza de comenzar la acción dramática precisamente con el lamento de Fileno («...Donde se recuenta cómo este Fileno, preso de amor d'una muger llamada Zefira, de cuyos amores viéndose muy desfavorecido, cuenta sus penas a Zambardo y Cardonio...»).

También al final de la obra, la suelta *EZM* añade dos nuevas estrofas, en las que, tras el suicidio y sepultura de Fileno, los pastores Cardonio y Zambardo hablan de llamar al «crego» para que lo canonice, así como de convocar a otros pastores que con sus cánticos rindan las debidas honras fúnebres por Fileno:

CARDONIO — Coxgamos sus ropas, Zambardo, porque
con ellas hagamos sus honras y canto.
ZAMBARDO — No rueguen por él, Cardonio, que es sancto
y assí lo devemos nos de tener,
pues vamos los dos llamar sin carcoma
al muy sancto crego, que lo canonize,
aquel que en vulgar romance se dize
allá entre grosseros el Papa de Roma.
CARDONIO — Pues vamos llamar a Gil y a Llorente
y a Bras, que nos vengan aquí ayudar,
que veo que vienen y sé bien que es gente
que saben las silvas muy bien canticar.
¡Andá que parece venís de vagar!
GIL — ¿Qu'es lo que queréis, nobres pastores?
ZAMBARDO — Queremos rogaros queráis entonar
un triste requiem que diga de amores.

Los versos, con alguna imperfección en la rima y un esquema de la copla de arte mayor distinto de los tres tipos que suele emplear Encina en sus obras, el lenguaje pastoril un tanto burdo y desmayado, así como ese anuncio de canonización y honras fúnebre-amorosas (seguramente inducidas por otro célebre pasaje enciniano como la «Vigilia de la amada muerta» de la *Égloga de Plácida y Vitoriano),* llevan a considerar tales coplas como material espurio y añadido a la pieza. Por lo demás, cabe tener en cuenta que tanto la versión originaria como la fuente en que se inspira —la *Ecloga de Tirsi e Damone* de Antonio Tebaldeo—, concluyen perfectamente, sin ningún otro añadido, con los versos de la inscripción del sepulcro de Fileno: «¡O tú que passas por la sepultura...!»[33].

Los añadidos de *EZM,* por consiguiente (las variantes, menos significativas, que pueden observarse también en el interior del texto, responden únicamente a un propósito de completar silábicamente la copla de arte mayor o de eliminar algunos arcaísmos), no hacen sino desarrollar la potencialidad cómica de la égloga y, particularmente, de su personaje Zambardo, introducido por Encina, frente a su fuente literaria, para subrayar mejor, por contraste, la condición trágica de la obra. Esta, que hubo de alcanzar notable éxito en su representación, según confirmaría el testimonio de Juan de Valdés[34], pudo sufrir muy bien estas modificaciones, ajenas seguramente a Encina, pero que respondían a cierta lógica y exigencias representacionales.

Finalmente, también de la *Égloga de Plácida y Vitoriano* hay dos ediciones en suelta: una que representa una redacción más primitiva *(EPVP)* y otra ligeramente amplificada y seguramente posterior *(EPVM).* Fuera de la parte introductoria, a que ahora nos referiremos, el texto no presenta, en realidad, variantes de consideración entre una y

---

[33] Véanse las notas correspondientes en el texto que aquí editamos.

[34] «Muchas otras cosas ay escritas en metro que se podrían alabar, pero, assí porque muchas dellas no están impresas como por no ser prolixo, os diré solamente esto, que aquella comedia o farsa que llaman de *Fileno y Zambardo* me contenta» *(Diálogo de la lengua).*

otra (casi siempre inferiores en *EPVP*), pero sí algunos errores conjuntivos, que hacen pensar en una copia común distinta del original (véanse los versos 1073 y ss., v. 2011, v. 2043, v. 2362, v. 2373, v. 2525, v. 2538, etc.). De esa copia, ya con errores, saldría un texto muy próximo al que ofrece *EPVP*, con sus mismas particularidades. Esto es, con un breve encabezamiento («Égloga de los dos enamorados Plácida y Vitoriano. Agora nuevamente corregida y emendada»), un *Argumento* en prosa de toda la obra (que tal vez no fuera ajeno al modelo que por entonces ofrecían las ediciones de *La Celestina*), un detallado elenco de *Interlocutores* («Plácida. Vitoriano. Suplicio. Fulgencia. Eritea. - Pascual. Gil. Venus. Mercurio») y un texto dramático de 2490 versos (independientemente, para completar el pliego y ya fuera de la pieza enciniana, el impresor añadía un pequeño número de decires, motes y canciones).

De igual modo, de aquella copia surgiría luego un nuevo texto, del que da cuenta *EPVM* y en el que a todo lo anterior va «añadido un argumento, siquier introducción de toda la obra en coplas»[35]. Este «argumento en coplas» es en realidad un monólogo de 89 versos a cargo del pastor Gil (Cestero), quien, tras el saludo al auditorio y su cómica presentación, adelanta un resumen de la acción que va a seguir. El pasaje, que debe ser considerado como un verdadero *introito*, semejante a los de Torres Naharro, hubo de ser incorporado al texto primitivo de la pieza para satisfacer necesidades reales de representación escénica. Si el «argumento en prosa» era más bien apropiado para una lectura de la obra, el resumen introductorio en verso a cargo de uno de los personajes facilitaba, sin duda, el acceso del espectador a un texto de considerable extensión —unos 2500 versos— y representado escénicamente. Encina, quizá sensibilizado por las reacciones de su público —sabemos que a comienzos de 1513 no gustaba en Roma

[35] Aparte de otros añadidos al final del pliego y fuera de nuestro texto, como el *Nunc dimittis* «del bachiller Yanguas», que aquí ya no nos interesan.

la representación de su «comedia»—[36] y quizá a la zaga de Naharro, creador de una fórmula dramática bien acogida en Italia —de 1517 es la publicación de su *Propalladia,* en Nápoles—, decidiría ensayar la operatividad de ese *introito,* teorizado y practicado por el extremeño, al preparar de nuevo para la escena y editar su égloga hacia 1518 o 1520[37].

III. La tradición teatral

A lo largo del siglo xv el teatro castellano conoce un creciente desarrollo, que culminará al final de la etapa con una obra dramática tan madura como la de Juan del Encina. Noticias documentales diversas y un número suficiente de textos conservados, nos hablan, en efecto, de una animada actividad dramática en la época. Por aquellos testimonios sabemos que uno de los focos primeros de producción teatral fue la Iglesia, que acogió el espectáculo en las naves de sus catedrales y parroquias o en las capillas de sus monasterios y conventos. Documentos eclesiásticos, como las actas del concilio de Aranda de 1473, las del Complutense de 1480, las constituciones sinodiales de Ávila de 1481, o incluso las de Badajoz de 1501, dan cuenta de una muy activa tradición representacional en los templos, particularmente con motivo de las celebraciones de Navidad y Semana Santa[38]. Tradición que se trata ahora

---

[36] Véase más arriba el capítulo biográfico. Recuérdese que la única representación enciniana que se autocalifica de 'comedia' es ésta (v. 79).

[37] Ésa es la fecha que sugiere F. J. Norton para *EPVM,* con toda probabilidad impresa en Burgos por Alonso de Melgar. Algo anterior sería *EPVP,* que muy bien podríamos situar en torno a 1513, fecha de la representación italiana.

[38] Puede verse F. Mendoza Díaz-Maroto, «El Concilio de Aranda (1473) y el teatro medieval castellano», *Criticón,* 26 (1984), págs. 5-15; Ángel Gómez Moreno, «Teatro religioso medieval en Ávila», *El Crotalón,* 1 (1984), págs. 769-75; Ana M.ª Álvarez Pellitero, «Aportaciones al estudio del teatro medieval en España», *El Crotalón,* 2 (1985), págs. 13-35; Miguel A. Pérez Priego, *El teatro de Diego Sánchez de Badajoz,* Cáceres, Universidad de Extremadura,

de purgar de sus viejas adherencias de «juegos desonestos», «sermones iliçitos», «çahorrones», «homarraches» y «cacephatones e cantares torpes e feos», que habían ido introduciendo gran perturbación en el oficio divino, y de conducirla al cauce de las «representaçiones devotas e onestas que mueven al pueblo a devoçión»[39]. En todo caso, la representación en el templo parece convertida ya en un hecho de la vida diaria y, como cuenta Alfonso Martínez de Toledo en su *Corbacho,* es ocasión propicia que aprovecha la mujer vanagloriosa para ser vista y mirada («Quiero ir a los perdones, quiero ir a sant Francisco, quiero ir a misa a santo Domingo, *representaçión* fazen de la Pasión al Carmen...»).

Toledo fue precisamente uno de los núcleos con mayor actividad teatral, según documentan los libros de gasto y fábrica de la catedral. Aparte la Navidad y la Pasión, allí se celebraba con espectacularidad la fiesta del Corpus Christi, en cuya procesión, entre los años 1493 y 1510, sabemos llegaron a representarse gran número de autos, cuyo texto,

---

1982, págs. 42-44. Aunque este tipo de testimonios sobre actividades dramáticas debe interpretarse siempre con cautela, por cuanto tales disposiciones suelen repetir ecos de la vieja condena del teatro por parte de los moralistas romanos y de los padres de la Iglesia, hay que tener muy en cuenta, como ha observado John E. Varey, «A Note on the Councils of the Church and Early Dramatic Spectacles in Spain», en *Medieval Hispanics Studies presented to Rita Hamilton,* Londres, Tamesis, 1976, págs. 241-44, que a lo largo del tiempo se produjeron diversos impulsos reformadores que fueron modificando la actitud de la Iglesia ante el espectáculo teatral, cambios que naturalmente pasarían a reflejar los cánones y decretos oficiales. Las actas y documentos de nuestro siglo xv, en los que todavía hay restos de la antigua controversia, contienen sin embargo numerosas alusiones concretas y coloristas que permiten interpretarlos como reflejo de la realidad de su tiempo.

[39] En estos conocidos y elocuentes términos quedan recogidas, en las actas del concilio de Aranda, las diposiciones de don Alonso Carrillo para todo el arzobispado de Toledo: «Nos hanc corruptelam, sacro approbante concilio, revocantes huiusmodi larvas, ludos, monstra, spectacula, figmenta, tumultuationes fieri, carmina quoque turpia, et sermones illicitos dici (...) prohibemus (...) Per hoc tamen honestas repraesentationes et devotas, quae populum ad devotionem movent, tam in praefatis diebus quam in aliis, non intendimus prohibere» (*apud* Juan Tejada y Ramiro, *Colección de cánones y de todos los concilios de la Iglesia de España y de América,* V, Madrid, 1855, páginas 24-25).

que debía de ser muy esquemático, no se nos ha conservado, aunque sí abundantes noticias acerca de los gastos de su montaje y escenificación[40]. También nos ha llegado un *Auto de la Pasión,* de Alonso del Campo, capellán de coro en la catedral y organizador de las fiestas en el último tercio del siglo. El auto, que con cierto desaliño hubo de adaptar Campo de un texto más arcaico[41], es una fragmentaria recreación escénica de algunos episodios evangélicos de la pasión de Cristo, con los que alternan tres monólogos y plantos sucesivos, a cargo respectivamente de San Pedro, San Juan y la Virgen, que prestan a la obra un tono de piadoso recogimiento, en línea con aquellas disposiciones regeneradoras de los concilios y sínodos eclesiásticos.

De lo que, por su parte, era el teatro de Navidad, el testimonio más acabado lo constituye sin duda la *Representaçión del Nasçimiento de Nuestro Señor,* de Gómez Manrique, construida sobre el esquema tradicional evangélico del anuncio del ángel a los pastores, la marcha de éstos al nacimiento y la adoración y ofrenda de presentes. Esquema que, sin embargo, es hábilmente variado por Manrique mediante la inserción, al comienzo, de la escena de las dudas de San José, tomada de los apócrifos, y mediante la amplificación final de la ofrenda de los instrumentos simbólicos de la Pasión (el cáliz, los azotes, la corona de espinas, etc.), lo que introducía un significativo tema devoto al unir patéticamente la meditación sobre la pasión de Cristo con el júbilo de su nacimiento. La pieza, como ha visto Ronald E. Surtz, daba cabida así a un motivo muy característico de la devoción franciscana, acorde con el recogimiento conventual a que iba destinada[42], pues Manrique la dedicó a su

---

[40] Este rico teatro toledano ha sido cuidadosamente documentado y analizado por Carmen Torroja Menéndez y María Rivas Palá, *Teatro en Toledo en el siglo XV. 'Auto de la Pasión' de Alonso del Campo,* Madrid, Real Academia Española, 1977.

[41] Véase el estudio de Alberto Blecua, «Sobre la autoría del *Auto de la Pasión*», en *Homenaje a Eugenio Asensio,* Madrid, Gredos, 1988, págs. 79-112.

[42] R. E. Surtz, «The 'Franciscan connection' in the early castilian theater», *Bulletin of the Comediantes,* 35, 2 (1983), págs. 141-52. El texto de Gómez Manrique ha sido últimamente editado y estudiado por F. López Estrada,

hermana María, vicaria del monasterio de clarisas de Calabazanos, con el fin de que fuera representada por las propias monjas del convento.

Al mismo ambiente conventual y devoto responde el anónimo *Auto de la huida a Egipto,* escrito a finales de siglo para las clarisas de Santa María de la Bretonera, en Burgos, y que, con argumento ya alejado del drama litúrgico, pone en escena, conforme al relato de San Mateo, un pasaje de la infancia de Cristo. Pero a ese relato añade el autor el episodio apócrifo del encuentro con los tres ladrones, que terminarán arrepentidos, al tiempo que yuxtapone una segunda acción protagonizada por Juan el Bautista y un Peregrino, quien luego de adorar a la Sagrada Familia decidirá entregarse a la vida eremítica[43]. Si argumentalmente, como se advierte, la obra presenta una notable complejidad, también desde el punto de vista teatral resulta bastante elaborada, tanto porque requeriría la puesta en escena de un artificioso escenario múltiple y simultáneo, como por la presencia de estudiados personajes (Peregrino, ladrones) que sirven de enlace con el espectador, a quien transmiten emotivamente toda la intensidad de su conversión piadosa. Ese efecto catártico resultaba, ciertamente, un feliz hallazgo teatral y una acertada respuesta a aquellos propósitos de mover a devoción que, como parece por las disposiciones eclesiáticas citadas, buscaba con afán el drama sacro de la época.

El otro foco de producción teatral en el siglo XV es la corte, los palacios del rey y de la nobleza. Hay en estas cortes principescas del otoño de la Edad Media una fuerte tendencia a la teatralización de casi todos los sucesos de la vida diaria. Con motivo de los más varios acontecimientos

---

«*La representación del Nacimiento de Nuestro Señor,* de Gómez Manrique: estudio textual», *Segismundo,* 39-40 (1984), págs. 9-30, y «Nueva lectura de la *Representación del Nacimiento de Nuestro Señor,* de Gómez Manrique», en *Atti del IV Colloquio della Societé Internationale pour l'Étude du Théâtre Médiéval,* Viterbo, 1984, págs. 423-46.

[43] *Auto de la huida a Egipto,* edición de Justo García Morales, Madrid, Joyas Bibliográficas, 1948. Véase también José Amícola, «El *Auto de la huida a Egipto,* drama anónimo del siglo XV», *Filología,* 15 (1971), págs. 1-29.

y ocasiones, se organizan desfiles, danzas, juegos, torneos y espectáculos diversos, en los que se concede especial importancia al artificio visual, a la música y al vestuario. Incluso parte de la actividad literaria cobra un cierto grado de teatralidad, como muestra la ejecución de algunos géneros poéticos (cantares de serrana, preguntas y respuestas, letras e invenciones, poemas dialogados). No es, pues, extraño que la corte incorporara enseguida a su ámbito las representaciones dramáticas de las iglesias y convirtiera esa práctica teatral en espectáculo cortesano. La *Crónica del condestable Miguel Lucas de Iranzo,* magnífico y revelador documento de la vida diaria en una corte fronteriza en el reinado de Enrique IV, nos da cuenta de cómo dicho condestable todos los años hacía representar y representaba él mismo, en las salas de su palacio de Jaén, con ocasión de las fiestas de Navidad y Reyes, sendos espectáculos dramáticos: la *Estoria del Nascimiento y de los pastores* y la *Estoria de quando los Reyes vinieron a adorar y a dar sus presentes*[44]. Por el propio título y por la descripción que hace la crónica, ambas «estorias» serían semejantes a las que se representaban en las iglesias, en la tradición del drama litúrgico. La novedad consistía en la sustitución de las naves del templo por la sala de palacio, y de los clérigos y cantores por los caballeros y pajes cortesanos.

Pero el espectáculo teatral quizá más interesante que se produce en la corte es el *momo*, al cual aluden con reiteración las crónicas de la época. Se trata de un espectáculo diverso, propio de la corte y en el que solían participar todos los cortesanos, y que a mediados de siglo, según testimonio de Alonso de Cartagena, era novedad en Castilla. Teniendo en cuenta la secuencia temporal en que son descri-

[44] La importancia de la crónica para los orígenes del teatro castellano fue ya advertida por Charles V. Aubrun, «La chronique de Miguel Lucas de Iranzo», *BHi,* 44 (1942), págs. 81-95; sobre la variedad de fiestas en ella descritas, véase ahora Lucien Clare, «Fêtes, jeux et divertissements à la cour du Connetable de Castille Miguel Lucas de Iranzo (1460-1470). Les exercices physiques», en el colectivo *La fête et l'écriture. Théâtre de Cour, Cour-Théâtre en Espagne et en Italie, 1450-1530,* Aix-en-Provence, Université de Provence, 1987, págs. 5-32.

tos por las crónicas, puede suponerse que se insertaban en un espectáculo más amplio: primero, durante el día, se había celebrado la justa, y luego, por la noche, después de la cena y en la misma sala de palacio, tenían lugar los momos, llegaba la hora de «momear», que concluía con bailes y danzas. De ese modo, como ha hecho notar Eugenio Asensio, quedaba todo enmarcado en el común ritual cortesano y se producía una sugerente asociación y continuidad entre la justa y el momo, la lucha y la mascarada, teñida ésta de cierto erotismo, pues a ella ponía fin el baile con la dama, que era el premio a los justadores y galanes[45].

Elemento esencial del momo, junto a la música y la danza, era el atuendo, las máscaras y visajes con que se revestían las personas que los interpretaban. También muchas veces poseían texto y letra: cartas, canciones, tiradas de versos que recitaban los distintos personajes. De Gómez Manrique conocemos, en efecto, unos que compuso al nacimiento de un sobrino suyo y en los que aparecen las siete Virtudes, cada una recitando una estrofa de parabién; y otros en honor del príncipe don Alfonso, con ocasión de su mayoría de edad, en 1467, en los que intervienen nueve damas representando a las nueve musas, que recitan también un «fado» de buenaventura para el príncipe. Hubo de haber otros muchos momos de homenaje y exaltación encomiástica, con motivo de nacimientos, bodas, recibimientos reales, etc. Y también los hubo de asunto amoroso y caballeresco, que trataban el tema de la herida o la victoria de amor asociado con el torneo real, como los que evoca Diego de San Pedro en su *Arnalte y Lucenda* o como los celebrados en las bodas del condestable Lucas de Iranzo[46]. Si bien es cierto que este espectáculo del momo no

[45] E. Asensio, «De los momos cortesanos a los autos caballerescos de Gil Vicente», en sus *Estudios portugueses,* París, Fundaçâo Calouste Gulbenkian, 1974, págs. 25-36.

[46] Así son descritos en la mencionada *Crónica:* «El jueves siguiente (...) se fizo un grande e muy frecuentado juego de cañas, do asaz cavalleros salieron feridos (...) Y después de çenar, vinieron momos mancos, la meitad brocados de plata e la meitad dorados, con cortapisas, en las partes izquierdas sendas feridas, sombreros de Bretaña, en ellos penas y veneras, y con sus bordones; e dançaron por grant pieza.»

era propiamente teatro, sí podríamos afirmar que presagiaba un desarrollo teatral, pues había en ellos una cierta acción y movimiento dramáticos, unos actores que representaban distintos papeles y se servían de máscaras y visajes y, muchas veces, además del apoyo musical, hasta un mínimo texto poético que acompañaba a la mímica y al gesto.

Relacionados también con este ambiente palaciego, hay otros textos literarios, transmitidos por los cancioneros poéticos de la época, que no se muestran ajenos a toda esta actividad teatral. Son textos dialogados, en los que participan diversos interlocutores, con una apreciable acción y movimiento escénico, y susceptibles, por tanto, de una representación, aunque no tengamos siempre pruebas definitivas de que ésta se produjese. Los asuntos tratados son, unas veces, de carácter amoroso, como en el *Diálogo del viejo, el Amor y la Hermosa,* refundición anónima del *Diálogo del Amor y un viejo* de Rodrigo de Cota, que pone en escena el tópico debate entre ambos personajes, que aquí termina con el desengañado fracaso del Viejo rechazado por la Hermosa[47]. Tema parecido tratan las *Coplas de Puertocarrero* que asimismo escenifican, con cierto distanciamiento cómico y realista, los tópicos del amante apasionado y de la dama rigurosa y cruel. Otras veces son piezas de carácter político y alegórico, como la *Égloga* de Francisco de Madrid que, escrita en verso de arte mayor y bajo una ficción pastoril, se refiere a los sucesos de la invasión de Nápoles por Carlos VIII y la defensa de Fernando el Católico[48].

---

[47] Ha sido estudiado últimamente por H. Salvador Martínez, «*El Viejo, el Amor y la Hermosa* y la aparición del tema del desengaño en el teatro castellano primitivo», *Revista Canadiense de Estudios Hispánicos,* 4 (1980), págs. 311-27. Casi todos los textos a que aquí nos estamos refiriendo pueden verse en las ediciones de Fernando Lázaro Carreter, *Teatro medieval,* Madrid, Castalia, 1965, o de Ronald E. Surtz, *Teatro medieval castellano,* Madrid, Taurus, 1983.

[48] Un clarificador estudio y un depurado texto de la obra ha ofrecido Alberto Blecua, «La *Égloga* de Francisco de Madrid en un nuevo manuscrito del siglo XVI», en *Serta Philologica F. Lázaro Carreter,* II, Madrid, Cátedra, 1983, págs. 39-66.

Menos elaborada resulta la anónima *Égloga sobre el molino de Vascalón* que, también bajo la ficción de un breve diálogo entre un rústico y un molinero, alude a algún suceso de tipo político o religioso[49].

Tras este sucinto repaso a las noticias y textos dramáticos que, fuera de los casos bien conocidos de Juan del Encina y Lucas Fernández, nos ha transmitido el siglo XV, convendría, a manera de conclusión, hacer algunas consideraciones sobre la condición y categoría artísticas de este teatro, quizá un tanto lejos de nuestra concepción moderna del hecho teatral. En primer lugar, hay que advertir que nos hallamos ante unas obras que no poseen una realización textual propia y que tampoco era habitual recoger por escrito. No había aún en el siglo XV una escritura específica para el texto teatral, y éste tiene que adoptar el modelo más común y dominante de la poesía de cancioneros, cuando no la copia ocasional y descuidada. Por todo ello, no es infrecuente que carezcan de acotaciones escénicas y de marcas para la alternancia de personajes en el diálogo, o que se confundan con los títulos y rúbricas de aquella lírica cancioneril. Una segunda consideración es que se trata de un teatro que oscila descompensadamente entre la palabra y el gesto, resultando unas veces casi puro gesto, como en el momo, y otras, como en los autos, diálogos y églogas, casi sola palabra. Es un teatro muy estático, al que falta siempre acción y trama argumental, y que se resuelve en gesto y alarde visual, cuando no en largos parlamentos didácticos y piadosos o en densas confrontaciones dialécticas en la tradición de los viejos debates medievales.

Por último, no podríamos considerar tampoco a la mayoría de estas obras y espectáculos como puras creaciones dramáticas, por cuanto no parece que persiguieran el puro goce estético y literario. En ese sentido, como ha advertido Charlotte Stern, están más cerca del acto ritual, que tiene una finalidad más inmediatamente práctica y en el que

---

[49] M. A. Pérez Priego, «La *Égloga del molino de Vascalón:* texto y sentido literario», en *Actas del II Seminario Internacional de Edición y Anotación de Textos del Siglo de Oro,* Universidad de Navarra (en prensa).

toma parte toda la colectividad[50]. En nuestras obras, en efecto, la representación brota de la propia fiesta sin solución de continuidad: después de la misa o de los oficios, en el caso de los autos, o tras el torneo y la cena, en los espectáculos cortesanos. Se produce igualmente en el mismo recinto de la fiesta —el templo, la capilla del convento o la sala del palacio— y es ejecutada por los propios celebrantes y participantes —los clérigos, las religiosas o los cortesanos—, de manera que, aunque sólo sean unos cuantos quienes la interpreten, todos los espectadores se sienten identificados emocionalmente con los actores y se tienen por partícipes de ella. En las iglesias, la representación tendrá fundamentalmente una finalidad celebrativa y devota: la evocación piadosa de los misterios de la religión. En la corte, apuntará, sobre todo, a la exaltación de aquella sociedad feudal y cortesana, subrayando las relaciones de dependencia y la armonía social del grupo y derramando alabanzas a las virtudes y altas empresas acometidas por el señor.

IV. Primera producción dramática

Cuando Encina comienza a representar en el palacio de Alba de Tormes, en 1492, la situación teatral de la que parte no sería muy diferente de la que acabamos de describir. De ella, lo primero que aprovecha es el ámbito cortesano en que venían produciéndose una buena parte de aquellos espectáculos dramáticos. Como quedó dicho, nuestro poeta vive y ejerce su actividad artística en una corte castellana de finales de la Edad Media, cuyos miembros, acabada la reconquista y tras el abandono de las armas, se hallan entregados a las «artes de la paz». Tal es la corte de don Fadrique Álvarez de Toledo, primo del rey Católico y segundo duque de Alba, quien, concluida la guerra de Granada, se ha retirado con su familia al palacio

[50] Ch. Stern, «The Early Spanish Drama: From Medieval Ritual to Renaissance Art», *Renaissance Drama,* New Series, 6 (1973), págs. 177-201.

de Alba de Tormes, muy cerca de la ciudad de Salamanca. Para él y para su esposa, doña Isabel Pimentel, escribe Encina sus primeras obras teatrales, que serán recopiladas en el *Cancionero* de 1496, el cual viene a suponer en su conjunto el balance literario de aquellos años de servicio a los duques, conforme asegura en el proemio ya citado:

> Movíme también a la copilación destas obras por verme ya llegar a perfeta edad y perfeto estado de ser vuestro siervo, y parecióme ser razón de dar cuenta del tiempo passado, y començar libro de nuevas cuentas[51].

En la corte de Alba, como en otras de la época, habría seguramente unos usos y una práctica teatral, consistente en representaciones y ceremonias diversas para la Navidad, la Semana Santa y otras ocasiones festivas. Por la manera en que aluden las rúbricas de las piezas del *Cancionero* a las circunstancias de su misma representación, en las dependencias de palacio («entró primero en *la sala*», «estando éstos en *la sala* adonde los maitines se dezían»), ante un auditorio habitual («adonde el Duque y la Duquesa estavan») y sucediéndose de forma cíclica y emparejada («representada en la noche de la Natividad», «representada en la mesma noche de Navidad», «Representación a la muy bendita passión y muerte de nuestro precioso Redentor... Va esso mesmo introduzido un Ángel que vino a contemplar en el monumento y les traxo consuelo y esperança de la santa *resurrección*», «Representación a la santíssima *Resurrección* de Cristo»), se desprendería que aquellas representaciones no eran un hecho insólito, sino más bien acostumbrado en *la sala* de palacio[52], *ante los duques* y en determinadas festividades del año.

---

[51] «A los ylustres y muy manificos señores...», *C1496*, fol. 11*v*.

[52] Maria Grazia Profeti, «Luogo teatrale e scrittura: il teatro di Juan del Encina», *Linguistica e Letteratura*, 8 (1982), págs. 155-72, ha analizado perspicazmente las consecuencias literarias (entre ellas, la de la propia operación de escritura y predeterminación del texto) de la utilización de ese lugar teatral cortesano. Michel García, «L'emergence d'un espace théâtral en Castille à la fin du xve siècle», *Recherches ibériques et cinématographiques*, 2, núms. 8-9 (1988), págs. 16-26, ha estudiado asimismo el paso del lugar real al espacio

En ese ambiente teatral cortesano encontraría, pues, Encina la tradición de las ceremonias dramatizadas para la Navidad (que le inspirarían sus *Églogas I* y *II*) o la Semana Santa (*III* y *IV*), así como la de la propia fiesta carnavalesca palaciega (puesta directamente en escena en la *Ég. VI*) e incluso la de la recuesta amorosa de la pastorela, celebrada también festiva y animadamente en las reuniones cortesanas (inspiradora de sus *Églogas VII* y *VIII*). De todos esos espectáculos, juegos y recreos cortesanos (ceremonias religiosas, celebración carnavalesca, fiesta literaria de la pastorela) es de donde arranca y toma su inspiración el teatro enciniano, que se integra a su vez en la propia periodicidad ritual y festiva de aquéllos.

El proceso de reescritura literaria

Pero Encina no se limita a sumarse indiferente a aquel ceremonial cortesano y a repetir sus mismas formas y esquemas representacionales. Lo primero que hace, en cambio, es darles una mayor entidad literaria y elevar su condición artística y poética. Aparte de imprimirles un ritmo teatral, fijarles unas condiciones de puesta en escena y potenciar el elemento lírico y musical, quizá lo más importante que consigue desde un punto de vista literario, es prestarles un mayor desarrollo textual. Les concede, pues, más palabra y los fundamenta en un texto, en una escritura preexistente, en la cual viene a apoyarse ahora lo que no era prácticamente sino gesto y ceremonia ritual. Detrás de las piezas encinianas hay, así, además de aquella tradición dramática cortesana, unos textos literarios que dan soporte y consistencia artística a lo que podía haberse quedado

teatral en la época. Puede verse también Monique de Lope, «L'églogue et la cour. Essai d'analysis des rapports de l'écriture théâtrale et de la fête chez Juan del Encina», en *La fête et l'écriture. Théâtre de Cour, Cour-Théâtre en Espagne et en Italie, 1450-1530*, Aix-en-Provence, Université de Provence, 1987, págs. 133-49, y Lucette-Elyane Roux, «Du cercle à la spirale: Juan del Encina à la recherche d'une structure spatio-temporelle dans les églogues du *Cancionero* de 1496», en *Juan del Encina et le théâtre du XVe siècle...*, págs. 159-95.

en simple espectáculo mímico y gestual. De esa manera, se ha logrado un estimable equilibrio entre palabra y gesto, a la vez que, como en todo teatro, se ha producido un proceso de reescritura.

Los procedimientos que para todo ello sigue Encina son diversos. En el caso de las representaciones de Navidad (véase el capítulo anterior de esta Introducción), que ya contaban con la tradición de un esquema representacional y de una historia argumental escenificada (seguidos tanto en la *Égloga II* como en la *Égloga de las grandes lluvias* con la puesta en escena del coloquio pastoril y la adoración de los pastores ante el pesebre), Encina, lo que hace es asegurar y amplificar el texto con otro más prestigioso y autorizado. Aquí será el de los propios Evangelios, puesto en boca de cada uno de los cuatro pastores metamorfoseados en evangelistas (Lucas, Marco, Juan, Mateo) e individualizados dramáticamente[53]. El diálogo entre ellos se construye, efectivamente, con citas y lugares de su respectivo texto evangélico, como puede comprobarse en estos versos (véanse, en general, todas las notas a esta *Égloga II*):

LUCAS — Embió Dios embaxada
a la Virgen con Graviel
para en ella venir él,
y luego quedó preñada (...)

MATEO — Con el dedo acertaría,
que deve ser una esposa
de Josepe, muy hermosa,
essa tal que tal paría.

LUCAS — Una que llaman María.

MATEO — Pésame que no ay espacio,
que aun de aquessa yo sabría
contar la genealogía
de todo su generacio.
Él es hijo de David,
de David y de Abrahán.

53 Véase B. W. Wardropper, «Metamorphosis in the theatre of Juan del Encina», *SPh,* 59 (1962), págs. 41-51, quien considera que tal proceso de individualización de los personajes es uno de los mayores logros de Encina en todo su teatro.

LUCAS	Diga, diga, diga, Juan,
	qu'es zagal de buen ardid.
JUAN	Digo, digo que Él es vid,
	vida, verdad y camino.
	Todos, todos le servid,
	todos comigo dezid
	qu'él es el Verbo divino.

(*Ég. II,* vv. 46-72)

En las representaciones de Pasión y Resurrección el proceso de reescritura es algo más complejo, puesto que Encina funde la tradición dramática con ceremonias procesionales, así como los textos canónicos con los apócrifos. La *Representación a la Pasión* es, en efecto, una mezcla de estructuras del drama litúrgico y de elementos procesionales de la liturgia del Viernes Santo. El esquema básico es el de la *Visitatio Sepulchri:* la aproximación de unos personajes al sepulcro donde está enterrado Cristo. Pero sobre ese esquema —que en realidad es el del drama de Resurrección y sólo por analogía puede valer para el de Pasión— se introducen diversas modificaciones. En primer lugar, los personajes que se acercan al sepulcro no son los de la tradición (Marías, discípulos), sino las figuras atemporales del Padre y el Hijo, del mismo modo que quien les habla junto al sepulcro no es tampoco el Ángel (aunque al final sí aparecerá para anunciar la resurrección) sino la Verónica, que no era figura evangélica. La presencia de ésta en escena permite, sin embargo, la narración patética de la Pasión por un testigo directo y la incorporación de un sugestivo elemento escenográfico, como es el del velo en que se imprimió la faz de Cristo, cuya exhibición tratará de mover a piedad al espectador.

Por otro lado, Encina incorpora también a su obra ceremonias litúrgicas del Viernes Santo, las cuales poseían en sí mismas un cierto grado de teatralidad. Tiene así presentes ceremonias como la descrita en el *Ceremonial de la iglesia de Palencia* por el doctor Arce (1550)[54], de la que nuestro

[54] Véase Richard B. Donovan, *The Liturgical Drama in Medieval Spain,* Toronto, 1958, págs. 63-64.

dramaturgo aprovecha el monumento sepulcral y el velo que lo recubre —y que a él le sugiere el velo de la Verónica—; o como la de la procesión del Pendón el día de Viernes Santo, también documentada en Palencia y otros lugares[55], de la que le queda el recuerdo del canto del *Vexilla regis,* así como del pendón que presidía la procesión, negro con una cruz roja en el centro compuesta por los signos de las cinco llegas (véanse los vv. 120-126, 155-161 de la pieza y las notas correspondientes de nuestra edición). El eco de los versos del *Vexilla regis* y de aquellas ceremonias litúrgicas vuelve a resonar en la *Representación a la Santíssima Resurreción de Cristo:*

> ¡O, cruz, triunfo precioso
> de vitoria verdadera,
> tú serás nuestra vandera,
> bordón de nuestro reposo!
> Árbor más que glorioso
> que llevaste tan buen fruto,
> tan buen fruto y tan sabroso,
> qu'él solo fue poderoso
> para quitar nuestro luto.
>
> (vv. 154-162)

La pieza, por lo demás, se inspira en el esquema del drama litúrgico del *Peregrinus,* que escenificaba el encuentro de los dos discípulos que iban a Emaús (véase nota 83 de la ed.), el cual amplifica Encina incorporando también las figuras de la Magdalena y José de Arimatea, cuyo relato de la Resurrección está basado en la letra de los evangelios canónicos, aunque en algún episodio concreto se sigue también el de los apócrifos (véase nota al v. 50).

---

[55] V. García de la Concha, «Dramatizaciones litúrgicas pascuales de Aragón y Castilla en la Edad Media», en *Homenaje a don José María Lacarra de Miguel,* V, Zaragoza, 1982, pág. 155. Sobre la relación de estas églogas encinianas con el repertorio de tropos litúrgicos, ha insistido úlimamente D. Becker, «De l'usage de la musique dans le théâtre de Juan del Encina», en *Juan del Encina et le théâtre du XVe siècle...,* págs. 27-29.

El festín carnavalesco y la pastorela dramatizados

En otros casos, cuando lo que había era una simple ceremonia festiva, como podía ser el festín carnavalesco, Encina trata de darle un armazón dramático prestado, analógico —que puede incluso llegar a ser parodiado—, aparte de recurrir también a algún texto literario de tradición reconocida (la batalla de don Carnal y doña Cuaresma). Así ocurre en sus dos *Églogas* de Carnaval, la de la *Noche postrera de Carnal (V)* y la de la *Mesma noche de Antruejo (VI)*. De nuevo las dos piezas se presentan en una estructuración seriada, de manera que la primera viene a ser el preludio de la segunda, introduciendo además un acontecimiento de actualidad e interés para aquel auditorio cortesano, como era el de la partida del Duque a la guerra. Entran en escena dos pastores, Bras y Beneito, que exaltan las virtudes del Duque y lamentan los rumores de su partida contra Francia. Aparecerá más tarde un tercer pastor, Pedruelo, que anuncia la firma de la paz entre las dos naciones. La obra termina con un villancico cantado por todos los pastores, a quienes aún se ha añadido Lloriente, y en el que todos rueguen a Dios por la paz:

> Roguemos a Dios por paz,
> pues que dÉl solo se espera,
> *qu'Él es la paz verdadera* (...)
> Si guerras forçadas son,
> Él nos dé tanta ganancia
> que a la flor de lis de Francia
> la vença nuestro león;
> mas, por justa petición,
> pidámosle paz entera,
> *qu'Él es la paz verdadera.*
>
> (*Ég. V*, vv. 241-64)

La disposición dramática sigue un procedimiento acumulativo muy semejante al empleado en las escenificaciones navideñas: hay dos pastores que hablan y comentan un determinado acontecimiento, a los cuales acaba añadiéndose un tercero, que llega de la aldea y les trae noticias que vienen a poner fin al estado de duda, zozobra o ansiedad en que aquéllos se encontraban. Todo en la pieza gira sobre el motivo político de la guerra y el anuncio final de la paz. El elemento carnavalesco no aparece sino de soslayo, precisamente cuando Pedruelo comenta a Bras que ha comprado en el mercado puerros y sardinas para comer el domingo, lo cual anuncia la inminencia de la cuaresma:

BRAS ¿Qué llevavas de vender?
Ora ver.
PEDRUELO Tres gallos y dos gallinas.
Traxe puerros y sardinas
por comer
el domingo a mi prazer.
BRAS Aun te juro a mi poder,
tal estava,
que no se me percordava
la cuaresma que ha de ser.
(vv. 161-70)

La segunda égloga, en un cuadro costumbrista, nos muestra a esos cuatro pastores en la cena de despedida de Carnaval. Beneito, que es aquí el glotón y no Bras como en la pieza anterior, relata la batalla de Carnal y Cuaresma:

Vila andar
allá por essas aradas,
tras el Carnal a porradas
por le echar
de todo nuestro lugar.
Vieras, vieras assomar
por los cerros
tanta batalla de puerros
que no lo sé percontar.
Y assomó por otra parte
el estandarte
del ermandad y ortaliza,
diziendo a la longaniza:
«¡Guarte, guarte,

tiempo es ya de confessarte!» (...)
Fue la sardina delante,
rutilante,
y al tocino arremetió,
y un batricajo le dio
tan cascante
que no sé quién no se espante.
Domóle tan perpujante
sus porfías
que en estos cuarenta
yo dudo quél se levante.
Vieras los ajos guerreros (...)
(*Ég. VI*, vv. 52 y ss.)

La descripción es muy viva y animada, y se advierte en ella el empleo de algunos recursos y fórmulas expresivas propios de la épica y el romancero (repeticiones enumerativas: *«vieras... vieras»,* y ponderativas: *«tanta... tanta»,* expresiones: *«guarte»*). No es del todo imposible que sobre Encina pesase el recuerdo de la batalla de don Carnal y doña Cuaresma de Juan Ruiz, aunque con distinto desenlace. En éste, no obstante, la narración era más demorada y descriptiva, y se detenía con delectación en la larga y ordenada lista de los nombres de los seres y objetos intervinientes. Encina, en cambio, apenas esboza la batalla en una sucesión rápida y seleccionada de sucesos y combatientes, impuesta por el ritmo que le exige la creación teatral. La obra termina con un villancico cantado en el que los pastores se exhortan a sí mismos al goce del momento presente:

Tomemos oy gasajado,
que mañana vien la muerte;
bevamos, comamos huerte,
vámonos carra el ganado.
No perderemos bocado,
que comiendo nos iremos
y mañana ayunaremos.
(*Ég. VI*, vv. 225-31)

Como se advierte, más que el asunto folclórico-literario de la batalla de Carnal y Cuaresma, que queda reducido a la simple narración de uno de los personajes de la obra, Encina pone en escena la propia celebración carnavalesca de palacio, en la que se entregarían a la comida y bebida inmoderadas no sólo los criados rústicos, sino también los nobles cortesanos. En ese aspecto, como ha visto Charlotte Stern, la obra crea una interesante indeterminación e ilusión teatral entre lo real y lo representado, puesto que no sabemos si lo que retrata es la fiesta de los rústicos para jolgorio de los cortesanos espectadores o si retrata irónica, cáusticamente la fiesta de los propios nobles[56]. Desde luego, la obra ha incrementado los recursos cómicos, multiplicando las situaciones hilarantes, intensificando el carácter zafio de los personajes, así como su gesticulación y su habla, ésta muy enriquecida en formas rústicas «sayaguesas» y también en palabras y expresiones aumentativas relacionadas con la comida[57]. En cuanto a su composición, parece que todavía ha resultado operativo el consabido molde navideño: un coloquio entre pastores que se cuentan sucesos, cosas que han visto —la batalla de Carnal y Cuaresma—, que celebran algo extraordinario jubilosamente —comiendo y bebiendo— y que elevan su canto a un santo paródico, Sant Antruejo. Con todo ello, según sugiere Charlotte Stern, queda superado el teatro litúrgico y se anuncia un nuevo teatro, preludio de la farsa, que concede mucha mayor importancia a la risa y a la parodia.

Un nuevo ensayo lleva a cabo Encina en otras dos piezas seriadas, la *Égloga representada en requesta de unos amores (VII)* y la *Égloga de Mingo, Gil y Pascuala (VIII)*. En ellas teatraliza una escena fijada ya en la tradición literaria cor-

---

56 Ch. Stern, «Juan del Encina's Carnival Eclogues and the Spanish Drama of the Renaissance», *Renaissance Drama,* 8 (1965), págs. 181-95.

57 Ch. Stern, «Juan del Encina's Carnival Eclogues...», art. cit; Ana Vian Herrero, «Una aportación hispánica al teatro carnavalesco medieval y renacentista: las *Églogas de Antruejo* de Juan del Encina», en *Il Carnevale: dalla tradizione arcaica alla traduzione colta del Rinascimento,* Viterbo, Centro di Studi sul Teatro Medioevale e Rinascimentale, 1990, págs. 121-148, propugna la adscripción de la pieza enciniana a una tradición carnavalesca hispana, oral y perdida, y analiza pormenorizadamente las marcas carnavalescas de la obra.

tesana, como era la de la pastorela: el encuentro del caballero con la pastora, a la que requiere de amores, y que Encina complicará dramáticamente haciendo pasar a éste la prueba de que se convierta en pastor y, después, que los pastores se hagan palaciegos[58]. En la primera de aquellas dos églogas, el pastor Mingo corteja a la pastora Pascuala. Su súplica es interrumpida por la llegada de un Escudero, que también expresará sus amores a Pascuala. Se establece un debate entre Mingo y el Escudero, en el que se enfrentan dos comportamientos sociales distintos, el villano y el palaciego:

MINGO Porque sois muy palaciego,
presumís de corcobado.
¿Cudáis que los aldeanos
no sabemos quebrajarnos?
No penséis de sovajarnos
essos que sois ciudadanos,
que tanbién tenemos manos
y lengua para dar motes,
como aquessos hidalgotes
que presumís de loçanos.

(*Ég. VII,* vv. 79-88)

Finalmente se somete la disputa a la decisión de Pascuala, quien elige por amante al Escudero con la condición de que se haga pastor[59]. Éste accede, y la obra termina con un villancico a cargo de Mingo, que, despechado, se duele de su condición y de la vida que le ha tocado soportar:

---

[58] Mia I. Gerhardt, *Essai d'analyse littéraire de la pastorale dans les littératures italienne, espagnole et française,* Utrecht, 1975, ha recordado el ejemplo del *Jeu de Robin et Marion* como pastorela dramatizada, y ha advertido la condición de puro divertimiento y fantasía de la obra enciniana, en virtud de esas transformaciones de personajes y esa confusa equiparación social ante el Amor.

[59] En la pastorela provenzal era frecuente el motivo del ofrecimiento de hacerse pastor por parte del caballero (*vid.* R. Menéndez Pidal, *De primitiva lírica española y antigua épica,* Buenos Aires, 1951, pág. 127). Y el propio Santillana, en su serranilla *IV,* había ofrecido a la 'moçuela de Bores': «Señora, pastor / seré, si queredes: / mandarme podedes / como a servidor.» Ese juego de transformaciones sociales nos llevaría incluso a *La Gitanilla* cervantina.

Repastemos el ganado.
¡Hurriallá!
Queda, queda, que se va.
  Ya no es tiempo de majada
ni de estar en çancadillas (...)
  Corre, corre, corre, bovo,
no te des tanto descanso.
Mira, mira por el manso,
no te lo lleven de robo.
Guarda, guarda, guarda el lobo.
¡Hurriallá!
Queda, queda, que se va.
  Del ganado derreniego
y aun de quien guarda tal hato
que, siquiera solo un rato,
no quiere estar en sossiego,
aunque pese ora a San Pego.
¡Hurriallá!
Queda, queda, que se va (...)

(vv. 209-53)

En la segunda égloga *(VIII)*, transcurrido un año, continúa el despecho de Mingo y la felicidad del Escudero, convertido ahora en el pastor Gil. Éste, sin embargo, decide finalmente retornar a la vida de palacio, llevándose consigo a Pascuala, al igual que a Mingo y a Menga, su mujer. El tema pasa a ser así la exaltación del poder del amor, que es capaz incluso de transformar de estado a las personas. En varias ocasiones a lo largo de la pieza quedan expuestos los poderosos efectos de Amor, siguiendo siempre las teorías más divulgadas de las tradición erótica[60]. Así lo proclaman Mingo (vv. 273-289), Gil (vv. 481-496) o el mismo villancico final:

---

60 Varios críticos han estudiado y puesto de manifiesto el proceso de dramatización de la poesía amorosa cancioneril que lleva a cabo Encina en estas piezas profanas. Véanse, entre otros: Antony van Beysterveldt, *La poesía amorosa del siglo XV y el teatro profano de Juan del Encina*, Madrid, 1972; Jeanne Battesti Pelegrin, «La dramatisation de la lyrique 'cancioneril' dans le théâtre d'Encina», en *Juan del Encina et le théâtre au XVe siècle...*, págs. 57-78.

Ninguno cierre las puertas
si Amor viniere a llamar,
que no le ha de aprovechar (...)
Amor amansa al más fuerte
y al más flaco fortalece,
al que menos le obedece
más le aquexa con su muerte (...)
Amor muda los estados,
las vidas y condiciones,
conforma los coraçones
de los bien enamorados (...)
Aquel fuerte del Amor,
que se pinta niño y ciego,
haze al pastor palaciego
y al palaciego pastor (...)
El Amor con su poder
tiene tal juridición
que cativa el coraçón
sin poderse defensar.
Nadie se deve asconder
si Amor viniere a llamar,
que no le ha de aprovechar.

(vv. 513-557)

En estas dos obras el arte dramático de Encina ha experimentado un notable avance. Partiendo de un tema y una situación ya fijada literariamente, los ha recreado en un nuevo género. El tema se le ha ensanchado hasta el punto de que lo que era un simple debate amoroso, enraizado en las disputas medievales, ha sido traspasado por el que va a ser tema fundamental de toda la literatura renacentista: el del poder del Amor. Por otro lado, los soportes dramáticos formales con que venía operando Encina también han evolucionado. El personaje del pastor ha abandonado su rusticidad y lo más grosero de su lenguaje, y anuncia, ya que no el pastor arcádico renacentista, sí quizá el villano ennoblecido de la futura comedia nueva. Hay también en la obra un auténtico diálogo dramático, más complicado que en las anteriores piezas, entre tres personajes ya individualizados plenamente, sobre los que destaca la figura femenina de Pascuala. Por último, hay una verdadera trama incipientemente desarrollada, construida sobre el triángulo amoroso que forman Pascuala, Mingo y Gil.

El ritual cortesano y la máscara pastoril

Con todas las novedades comentadas, el teatro de Encina no ha perdido, sin embargo, su condición de ritual cortesano. Participan todos en la fiesta teatral, la cual se celebra en las salas de palacio y es mantenida e interpretada por el actor poeta, de inferior condición social que los demás espectadores. Ese ritual impone al mismo tiempo la exaltación del señor y de las relaciones vasalláticas con sus súbditos. A aquél, a los duques, ofrece rendidamente el poeta su servicio y sus obras:

> ¡Nuestramo, que os salve Dios
> por muchos años y buenos!
> Y a vos, nuestrama, no menos,
> y juntos ambos a dos.
> Miafé, vengo, juro a ños,
> a traeros de buen grado
> el esquilmo del ganado,
> no tal qual merecéis vos.
> Recebid la voluntad,
> tan buen y tanta, que sobra;
> los defetos de mi obra
> súplalos vuestra bondad.
> Siempre, siempre me mandad,
> que aquesto estoy desseando.
> Mi simpleza perdonad
> y a Dios, a Dios os quedad,
> que me está Gil esperando.
> (*Ég. VIII,* vv. 81-97),

rinde continuos y agradecidos elogios:

> Pues si digo de nuestramo,
> por quien os devemos más,
> cuantes yo siempre jamás
> el nuestro César le llamo,

que de tal árbor tal ramo (...)
Ya le temen, soncas qué,
dentro en Francia y Portugal,
porque saben que otro tal,
ahotas, que nunca fue.
El con sus fuerças, ahé,
nos ampara y nos defiende,
y aun yo juro a buena fe
que apenas aballa el pie
quando ya temen allende.

(*Ég. I,* vv. 29-36),

o se queja y entristece ante las malas nuevas de la partida del duque de la corte para acometer arriesgadas empresas guerreras (*Ég. V,* vv. 31 y ss.).

De igual manera, en el ritual cortesano tiene cabida y justificación la incorporación del mundo personal del poeta, sus inquietudes, sus aspiraciones de honra y su sentimiento tantas veces expreso de autoestima personal, y hasta sus litigios y pleitos con otros músicos y poetas rivales (*Ég. I,* vv. 55 y ss.).

La imagen más apropiada que Encina halla para dar cuenta de esa sociedad cortesana en que vive, así como de sus propias inquietudes y aspiraciones, es la del mundo pastoril. La máscara teatral del pastor, convertido en protagonista de todo el universo literario enciniano, resultará una eficaz fórmula de representación del ritual cortesano y uno de los más fecundos hallazgos de toda su obra.

Por diversos caminos pudo llegar Encina a ese mundo pastoril y al descubrimiento de toda su potencialidad literaria, puesto que el pastor era figura frecuente y familiar en la tradición teatral y literaria de que, según vimos, parte nuestro autor. El pastor se encontraba ya de un modo persistente —desde el propio relato evangélico de San Lucas— en todo el drama medieval de Navidad, era también la máscara invertida y paródica de la fiesta carnavalesca, y era, lógicamente, parte principal en el género poético de la pastorela-serrana.

Pero, además, el mundo pastoril, primitivo, idílico y estático, resultaba, como decíamos, el más adecuado para retratar los ideales y aspiraciones de aquella sociedad cortesana, constituida por una nobleza aristocrática retirada al ejercicio de las «artes de la paz» y tutelada por el poder absoluto de la monarquía, vigorosa y rutilante, de los Reyes Católicos. Esa elevación y prosperidad, ese punto cenital alcanzado por aquella sociedad (Nebrija también lo recordará al «reduzir en arte» por vez primera la lengua castellana), encontraba perfecta traslación literaria en la imagen elemental, rústica, pero a la vez serena y apacible —de inevitable resonancia arcádica— del pastor[61]. Tales planteamientos movieron igualmente a Encina a acometer su particular traducción de las *Bucólicas* de Virgilio y a dedicarlas a los propios Reyes Católicos (y al príncipe don Juan, en un segundo prólogo), persuadido de que reflejaban aquella primera edad de los mortales, «cuyo exercicio primeramente fue guardar ganados manteniéndose de frutas silvestres», y de que el nombre de pastor era «el más convenible al estado real» y a aquella monarquía:

> estas *Bucólicas* quise trasladar trobadas en estilo pastoril aplicándolas a los muy loables hechos de vuestro reinar, según parece en el argumento de cada una[62].

El descubrimiento de la bucólica virgiliana y de su aplicación literaria es fundamental para Encina. Conforme a las explicaciones de los comentaristas (Servio, Donato, etc.) y a sus exégesis —particularmente de la *Ég. I* y de la *Eg. IV*—, quedaba claro que la égloga soporta siempre un segundo sentido y aplicación, que lo pastoril, como modernamente ha dicho Joël Blanchrd, no mantiene con lo real una relación de equivalencia[63]. Ello es lo que permite a Encina trasladar la letra virgiliana a la época de los

---

[61] Véase Juan Carlos Temprano, *Móviles y metas en la poesía pastoril de Juan del Encina*, Universidad de Oviedo, 1975.

[62] «A los muy esclarecidos y siempre vitoriosos príncipes don Hernando y doña Ysabel. Comienza el prólogo en la translación de las Bucólicas de Virgilio, por Juan del Enzina», en el *Cancionero* de 1496, fol. 31*r*.

[63] J. Blanchard, *La pastorale en France au XIV*e *et XV*e *siècles. Recherches sur les structures de l'imaginaire médiéval*, París, 1983.

Reyes Católicos e interpretar, por ejemplo, las alabanzas de Coridón a Alexis en la *Ég. II* como una glorificación del rey de Castilla, o aplicar la profecía del nacimiento del misterioso *puer* de la *Ég. IV* a los Reyes y al nacimiento esperanzador del príncipe don Juan[64].

Pero también el prestigioso manto pastoril virgiliano permitía a Encina recubrir y justificar perfectamente sus obras a la hora de publicarlas, «pues si bien es mirado, no menos ingenio requieren las cosas pastoriles que las otras, mas antes yo creería que más»[65]. Sus ensayos dramáticos pastoriles son así legitimados y autorizados, y pueden recibir el mismo nombre de *églogas* que los gramáticos y comentaristas habían dado a las obras de Virgilio. Con él aluden a su remota y protectora filiación virgiliana, al estilo humilde que las caracteriza en la tradición retórica (lo que justifica a su vez el uso intenso y generalizado que hace Encina del habla rústica, sayaguesa)[66] y a su adscripción al género *activum* o *drammaticon*, en el que asimismo las habían instalado la retórica y los comentaristas[67]. Este modelo

---

[64] Así dice el texto: «adonde manifiestamente parece la Sibila profetizar dellos, y Virgilio aver sentido de aqueste tan alto nacimiento, pues que, después dél, en nuestros tiempos avemos gozado de tan crecidas vitorias y triunfos y vemos la justicia ser no menos poderosa en el mayor que en el menor». Pueden verse los certeros juicios sobre la égloga de M. José Bayo, *Virgilio y la pastoral española...,* cit., págs. 44-55. Aurora Egido, «Sin poética hay poetas, Sobre la teoría de la égloga en el Siglo de Oro», *Criticón,* 30 (1985), págs. 43-77, subraya, por su parte, cómo la lectura alegórica y la alta dignidad de los destinatarios encinianos suponen una intención de elevar la condición humilde originaria del género.

[65] «A los ylustres y muy manificos señores...», proemio cit., *C1496,* fol. 11*v.*

[66] En las notas de nuestra edición quedan explicadas muchas de las características gramaticales de esta habla rústica. Estudios particulares le han dedicado, entre otros: Joseph E. Gillet, «Notes on the language of the rustics in the drama of the sixteenth-century», *Homenaje ofrecido a Menéndez Pidal,* I, Madrid, 1925, págs. 443-53; Oliver T. Myers, *Phonology, Morphology and Vocabulary in the Language of Juan del Encina,* Ph. D. dissertation, Columbia University, 1961; H. López Morales, *Tradición y creación en los orígenes del teatro castellano,* Madrid, 1968, págs. 172-90; John Lihani, *El lenguaje de Lucas Fernández. Estudio del dialecto sayagués,* Bogotá, 1973; Frida Weber de Kurlat, «El dialecto sayagués y los críticos», *Fil,* 1 (1949), págs. 43-50.

[67] Diomedes, *De arte Grammatica,* lib. III: «Poematis genera sunt tria, aut *activum* est vel imitativum, quod graeci drammaticon vel mimiticon, aut *ena-*

rústico de égloga que hasta aquí ejercita Encina, estimulado por la propia tradición pastoril medieval y, en cierto modo, por los comentaristas virgilianos y por su propia interpretación de las églogas del mantuano, dará paso en su obra posterior, luego de su viaje a Italia, a un modelo bucólico más clasicista, culto y elevado, aunque nunca alejado del todo de la raíz tradicional.

Cronología y escritura teatral

La cronología de las ocho églogas del *C1496* ha sido cuestión muy debatida por la crítica[68]. Desde Moratín a Cotarelo prácticamente se dio por buena la que marcaba la sucesión de las piezas en el *Cancionero* y se consideró la fecha de 1492 la del inicio de su carrera dramática y de su servicio a los duques, el cual no concluiría hasta 1496 con la representación de la última de aquéllas y la publicación de las ocho. Para Caso González, sin embargo, todas las églogas hubieron de componerse entre 1495 y 1496, pues las alusiones históricas contenidas en la *Ég. V* (véanse vv. 31 y ss., y nota 36 de nuestra ed.) y en la *Ég. I* (vv. 28-31)

rrativum vel enunciativum, quod graeci exegiticon vel apologiticon dicunt, aut *commune* vel mixtum, quod graeci chinon vel michton appellant. *Dramaticon* vel *activum* est in quo personae agunt solae sine nulla poetae interlocutione, ut se habent tragicae vel comicae fabulae, quo genere scripta est *Bucolicon* ea cuius initium est 'Quo te, Moeri, pedes?' [*Buc.*, IX].» Y J. Badio Ascensio, en sus *Prenotamenta* a las obras de Virgilio: «Aut enim activum vel imitativum est, quod greci dramaticon appellant, in quo persone loquentes introducuntur sine poete interlocutione, ut sunt tragoedie et comedie et mimi, quo genere scripta est egloga prima, scilicet, 'Tityre, tu patule'.»

[68] Téngase en cuenta los siguientes estudios: E. Cotarelo, prólogo a su ed. facs. del *Cancionero de las obras de Juan del enzina* (Salamanca, s.i., 1496, 20 de junio), Madrid, RAE, 1928; J. Caso González, «Cronología de las primeras obras de Juan del Encina», *Archivum,* 3 (1953), págs. 362-72; Juan C. Temprano, «Cronología de las ocho primeras églogas de Juan del Encina», *HR,* 43 (1975), págs. 141-51; H. W. Sullivan, «Towards a new chronology for the dramatic Eclogues of Juan del Encina», *Studies in Bibliography,* 30 (1977), págs. 257-75; M.ª Jesús Framiñán de Miguel, «Cronología de las ocho primeras églogas de Juan del Encina: estado de la cuestión», *CIF,* 12-13 (1986-1987), págs. 101-116.

opina que deben referirse a sucesos de 1495 (la guerra entre Fernando el Católico y Carlos VIII por la posesión de Nápoles), y la *Ég. VIII* y última, que pondría fin a su estancia con los duques al cumplir su «cabo de año», entiende que es de un año después. Esa misma apretada cronología (en el periodo de un año y en el que apenas mediaría tiempo entre la composición de las últimas piezas —junio de 1496— y la publicación del *Cancionero)* es la que igualmente acepta Henry W. Sullivan en su estudio.

Por nuestra parte, consideramos más verosímil la propuesta por Juan C. Temprano, quien hace reparar en el encabezamiento de la tabla de las obras del *C1496,* donde se dice que todas fueron «hechas por Juan del Enzina desde que huvo catorze años hasta los veinte y cinco», lo que nos llevaría a la fecha término de 1493 o 1494 (según se establezca la de nacimiento en 1468 o 1469). Ello obliga a desechar la pretendida alusión a sucesos de 1495 en la *Ég. V,* que, por el contrario, como supone Temprano, hay que relacionar con acontecimientos de 1493 (la firma del tratado de Narbona en enero de aquel año). Encina representaría, pues, sus églogas desde la Navidad de 1492 *(Ég. I* y *II),* año en que entró al servicio de los duques, al «cabo de año» (diciembre) de 1493 o 1494, cuando representa la *Ég. VIII* («que trayo para les dar, / agora, por cabo de año, / el esquilmo del rebaño, / quanto pude arrebañar», vv. 53-56). Personalmente creo que la fecha a término debe ser la de 1494. Primeramente porque es el año en que se cumplen los veinticinco de su edad (no hay argumento sólido que se oponga a las palabras del propio Encina en la *Trivagia,* donde señala el año 1469 como el de su nacimiento). En segundo lugar, porque permite, de una manera más holgada en el tiempo, que la *Ég. VII* se representara un año antes (ése es el tiempo que, según la rúbrica de la *VIII,* pasó Gil como pastor: «allí dexó Gil el ábito de pastor que ya avía traído un año»; ver además vv. 178-80), esto es, diciembre de 1493 (y no de 1492, como quiere Temprano, cuando ya se representaron la *I* y la *II).* Y por último, acortaría a un plazo razonable, de un año y medio, el tiempo transcurrido desde la composición de las últimas obras hasta la publicación del *Cancionero* (Temprano, que lo considera de dos años y medio, se ve obligado a forzar la explicación, llegando a suponer incluso una perdida edición de 1494).

De todos modos, lo que quizá resulte más significativo sea el hecho de que Encina edite sus propios textos dramáticos, y ello con clara conciencia de lo que puede ser la escritura teatral. Hasta entonces, como veíamos, las piezas dramáticas solían circular dispersas por los folios de los cancioneros, confundidas en su escritura con los mismos poemas cancioneriles. Encina, sin embargo, les concede un lugar aparte y de cierre en su *Cancionero* de 1496 (lugar en que también aparecerán en las ediciones sucesivas las piezas nuevamente añadidas), encabezadas por una rúbrica que, además de dar cuenta del argumento, contiene un pequeño guión de puesta en escena y un elenco de personajes, y acompañadas de las correspondientes marcas de alternancia en el diálogo (así como a veces alguna indicación escénica). Todo ello implica una mayor valoración del texto teatral por parte de nuestro autor y una clara conciencia de la necesidad de dejar fijado —él además conseguiría hacerlo en letra impresa— aquel texto. Y es también lo que seguramente le condujo a un proceso de adaptación y reorganización a la hora de publicarlos. Así se explica su agrupamiento en series de dos piezas, siguiendo una ordenación que es a la vez temporal y argumental (Navidad, Carnaval, Semana Santa), o el hecho de que la *Ég. I* resulte al tiempo prólogo (en cuanto abre la serie y retrata los comienzos de su servicio a los duques) y cierre (anuncia el fin de su obra pastoril, vv. 86, y ss.) de todo el grupo de representaciones.

Otras representaciones salmantinas

Abandonada la corte de los duques de Alba y antes de su partida a Italia, Encina representó algunas piezas teatrales en Salamanca: en 1497, la *Representación ante el príncipe don Juan;* un año después, en la noche de Navidad de 1498 («año de noventa y ocho / y entrar en noventa y nueve», vv. 83- 84), la *Égloga de las grandes lluvias,* que se adscribe a los ya comentados ensayos dramáticos navideños; y también por entonces, el *Auto del repelón.*

Este último ocupa un lugar un tanto marginal en la producción enciniana, por cuanto presenta un argumento y hasta un tipo de lengua distanciado de sus demás piezas[69]. El auto habría que encuadrarlo en una tradición de «juegos de escarnio» estudiantiles y universitarios —que serían muy populares en Salamanca—, quizá en una de esas fiestas bufas y carnavalescas de invierno (San Nicolás, Inocentes, la fiesta de los locos o el propio Carnaval), como sugiere Françoise Planes-Maurizi[70]. Pone en escena, entre quejas y baladronadas, un diálogo rústico entre dos villanos, Johanparamás y Piernicurto, quienes narran las burlas y el repelón de que han sido objeto por parte de un grupo de estudiantes en la plaza de la ciudad, cuando llevaban a vender sus productos al mercado. Con la llegada de uno de los estudiantes, que perseguía a Piernicurto y que en un descuido culminará su repelón, pero que a cambio resulta aporreado por los rústicos, concluye esta obra, esencialmente cómica y risible. Un villancico cantado, que en tono burlesco reniega de la ciencia y del comportamiento estudiantil, pone el cierre final:

> Hago cuenta que oy ñascí.
> ¡Bendito Dios y lloado,
> pues no me hizon licenciado!

Tanto por la situación dramática que escenifica, concisa y repentina, sin apenas desarrollo argumental, como por la

[69] Esgrimiendo argumentos lingüísticos y de estilo, poco convincentes, ha negado la paternidad enciniana O. T. Myers, «Juan del Encina and the *Auto del repelón*», *HR,* 32 (1964), págs. 189-201. Con mejores razones, han defendido su autoría H. López Morales, *Tradición y creación en los orígenes del teatro castellano,* Madrid, 1968, y en general, todos los editores modernos del teatro enciniano.

[70] F. Planes-Maurizi, «Recherches sur théâtre et traditions populaires: Juan del Encina et *l'Auto del Repelón*», en *Juan del Encina et le théâtre au XVe siècle...,* págs. 93-104.

condición de los tipos, parientes lejanos del «bobo» del teatro posterior, y por el carácter aparatoso y bufo de la escena final, el *Auto del repelón* se nos revela ciertamente como un «entremés en profecía», tal como, con la palabra justa, lo caracterizó Eugenio Asensio[71].

En 1497, Encina, que tal vez acababa de entrar al servicio del príncipe don Juan («que siempre esperava de suyo llamarme, / y agora que quiso por suyo tomarme / la buena fortuna lançóme de sí»), compuso a la muerte de éste un *Romance* (que comienza «Triste España sin ventura»), un *Villancico* («Atal pérdida tan triste») y la *Tragedia trobada,* extenso poema en cien coplas de arte mayor y en estilo elevado, donde narra brevemente la vida y, más por extenso, la muerte del Príncipe, y canta la pérdida que para todos ha supuesto[72].

Pero no era ésta la única ocasión en que Encina escribía para el Príncipe. A él había dedicado, publicadas ya en su primer *Cancionero,* el *Arte de poesía castellana,* «para si fuere servido, estando desocupado de sus arduos negocios, exercitarse en cosas poéticas y trobadas en nuestro castellano estilo...», y la citada traslación de las *Bucólicas* de Virgilio, habida cuenta del favor que el Príncipe dispensaba al cultivo de las letras. A los Reyes y al nacimiento de don Juan aplicaría Encina, como vimos, el simbolismo de la famosa *Égloga IV*. Pero la obra más significativa que le dedicó fue la titulada *Representación ante el príncipe don Juan,* publicada por primera vez en *C1507*. La representación se abre con un monólogo de cien versos a cargo del Amor ufanándose de su poder («Ninguno tenga osadía / de tomar fuerças comigo...») y reiterando algunos de sus efectos más tópicos, como la conciliación de contrarios o la transformación ennoblecedora del amante, y proclamando, en fin, todos sus grandes poderes:

> Puedo tanto quanto quiero,
> no tengo par ni segundo,

[71] E. Asensio, *Itinerario del entremés,* Madrid, 1971, pág. 35.
[72] Véase el texto en Juan del Encina, *Obras completas,* ed. Ana M.ª Rambaldo, Madrid, 1978, II, págs. 155-86.

tengo casi todo el mundo
por entero
por vassallo y prisionero:
príncipes y emperadores,
y señores,
perlados y no perlados,
tengo de todos estados,
hasta los brutos pastores.

Con el Amor se tropieza el pastor Pelayo, que no sabe de quién se trata, pero emprende contienda con él hasta que es atravesado por su flecha. Acude Bras, a quien no acierta Pelayo a descifrar su mal y cae desmayado. Bras confiesa que él también cree estar herido de la misma llaga, y considera que para curar ese mal de amor «más quellotra un palaciego / que no físico ni crego, / aunque saben de otros más».

Llega entonces un Escudero, que se interesa por el mal de Pelayo y se extraña de que Amor sea sentido también entre pastores. Se admira de que Pelayo se haya atrevido a lidiar con Amor, que ha abatido a tantos «de gran valer». Bras le hace reparar si también ha vencido a pastores y, efectivamente, entre ellos recuerda el Escudero a Salomón, David y Sansón. Bras le añade aún otros más próximos de su propio hato, como Pravos, Santos o él mismo.

Al despertar Pelayo, se deja claro que su amor es por Marinilla, la carilla de Pascual. Pregunta entonces al Escudero, como entendido, por la condición de su mal («¿es mortal o no es mortal? / ¿soy de vida o soy ageno?»). Éste le explica cómo el Amor es «tan ciego y fiero / que, como el mal ballestero, / dizen que a los suyos tira», y cómo Pelayo, ahíto de suspiros, debe echarlos de sí, conforme hacen los cortesanos en el servicio amoroso:

Y nosotros, sospirando,
desvelamos nuestra pena
y tenémosla por buena,
deseando
servir y morir amando;

que no puede ser más gloria
ni victoria,
por servicio de las damas,
que dexar vivas las famas
en la fe de su memoria.

La pieza termina con el propósito de cantar entre todos un villancico de amores que, sin embargo, no es recogido en el texto.

Como vemos, la *Representación* supone tanto una proclamación del inmenso poder del Amor, que a todo el mundo sojuzga e hiere, como un homenaje al amor cortesano, a la gala y al servicio amoroso, al que no bastan los remedios de físicos ni de clérigos. La obra ocupa así un lugar muy significativo en toda la producción enciniana. Por primera vez, en ella, Encina ha llevado el poder del Amor también al mundo pastoril, ha extendido el tópico *Omnia vincit Amor* entre pastores. En sus obras anteriores (la *Égloga de Mingo, Gil y Pascuala,* por ejemplo), el amor se daba sólo entre cortesanos, quienes hasta podían requebrar y pretender a la pastora, como había dejado marcado la tradición de la pastorela. Un paso más era éste del pastor herido por las flechas de Amor, aunque todavía rústico, ignorante y perplejo ante aquella situación.

La ocasión para este interesantísimo paso la proporcionaba precisamente la figura del príncipe don Juan, que ya había asumido papeles simbólicos pastoriles en la citada traslación de las *Bucólicas* (véase, por ejemplo, la *VII,* donde es identificado con el pastor Danes). Y, sobre todo, porque era ya fama la herida y enfermedad de amor que padecía[73]. Cuando los príncipes llegaron a Salamanca, en

[73] Recuérdese, por ejemplo, la epístola de Pedro Mártir de Anglería al cardenal de Santa Cruz en que le da cuenta de los quebrantos de salud del príncipe: «Preso en el amor de la doncella, ya está demasiado pálido nuestro joven príncipe. Los médicos, juntamente con el Rey, aconsejan a la Reina que alguna vez que otra aparte a Margarita del lado del Príncipe, que los separe y les dé treguas, alegando que la cópula tan frecuente constituye un peligro para el Príncipe. Una y otra vez la ponen sobre aviso para que observe cómo se va quedando chupado y la tristeza de su porte; y anuncian a la Reina que, a juicio suyo, se le pueden reblandecer las médulas y debilitar el estómago (...)

medio de los festejos de recibimiento, nuestro poeta no tuvo mejor cosa que ofrecerles que esta *Representación* amorosa que, como en toda auténtica égloga, bajo el ropaje pastoril aludía a personajes y sucesos reales, en este caso, con toda probabilidad, a aquellos intensos y llagados amores. Con la trágica muerte del Príncipe, víctima de fogoso amor conyugal, la pieza de Encina habría resultado desdichadamente profética.

V. Segunda producción dramática

La *Representación sobre el poder del Amor* era, ciertamente, un punto de llegada. Encina tenía que «començar libro de nuevas cuentas», como había dicho a los duques de Alba. Esa renovación de su teatro se producirá con su viaje y sucesivas estancias en Italia. Sin embargo, no ha sido fácil a la crítica determinar con precisión qué es lo que Encina recibe del teatro italiano. Lo más importante sería, sin duda, el mundo artístico de la égloga, que él sabría conectar con sus anteriores ensayos pastoriles[74].

La Italia con que entra en contacto Encina es la de los últimos años del pontificado de Alejandro VI (1492-1503) y el de Julio II (1503-1513), muy aficionados ambos a los espectáculos teatrales. Proliferan entonces representaciones tanto públicas como privadas, en latín y en vulgar, comedias clásicas y églogas recitativas o alusivas[75]. En

---

Responde la Reina que no es conveniente que los hombres separen a quienes Dios unió con el vínculo conyugal» (P. Mártir de Anglería, *Epistolario,* ed. y trad. J. López de Toro, Madrid, 1953). Remitimos a nuestro trabajo ya citado «Historia y literatura en torno al príncipe don Juan...».

[74] Se han ocupado del problema, entre otros, los siguientes estudios principales: P. Mazzei, *Contributo allo studio delle fonti, specialmente italiane del teatro di Juan del Encina e Torres Naharro,* Lucca, 1922; Mia I. Gerhardt, *Essai d'analyse littéraire de la pastorale...,* ob. cit.; O. Arróniz, *La influencia italiana en el nacimiento de la comedia española,* Madrid, 1969; G. Ulysse, «Juan del Encina et le théâtre italien de son époque», en *Juan del Encina et le théâtre au XVe siècle...,* páginas 1-26.

[75] Para un panorama del teatro italiano de la época, pueden verse, aparte de los trabajos citados en la nota anterior: Alessandro d'Ancona, *Origini del*

Roma, en 1493, con motivo del primer casamiento de Lucrezia Borgia, se representaron en el palacio papal una comedia de Plauto y una égloga de Serafino Aquilano. En el Carnaval de 1499, en casa del cardenal Colonna, se representaron otras obras de Plauto. En 1502, en el segundo casamiento de Lucrezia, se escenificó una égloga alegórica de Capodiferro con el tema de la victoria de Virtud sobre Fortuna[76].

El papa Julio II impulsaría aún más este tipo de espectáculos e incrementaría sus efectos persuasivos y propagandísticos con motivo de celebraciones diversas, entre las que cobró brillo especial la del carnaval de 1513. La égloga alegórica tuvo entonces una gran fortuna, combinando dioses mitológicos con alusiones políticas al presente, motivos paganos con religiosos, acontecimientos tristes con alegres. Muy representativo de esa situación es el experimento de Pietro Corsi con su *Eglocommedia*, escenificada en 1509 ante Julio II y varios cardenales, en la que trata de fundir ambos géneros con el siguiente argumento: en un bosque apartado y solitario, el pastor Coridón llora el desdén y rigor de su amada Delia; puesto que no puede lograr que le corresponda, decide arrojarse por un precipicio, pero su amigo Mopso llega a tiempo de impedírselo; a instancias de éste, Coridón asiste a la fiesta de la Asunción de la Virgen y toma la decisión de hacerse teólogo[77].

---

teatro italiano, Turín, 1891, en especial, vol. II; F. Cruciani, *Teatro nel Rinascimento, Roma 1450-1550,* Roma, 1983; F. Cruciani, *Il teatro del Campidoglio e le feste romane del 1513,* Milán, 1968; José Guidi, «Le genre pastoral et son évolution dans le cadre des cours septentrionales italiannes (Mantoue, Ferrare, Urbin)», en *Le fête et l'écriture. Théâtre de Cour, Cour-Théâtre en Espagne et en Italie,* ob. cit., págs. 213-232. Para las relaciones hispano-italianas, resulta todavía del mayor interés la obra clásica de Benedetto Croce, *La Spagna nella vita italiana durante la Rinascenza,* Bari, Laterza, 1917.

[76] Pueden verse además F. Gregorovius, *Lucrecia Borgia. Según los documentos y correspondencias de su propio tiempo,* trad. esp. A. Escarpizo, Barcelona, 1962; Marqués de Laurencín, *Relación de los festines que se celebraron en el Vaticano con motivo de las bodas de Lucrecia Borgia con don Alonso de Aragón,* Madrid, 1916.

[77] En el prólogo, el autor justifica el género experimentado: «Spectantes, advertite obsecro, rem novam / et in hoc usque tempus intentatum scribendi genus; / heic nunc hodie non Ecloga, non Comoedia, / non Tragoedia sunt

En general, las primeras décadas del siglo XVI en Italia son de gran éxito de la égloga. Al *Orfeo* de Poliziano (1471), al *Cefalo* de Nicoló da Correggio (1487), a la misma *Arcadia* de Sannazzaro (1501) y a la traducción de las *Églogas* virgilianas por Bernardo Pulci (1481), habían sucedido numerosas composiciones literarias que trataban temas pastoriles. Todavía próximas a la simple lectura, compuestas en «terza rima», habían ido apareciendo las llamadas *églogas recitativas,* presentadas en las grandes cortes, como Roma, Urbino, Ferrara, por actores vestidos de pastores. En ellas son muy frecuentes las alusiones encomiásticas y las referencias al propio ambiente cortesano, como por ejemplo muestra la *Tirsi* de Castiglione, representada en el carnaval de Urbino de 1506 y recitada por el propio Castiglione y César Gonzaga ante Isabel y Emilia Pia (las interlocutoras de *Il Cortesano).* También abundan en motivos mitológicos, como ya había instituido el *Orfeo* en los primeros pasos del género. Y poco a poco se irán convirtiendo en *églogas dramáticas,* creándose la verdadera pastoral dramática, con una mayor intriga, más acción y mayor número de personajes.

El tema principal de la égloga fue siempre el amoroso, habitualmente con desenlace feliz tras las lágrimas y las penas de amor, por lo que podríamos decir que el nombre genérico que mejor les cuadraba era el de *eglocomedia,* como en el citado ensayo de Corsi. Pero también apareció con algunas la tragedia de amor y el desenlace fatal. En la *Egloga di Flavia,* de Filenio Gallo, el pastor Fileno es impulsado a suicidarse al creer que su amor por Flavia no es correspondido. En la de *Tirsi e Damone,* de Antonio Tebaldeo, en la que luego nos detendremos más, el pastor Damone se suicida al no verse correspondido por Tirsi.

Con este panorama, descrito a grandes rasgos, es con el que entra en contacto Encina en Italia, lo que efectivamente causó una renovación en su teatro, aunque no tan profunda y decisiva como hubiese cabido esperar. Y ello

---

et non Tragicomoedia, / sed *Eclocomoedia* agitur. Valete» (*apud* A. d'Ancona, ob. cit., II, pág. 78).

tal vez por dos simples razones. La primera, porque no parece que Encina emprendiese viaje a Italia cargado de graves inquietudes literarias ni humanísticas, sino más bien en busca de fácil carrera eclesiástica y a la caza de rentas y beneficios, como pudimos ver en el apartado dedicado a su biografía. La segunda, porque en realidad, por entonces, tenía ya hecho casi todo su teatro, y había conocido y hasta experimentado toda la amplia tradición pastoril medieval, desde la pastoral navideña a la pastorela cortesana o la pastorada rústica carnavalesca. Había llegado incluso al descubrimiento de la bucólica virgiliana, que había parafraseado en su «translación» citada, y además conocía perfectamente la categorización estilística de la época que, a partir de los comentaristas virgilianos y sobre el modelo de la *rota Vergilii,* identificaba lo pastoril con el estilo humilde, pero también encuadraba la *égloga* en el *genus activum* o representable. Y hasta es posible que conociera, antes de su salida de España, las églogas religioso-pastoriles del poeta italiano aquí afincado Antonio Geraldini, según sugirió Mazzei[78].

El empleo de personajes mitológicos, que había introducido la *Representación sobre el poder del Amor,* vuelve a aparecer en la *Égloga de Cristino y Febea,* donde salen a escena el propio Amor y la ninfa Febea, amada ahora del pastor Cristino. Al comienzo de la acción, éste comunica a Justino su deseo de hacerse ermitaño. A pesar de la advertencia de Justino sobre todas las renuncias que ello comporta, su decisión es firme. Queda Justino solo en escena, que, sin embargo, presiente el retorno de su amigo. Aparece entonces Amor, enojado porque Cristino se ha marchado sin su

---

[78] P. Mazzei, ob. cit., págs. 28-29. Geraldini fue autor de doce églogas, *Bucolicum Carmen,* compuestas posiblemente en España y publicadas en Roma en 1485, en las cuales, manteniendo el diálogo virgiliano entre pastores, se tratan diferentes cuestiones de la religión católica: la Natividad, la adoración de los Reyes, algunos milagros de Cristo, el sacramento de la Eucaristía, etc. La asociación del mundo pastoril con los misterios de la religión, tan desarrollada por el teatro, podía encontrarse ya, en cierta medida, en las églogas de Geraldini. Sobre éstas, puede verse la edición de W. P. Mustard, *The Eclogues of Antonio Geraldini,* Baltimore, 1924.

licencia. Toma la decisión de que una ninfa vaya a tentarle y habla con Febea, a quien ordena que seduzca a Cristino y luego le abandone. Cuando Febea se le acerca ofreciéndole sus amores, Cristino se debate angustiado entre los deberes de la religión y la atracción del amor:

> ¡Ay triste! No sé qué diga,
> ya no soy en mi poder.
> No puedo dexar amores
> ni dolores;
> pues que no quieres dexarme,
> forçado será tornarme
> a la vida de pastores.
> Mi Febea se me es ida,
> ya no ay vida
> en mi vida ni se halla;
> forçado será buscalla,
> pues qu'el amor no me olvida.
> ¿Qué digo, qué digo yo?
> Dios me dio
> razón y libre alvedrío (...)
>
> (vv. 334-348)

Aparece entonces Amor, quien le conmina a que deje los hábitos de ermitaño, a lo que Cristino accede a cambio de que se vea correspondido por el amor de Febea:

> Pues me muero por Febea,
> haz que sea
> su querer igual al mío,
> que en tu esperança confío
> ver lo que mi fe dessea.
>
> (vv. 416-420)

Cristino se encuentra con Justino y le cuenta todos estos sucesos, de lo que aquél naturalmente se alegra, puesto que le parece más estimable la vida de pastor que la de ermitaño.

> Las vidas de los hermitas
> son benditas,
> mas nunca son hermitaños

sino viejos de cient años,
personas que son prescritas,
que no sienten poderío
ni amorío,
ni les viene cachondez,
porque, miafé, la vejez
es de terruño muy frío.
  Y es la vida del pastor
muy mejor,
de más gozo y alegría (...)

(vv. 451-463)

Hay en esta obra diversos motivos que contrastan con la producción anterior de Encina. El conflicto entre ascetismo y espíritu mundano con el triunfo final de la carne sobre el espíritu, la puesta en cuestión de ciertos valores religiosos, así como la utilización relevante de dos personajes paganos (el dios Amor y la ninfa Febea), indican un evidente cambio de orientación ideológica. Todo apunta hacia una concepción del mundo más vitalista y paganizante, que anuncia caminos renacentistas y que con toda probabilidad le llega a Encina de sus primeros contactos con Italia.

La *Égloga de Fileno, Zambardo y Cardonio* es la que ofrece, dentro de la producción enciniana, aspectos más claros de imitación italiana. Como ya demostró J. P. Wickersham Crawford, Encina se inspira en la égloga de *Tirsi e Damone* de Antonio Tebaldeo[79]. Es ésta una típica égloga italiana

[79] J. P. Wickersham Crawford, «The source of Juan del Encina's *Égloga de Fileno y Zambardo*», *RH*, 38 (1916), págs. 218-31. Tebaldeo era un poeta nacido en Ferrara en 1463, que formó parte de la corte de Este y fue preceptor de la princesa Isabel; luego de sucesivas estancias en Bolonia y Mantua, fue secretario de Lucrezia Borgia y se estableció definitivamente en Roma en 1513. Fue autor de otras tres églogas, todas destinadas a la recitación (no concebidas teatralmente): la de *Paleno e Clearco*, la de *Menalca e Melibeo* y la de *Mopso e Tityro*. Todas ellas, junto con otras composiciones en italiano, fueron editadas por su sobrino Jacopo Tebaldeo y tuvieron gran éxito de lectura, consiguiendo una decena de ediciones hasta 1550. La primera edición fechada es de 1498, en Módena, aunque existen otras dos ediciones anteriores pero sin fecha. En el año 1500 se imprimieron tres ediciones de la obra de Tebaldeo (J. P. W. Crawford, «Encina's *Égloga de Fileno, Zambardo y Cardonio* and

de la época, de inspiración clasicista, tema amoroso, en tercetos y de corta extensión (doscientos cincuenta y un versos). Su argumento es el siguiente: el pastor Tirsi pregunta a su amigo Damone la causa de su llanto y aflicción, pero éste quiere sufrirla en soledad y le ruega que nada pregunte. Tirsi apela a la larga amistad entre ambos e insiste en que le revele el secreto. Damone, brusco, replica que quiere estar solo, y Tirsi, ante la pertinacia de su amigo, decide marcharse a cuidar el rebaño. Cuando Damone queda solo, invoca a la muerte y exclama que está dispuesto a recibirla con agrado, puesto que Amarili no ha querido dar oídos a sus requiebros y galanteos. En medio de ese lamento, se da muerte con un puñal y, mientras agoniza, hace una enternecida despedida de su rebaño que queda ahora sin pastor y, con el último aliento, perdona todavía la crueldad de Amarili. Tirsi regresa inquieto, luego de reflexionar en el mudamiento y cambio de actitud de su amigo. Ve a Damone tendido en el suelo sobre un charco de sangre y con un puñal clavado en el corazón. Llora amargamente su muerte y se lamenta por no haber permanecido a su lado. Luego, cuidadosamente, prepara el cuerpo para darle sepultura y compone un epitafio para la tumba.

La égloga de Encina tiene un argumento muy semejante: Fileno quiere contar sucesivamente sus penas por Zefira a Zambardo, pastor zafio y grosero, que no le hace caso y se queda dormido, y a Cardonio, quien al principio tampoco entiende la situación, pero que enseguida reaccionará cuando Fileno insinúe que él, Cardonio, no sabe de amores. Esa discusión les llevará incluso a un debate sobre las virtudes y defectos de las mujeres. Por fin, Fileno querrá estar a solas con su penar y Cardonio se aleja. Fileno comienza entonces un sentido monólogo en el que invoca a la muerte, impreca al amor, maldice la ocasión que le llevó a amar, reniega de sí mismo y de Zefira, y en ordenada

Antonio Tebaldeo's Second Eclogue», *HR*, 2 (1934), págs. 327-33. Alguna de estas últimas sería la que conociese Encina.

gradación se dirige y apostrofa a todo lo propio: su mano, su alma, su rabel, su zurrón, su cayado. De todo ello va despidiéndose tiernamente, hasta que por fin se da muerte, luego de implorar a Júpiter por su alma. Vuelve Cardonio, que lo ve tendido en la yerba, ensangrentado y clavado un puñal en el costado. Llama luego a Zambardo para enterrarlo y disponen un epitafio que, en realidad, encierra la moraleja, un tanto descompensada y sarcástica, de toda la obra: «verás quién sirve a mugeres / quál es el fin que a su vida procura».

Inspirada en el modelo italiano, son también numerosas, como se observa, las modificaciones introducidas. En primer lugar, Encina ha dado a su obra un desarrollo mucho más extenso, de manera que los doscientos cincuenta versos del original han pasado a ser ahora más de setecientos, en ochenta y ocho coplas de arte mayor. En segundo lugar, ha desdoblado la función del pastor confidente, introduciendo un nuevo personaje que no estaba en el original: el pastor Zambardo, zafio e indolente, heredero de los pastores rústicos de piezas anteriores, que aquí actúa de contrapunto cómico a la acción. El protagonista, Fileno, también se muestra menos brusco que Damone y se aviene a la confidencia amorosa, ya que no puede con Zambardo, con el pastor Cardonio, más discutidor y con quien se enreda en una disputa sobre las calidades y condición de las mujeres, tema muy de época y debatido en la literatura peninsular de finales de la Edad Media. De todos modos, como ya señaló Crawford, aunque en los comienzos y en el planteamiento de la obra Encina pudiera desentenderse del modelo italiano, a partir del momento en que Cardonio deja solo en escena a Fileno, la imitación pasa a ser directa y, en muchos pasajes, como puede comprobarse en nuestras notas, literal.

Lo que sí ha conseguido Encina es dar una mayor complejidad dramática al argumento, más bien lírico, del modelo. Ha elegido para su inspiración una égloga trágica, menos frecuente todavía entonces que la égloga con final feliz, y ha sabido poner en escena la figura del pastor doliente, desconsolado y, al final, suicida, que tendrá larga descendencia literaria[80]. Ha sabido también ampliar las posibilidades teatrales, aumentando, como veíamos, el número de personajes y su participación en la acción, introduciendo animados episodios de debate dialéctico o incluso potenciando las posibilidades del monólogo, como el vigoroso y retóricamente bien construido de Fileno al despedirse de todas sus pertenencias antes del suicidio (vv. 505-600). Resulta igualmente acertada, desde el punto de vista formal, la elección del verso de arte mayor, acorde con el argumento trágico y el asunto elevado, pues como el propio Encina aseguraba en su *Arte de poesía castellana,* «el arte mayor es más propia de cosas graves y arduas». A todo ello, sin embargo, según hemos visto, se le superpone un tono cómico y sarcástico (visible en motivos como el del pastor Zambardo, el debate misógimo, el epitafio, etc.), que produce un cierto extrañamiento en la obra y que ciertamente no poseía el modelo.

Marcada igualmente por los usos dramáticos italianos resulta la *Égloga de Plácida y Vitoriano,* representada seguramente, como vimos, en 1513, en el palacio del cardenal de Arborea. La obra es ya una «comedia», según se autodefine en sus versos iniciales, de ambientación urbana, con personajes de «villa» y cortesanos amantes, aunque todavía con fuertes residuos pastoriles, tanto en personajes y cuadros episódicos como en el diseño de los caracteres y de la acción principal, recortados sobre los usos convencionales de la égloga.

En cuanto a su argumento, la obra pone en escena a dos amantes, Plácida y Vitoriano, que se ven obligados a separarse contra su deseo. En un monólogo inicial que, como ha visto P. Heugas, recuerda situaciones de los relatos de ficción sentimental, Plácida llora amargamente la ausencia de Victoriano[81]. Éste, en tanto, tratará de buscar consuelo confesándose a su amigo Suplicio, quien le aconseja

---

[80] Mia I. Gerhardt, *Essai...,* ob. cit.

[81] P. Heugas, «Un personnage nouveau dans la dramaturgie d'Encina: Plácida dans *Plácida y Vitoriano*», en *La fête et l'écriture...,* ob. cit., páginas 151-61.

buscar nuevos amores con Flugencia, dama que mantiene sospechosas relaciones con la celestinesca Eritea. Entre tanto Plácida, presa de desesperación, prorrumpe en lamentos y se da muerte. Vitoriano, que ha tratado en vano de olvidarla, parte en su busca y la halla muerta, traspasada por su propio puñal. Pronuncia entonces un largo lamento, que el texto titula *Vigilia de la enamorada muerta* y que no es sino una parodia de la liturgia del oficio de difuntos, en la que se mezclan el texto latino de los *Salmos* con las expresiones profanas y quejas amorosas[82]. Vitoriano, luego de una larga invocación a Venus, decide darse la muerte. La diosa, conmovida por las plegarias del amante, desciende del cielo a detenerlo y lo tranquiliza diciéndole que su amada no está muerta y que se la devolverá despierta. Y en efecto, manda a Mercurio al infierno a recoger el alma de la joven y Plácida resucita. De lo que ha visto en el otro mundo no se acuerda porque ha bebido de las aguas del río Leteo («de tal agua bebí / que todas se me olvidaron»), con lo que es clara la referencia al infierno pagano, al que van los muertos de amor y no el infierno cristiano, adonde son condenados los suicidas. Los dos amantes se van cantando felices, canto al que se unen los demás personajes en escena.

La *Égloga* resulta, pues, mucho más extensa y muestra una más compleja construcción artística que las anteriores. El prólogo con que se abre, recitado por el pastor Gil que, dirigiéndose a la «compaña nobre», resume el argumento y pide atención al auditorio, es ya un elemento nuevo en todo el teatro enciniano y recuerda tanto el prólogo del teatro clásico difundido en Italia como el introito naharresco. El cuerpo dramático de la obra está constituido por trece breves escenas, en más de dos mil quinientos versos, divididas en dos núcleos principales, separados proporcionalmente por la inserción de un motivo lírico, un villancico que ocupa los vv. 1192-1215. De aquellas es-

---

[82] El episodio ha sido estudiado por G. Mancini, «Una veglia funebre profana: *La vigilia de la enamorada muerta* di Juan del Encina», *Studi dell'Istituto Linguistico,* 14 (1981), págs. 187-202.

Egloga delos dos enamora
dos Placida y Victoriano.
Agora nueuamente corregi
da y emendada.

IHS

cenas, la sexta y la décima son de naturaleza cómica, pequeños cuadros pastoriles, a la manera de su teatro anterior, que vienen a descargar la tensión de la apasionada acción principal. En ambos casos se trata de un diálogo rústico entre dos pastores, Gil y Pascual, que se inserta en momentos culminantes de la acción, cuando Vitoriano parte desesperado en busca de Plácida y cuando está a punto de suicidarse ante el cuerpo de la amada muerta. El cuadro de personajes es igualmente más rico y diverso que el de piezas anteriores. Junto a las figuras principales de los apasionados amantes cortesanos (Plácida, Vitoriano), se hallan los mencionados tipos pastoriles, además de las figuras mitológicas de Venus y Mercurio, y los episódicos y prostibularios de Flugencia y Eritea.

La obra, como se advierte, es una curiosa mixtura de alementos literarios y teatrales diferentes. Encina parece haber decidido acercarse a las corrientes clasicistas y paganizantes del teatro italiano de la época y no duda en incorporar personajes y dioses mitológicos a la acción. Como ha notado P. Mazzei, la similitud con piezas italianas como la farsa titulada *Scanniccio* o la égloga *Cintia,* en las que hay invocaciones y conjuros a Venus o a Júpiter y resurrecciones milagrosas de amantes (que también «han bebido del agua de Lete»), no deja de ser llamativa[83]. La construcción estructural de «comedia», con final feliz, gracias al recurso del *deus ex machina* con la intervención de Venus y Mercurio, así como la ambientación urbana de la acción y el comportamiento paganizantes de los amantes (el suicidio, la oración sacro-profana, el infierno que ha conocido Plácida, etc.), son elementos dramáticos que denuncian nuevos influjos y una nueva búsqueda en el teatro enciniano.

Al mismo propósito experimental cabe atribuir la presencia de motivos celestinescos. Efectivamente, en la escena de Flugencia y Eritea aparece por primera vez el personaje de la tercera, calco esquemático de Celestina, aunque aquí un tanto desprovista de función dramática y casi su-

---

[83] P. Mazzei, ob. cit., págs. 50-53.

perflua desde el punto de vista argumental[84]. Como vimos, Vitoriano, para curarse del amor no correspondido de Plácida y aconsejado por su amigo Suplicio, recurre a los amores de Flugencia, los cuales consigue sin apenas dificultad, aunque enseguida los desdeña para volver a su verdadera pasión por Plácida. En ese punto, conseguida fácilmente Flugencia, es cuando de manera fugaz entre en escena Eritea, presentada y justificada tipológicamente como tercera, pero que ya no tiene misión alguna que cumplir, pues no ha habido necesidad de allanar la relación amorosa de Vitoriano con Flugencia. Es por eso que su intervención se reduce a mantener un breve diálogo con Flugencia, que simplemente sirve para esbozar su caracterización como tal personaje bien conocido y quizá hasta familiar para el auditorio de la obra. En ese diálogo, en efecto, Eritea exhibe algunos de los rasgos caracterizadores del personaje celestinesco. Como partera, oficio de tradición celestinesca (así Claudina, maestra de Celestina), va a auxiliar en el parto a Febea, sobre cuyo hijo ya litigan por su paternidad un protonotario, un fraile y un boticario:

FLUGENCIA	En buen ora vengáis vos, comadre mía Eritea. ¿Qué buscáis? ¿A tal ora, dónde andáis?
ERITEA	Voy a casa de Febea.
FLUGENCIA	¿A qué vais allí? Veamos.
ERITEA	A barbullar cierta trampa, su preñez embarbullamos (...)

(vv. 652 y ss.)

Eritea es asimismo habilísima remendadora de virgos:

84 H. López Morales, «Celestina y Eritrea: la huella de la tragicomedia en el teatro de Encina», en *La Celestina y su contorno social: Actas del I congreso internacional sobre 'La Celestina'*, Barcelona, 1977, págs. 315-23. Véase también P. Heugas, «Sur une scène censurée: Encina et *La Celestine*», en *Les Cultures ibériques en devenir: Essais publiés en hommage à la mémoire de Marcel Bataillon (1895-1977)*, París, Fondation Singer-Polignac, 1979, págs. 397-403.

FLUGENCIA	Vos con sirgo le zurzirés luego el virgo, que sea más que talludo.
ERITEA	Si quantos virgos he fecho tantos tuviesse ducados, no cabrían hasta el techo. Hago el virgo tan estrecho que van bien descalabrados más de dos. Esto bien lo sabéis vos...

(vv. 694 y ss.)

y diestra ejecutora de hechizos amorosos:

ERITEA	¿Y cómo os va con aquél a quien dimos los hechizos?
FLUGENCIA	Eritea, burlo dél, muéstromele muy cruel.
ERITEA	Obraron los bevedizos. Yo seguro que donde entra mi conjuro no son amores postizos.

(vv. 753-760)

Con todo ello ciertamente Eritea manifiesta un indudable parentesco con Celestina, pero la imitación no deja de resultar esquemática y fugaz, por lo que bien podría decirse que el personaje ha quedado reducido a simple tipo dramático. Encina lo ha introducido seguramente para dar animación y variedad a su égloga-comedia y movido, sin duda, por el éxito de la obra de Rojas. Parece como si el poeta salmantino, en la última de sus creaciones dramáticas, hubiera sentido la necesidad de renovar el monótono mundo pastoril a que prácticamente había venido limitando sus creaciones teatrales y, muy atento a la moda literaria como estaba, rendir con ello homenaje a la obra de mayor éxito literario en ese momento, incluso en Italia, y que efectivamente apuntaba el camino por donde había de renovarse el teatro.

Las fuentes textuales

CANCIONEROS:

C1496 *Cancionero de las obras / de Juan del enzina.* Salamanca, s.i., 1496, 20 de junio.

Ejemplares en la Biblioteca de la Real Academia Española (I-8) y en la Biblioteca de El Escorial (33-I-10).

Edición facsímil de la Real Academia Española, con prólogo de E. Cotarelo, Madrid, Tipografía de la Rev. de Archivos, 1928 (reimpresión, 1989).

Hay también edición y concordancias, a cargo de Juan Carlos Temprano, Madison, Hispanic Seminary of Medieval Studies, 1983.

C1501 *Cancionero de / las obras de ju / an del enzina.* Sevilla, Juan Pegnicer y Magno Herbst, 1501, 16 de enero.

Ej. en BNM, R-20172.

C1505 *Cancionero de / todas las obras de / juādelenzina: cō o / tras añadidas.* Burgos, Andrés de Burgos, 1505, 13 de febrero.

Ej. en BNM, R-2960.

C1507 *Cancionero de todas las obras / de Juan del enzina con otras co / sas nueuamente añadidas.* Salamanca, Hans Gysser, 1507, 5 de enero.

Ejemplar único en la Biblioteca del Palacio Real de Madrid, I-B-15.

C1509 *Cancionero de todas las obras de Juan / del enzina con las coplas de zambardo: τ / con el auto del repelō enel qual se introduzē / dos pastores, piernicurto τ Johan para. ττ / τ con otras cosas nueuamente añadidas.* Salamanca, Hans Gysser, 1509, 7 de agosto.

Ejs. en BNM, R-2935, R-12645.

C1516 *Cancionero de todas las / obras de Juan del enzina: con otras co- / sas nueuamente añadidas.* Zaragoza, Jorge Coci, 1516, 15 de diciembre.

Ej. en BNM, R-2969.

PLIEGOS SUELTOS:

ECP *Egloga representada enla noche / postrera d'carnal q̄ dizē de antruejo o carnes tollendas: a dō / de se introduzen q̄tro pastores llamados Benito: y Bras: / Pedruelo: τ Lloriēte* (...) (fols. 1-3*r*).

[A continuación:] *Egloga repsen- / tada la mesma noche d' ātruejo / o carnes tollēdas: a dōde se ītro / duzē los mismos pastores d'arriba llamados benito y bras: llo / riēte. pedruelo* (...) (fols. 3*r*-4*v*), s.l., s.i., s.a. (según F. J. Norton, *A Descriptive Catalogue of Printing in Spain and Portugal 1501-1520,* Cambridge University Press, Londres-Nueva York-Melbourne, 1978, núm. 882, el pliego fue impreso en Sevilla, por Jacobo Cromberger, *ca.* 1515).

París, Bibliothèque Nationale, Rés. Yg. 89.

EAM *Egloga trobada por Juan del enzi- / na. En la qual representa el Amor de como andaua a tirar / en una selva* (...), s.l., s.i., s.a. (según P. Salvá y Mallen, *Catálogo de la biblioteca de Salvá,* Valencia, 1872, núm. 1228, impresa hacia 1525).

Madrid, Biblioteca Nacional, R-3655.

Edición facsímil en *Autos, Comedias y Farsas de la Biblioteca Nacional,* Madrid, Joyas Bibliográficas, 1964, II, 1-8.

EAO *Egloga trobada por Juan del enzi- / na. En la qual representa el Amor de como andaua a tirar / en una selva* (...), s.l., s.i., s.a. (pero Norton, núm. 1132: Toledo, Juan de Villaquirán, 1513-1520).

Oporto, Biblioteca Pública, XI.3.26(16).

Edición facsímil en *Pliegos poéticos españoles de la Biblioteca Pública Municipal de Oporto,* presentación por M.ª Cruz García de Enterría, Madrid, Joyas Bibliográficas, 1976, 125-132.

EAP *Egloga trobada por Iuan del enzina. En la qual repre / senta el Amor de como andaua a tirar en vna selva* (...), s.l., s.i., s.a. (pero Norton, núm. 302: Burgos, Fadrique de Basilea, 1515-1519).

París, Bibliothèque Nationale, Rés. Yg. 87.

ECFS *Egloga nueuamente trobada por Juan del enzi- / na a donde se introduze vn pastor q̄ cō otro se acōseja queriedo d'xar este mūdo τ sus vanidades por / seruir a dios el q̄l despues d'auer se retraydo a ser hermitaño: el dios d'amor muy enojado porq̄ sin su / licēcia lo auia fecho. vna nīpha ēbia a le retētar d' tal suerte q̄ forçado d'l amor d'xa los abitos y la religiō,* s.l., s.i., s.a. (Salvá, núm. 1228: posterior a 1509).

Santander, Biblioteca de Menéndez Pelayo, R-III-A(595).

EZM *Egloga trobada por / Juan del Enzina. en la qual se introduzen tres pastores. / Fileno. Zambardo. Cardonio* (...), s.l., s.i., s.a.

Madrid, Biblioteca Nacional, R-4993.

Edición facsímil en *Autos, Comedias...,* cit., I, 217-240.

EZP *Egloga de tres pa- / stores nueua mente / trobada por Juan del enzina*, s.l., s.i., s.a.

París, Bibliotèque Nationale, Rés. Yg. 86. (F. J. Norton, *A Descriptive Catalogue...*, cit., núm. 1347, menciona una hoy perdida *Egloga de tres pastores*, citada en el *Registrum* de Colón como adquirida en Alcalá de Henares en 1511.)

EPVM *Egloga nueuamēte trobada por / juan d'l enzina. Enla qual se intro / duzen dos enamorados llamada / ella Placida y el Vitoriano. Ago / ra nueuamēte emēdada y añadido / vn argumento siquier introduciō / de toda la obra en coplas: y mas o- / tras doze coplas q̄ faltauan en las / otras que de antes erā impressas. / con el Nunc dimittis trobado por / el bachiller Fernado de yanguas*, s.l., s.i., s.a. (pero Norton, núm. 331: Burgos, Alonso de Melgar, 1518-1520).

Madrid, Biblioteca Nacional, R-4888.

Edición facsímil en *Autos, Comedias...*, cit., I, 241-80.

EPVP *Egloga delos enamora / dos Placida y Victoriano. / Agora nueuamente corregi / da y emendada*, s.l., s.i., s.a.

París, Bibliothèque de l'Arsenal, 12261. BL. (fols. 73-96*r*). Véase H. C. Heaton, «A volume of rare sixteenth century spanish dramatic works», *RR*, 18 (1927), 339-345.

Esta edición

Los problemas de documentación y transmisión textual del teatro enciniano ya quedaron detalladamente tratados en el apartado segundo de la presente Introducción. Nos limitaremos ahora a resumir escuetamente los criterios seguidos para la edición de las obras. Las ocho primeras églogas van editadas por el *C1496*, seguramente revisado, como vimos, por el propio autor. Para las demás, se sigue igualmente el texto del *Cancionero* o del pliego en que por primera vez se imprimieron. Al frente de cada una de ellas se indica el texto de base seguido, así como los restantes testimonios textuales, cuando los hay. En este caso, en aparato crítico, se ofrecen las variantes que arrojan esos testimonios.

Sobre el texto de base que se sigue se han introducido mínimas modificaciones gráficas: 1) se ha eliminado la alternancia gráfica ente *u/v* y entre *i/y/j*, utilizando siempre *u, i* para los fonemas vocálicos y *v, y, j* para los consonánticos; 2) se han simplificado las consonantes dobles sin valor fonológico; 3) se ha resuelto el signo tironiano siempre en *y*, que es la conjunción copulativa que sistemáticamente emplea *C1496*.

Bibliografía

1) Biografía y aspectos generales

Luna, Rafael, «Juan del Encina», *Revista Contemporánea,* 11 (1877), págs. 449-465.

Cañete, Manuel, «Noticias que pueden servir para averiguar el verdadero apellido de Juan del Encina, poeta dramático español del siglo xv», *Revista Hispano-Americana,* 1 (1881), págs. 355-364.

Wolf, Ferdinand J., «Sobre Juan de la Encina (Notas de M. Menéndez y Pelayo)», *La España Moderna,* 7 (1895), págs. 91-98.

Cotarelo y Mori, Emilio, «Juan del Encina y los orígenes del teatro español», *La España Moderna,* 64 (1894), págs. 24-52, y 65 (1985), págs. 24-60.

— *Estudios de historia literaria de España,* 1901, págs. 103-181.

Mitjana, Rafael, *Sobre Juan del Encina, músico y poeta. Nuevos datos para la biografía,* Málaga, 1895.

— «Nuevos documentos relativos a Juan del Encina», *Revista de Filología Española,* 1 (1914), págs. 275-288.

— «Sobre Juan del Encina», en *Estudios sobre algunos músicos españoles del siglo XVI,* Madrid, 1918, págs. 5-51.

Flores García, Francisco, «La vida literaria. Poeta y sacerdote», *La Ilustración Española y Americana,* 54 (1910), págs. 254-258.

Herrero, José Joaquín, «Juan del Encina», en *Tres músicos españoles: Juan del Encina, Lucas Fernández, Manuel Doyagüe y la cultura artística de su tiempo,* Madrid, 1912, págs. 55-73.

Díaz-Jiménez y Molleda, Eloy, *Juan del Encina en León,* Madrid, 1909.

— «En torno a Juan del Encina», *Revista de Segunda Enseñanza,* 5 (1927), págs. 398-401.

ESPINOSA MAESO, Ricardo, «Nuevos datos biográficos de Juan del Encina», *Boletín de la Real Academia Española,* 8 (1921), páginas 640-656.

GINÉNEZ CABALLERO, Ernesto, «Hipótesis a un problema de Juan del Encina», *Revista de Filología Española,* 14 (1927), págs. 59-69.

BATTISTESSA, Ángel José, «Trazos para un perfil de Juan del Encina», en *Poetas y prosistas españoles,* Buenos Aires, 1943, pánas 173-232.

AUSTIN, Brother, «Juan del Encina», *Hispania* (Wallingford), 39 (1956), págs. 161-174.

ANDREWS RICHARD, J., *Juan del Encina, Prometheus in Search of Prestige,* Berkeley-Los Ángeles, 1959.

VALERA, José Luis, «Juan del Encina juez», en Horst Baader y Erich Loor (eds.), *Spanische Literatur im Goldenen Zeitalter, Festschrift für Fritz Schalk,* Francfort, 1973, págs. 519-523.

SULIVAN, Henry W., *Juan del Encina,* Boston, Twayne, 1976.

SHERR, Richard, «A note on the biography of Juan del Encina», *Bulletin of the Comediantes,* 34, 2 (1982), págs. 159-172.

2) OBRA DRAMÁTICA

ARRÓNIZ, Othon, *La influencia italiana en el nacimiento de la comedia española,* Madrid, 1969.

BATTESTI PELEGRIN, Jeanne, «La dramatisation de la lyrique "cancioneril" dans le théâtre d'Encina», en *Juan del Encina et le théâtre au XVe siècle...,* págs. 57-78.

BECKER, Danièle, «De l'usage de la musique et des formes musicales dans le théâtre de Juan del Encina», en *Juan del Encina et le théâtre au XVe siècle...,* págs. 27-56.

BEYSTERVELDT, Antony van, *La poesía amorosa del siglo XV y el teatro profano de Juan del Encina,* Madrid, 1972.

— «Estudio comparativo del teatro de Lucas Fernández y el de Juan del Encina», *RCEH,* 3 (1979), págs. 161-182.

BLANCHARD, Joël, *La pastorale en France au XIVe et XVe siècles. Recherches sur les structures de l'imaginaire médiéval,* París, 1983.

BOUSSAGOL, Gabriel, «La deuxième *Églogue* de Juan del Encina», *Re-*

vue de l'Enseignement des Langues Vivantes, 46 (1929), págs. 193-198.

BROTHERTON, John, *The «Pastor-Bobo» in the Spanish Theatre before the time of Lope de Vega,* Londres, 1975.

CASO GONZÁLEZ, José, «Cronología de las primeras obras de Juan del Encina», *Archivum,* 3 (1953), págs. 362-372.

CIROT, Georges, «Le théâtre religieux d'Encina», *Bulletin Hispanique,* 43 (1941), págs. 5-35.

— «À propos d'Encina. Coup d'oeil sur notre vieux drame religieux», *Bulletin Hispanique,* 43 (1941), págs. 123-151.

CRAWFORD, J. P. Wickersham, «The source of Juan del Encina's *Égloga de Fileno y Zambardo*», *Revue Hispanique,* 38 (1916), páginas 218-231.

— «Encina's *Égloga de Fileno, Zambardo y Cardonio* and Antonio Tebaldeo's Second Eclogue», *Hispanic Review,* 2 (1934), páginas 327-333.

CRUCIANI, Fabrizio, *Teatro nel Rinascimento, Roma 1450-1550,* Roma, 1983.

DÉBAX, Michèle, «Sommes-nous au théâtre? (Remarques sur la théâtralité de l'*Eglogue I* de Juan del Encina)», en *Juan del Encina et le théâtre au XVe siècle...,* págs. 127-141.

DE LOPE, Monique, «De l'amour: *Representación* de Juan del Encina», en *Juan del Encina et le théâtre au XVe siècle...,* págs. 79-92.

— «L'églogue et la cour. Essai d'analyse des rapports de l'écriture théâtrale et de la fête chez Juan del Encina», en *La fête et l'écriture...,* págs. 133-149.

— «Discursos literarios y discurso social en Juan del Encina», en *Literatura Hispánica. Reyes Católicos y Descubrimientos,* Actas del Congreso Internacional sobre Literatura Hispánica en la época de los Reyes Católicos y el Descubrimiento, Barcelona, 1989, págs. 359-365.

FRAMIÑÁN DE MIGUEL, María Jesús, «Cronología de las ocho primeras églogas de Juan del Encina: estado de la cuestión», *Cuadernos de Investigación Filológica,* 12-13 (1986-1987), págs. 101-116.

GARCÍA, Michel, «Le dialogue dramatique et son cadre formel: la strophe», en *Juan del Encina et le théâtre au XVe siècle...,* páginas 143-157.

— «L'emergence d'un espace théâtral en Castille à la fin du XVe siècle», *Recherches ibériques et cinématographiques,* 2, núms. 8-9 (1988), págs. 16-26.

GERHARDT, Mia I., *Essai d'analyse littéraire de la pastorale dans les littératures italienne, espagnole et française,* Utrecht, 1975.

HATHAWAY, Robert L., *Love in the early spanish theatre,* Madrid, 1975.

HERMENEGILDO, Alfredo, «El pastor-objeto y la escritura narrativa del teatro castellano primitivo: de Gómez Manrique a Juan del Encina», en *Literatura Hispánica. Reyes Católicos y Descubrimiento,* Actas..., Barcelona, 1989, págs. 337-346.

HEUGAS, Pierre, «Sur une scène censurée: Encina et *La Celestine»,* en *Les Cultures ibériques en devenir: Essais publiés en hommage à la mémoire de Marcel Bataillon (1895-1977),* París, Fondation Singer-Polignac, 1979, págs. 397-403.

— «Un personnage nouveau dans la dramaturgie d'Encina: Plácida dans *Plácida y Vitoriano», en La fête et l'écriture...,* págs. 151-161.

HOUSE, R. E., «A study of Encina and the *Égloga interlocutoria», Romanic Review,* 7 (1916), págs. 458-469.

Juan del Encina et le théâtre au XVe siècle. Actes de la Table Ronde Internationale. 17-18 octobre 1986. Université de Provence-Centre d'Aix, Université de Provence, 1987.

La fête et l'écriture. Théâtre de Cour, Cour-Théâtre en Espagne et en Italie, 1450-1540, Aix-en-Provence, Université de Provence, 1987.

LOBATO LÓPEZ, María Luisa, «Del pastor de Encina al "simple" entremesil», en *Juan del Encina et le théâtre au XVe siècle...,* páginas 105-125.

LÓPEZ ESTRADA, Francisco, *Los libros de pastores en la literatura española,* Madrid, 1974.

LÓPEZ MORALES, Humberto, *Tradición y creación en los orígenes del teatro castellano,* Madrid, 1968.

— «Celestina y Eritrea: la huella de la tragicomedia en el teatro de Encina», en *La Celestina y su contorno social: Actas del I congreso internacional sobre «La Celestina»,* Barcelona, 1977, págs. 315-323.

MANCINI, Guido, «Una veglia funebre profana: *La vigilia de la enamorada muerta* di Juan del Encina», *Studi dell'Istituto Linguistico,* 14 (1981), págs. 187-202.

MAZZEI, PILADE, *Contributo allo studio delle fonti, specialmente italiane del teatro di Juan del Encina e Torres Naharro,* Lucca, 1922.

MCGRADY, Donald, «An unperceived popular story in Encina's *Plácida y Victoriano», Bulletin of the Comediantes,* 32 (1980), páginas 139-141.

MEYRS, Oliver, «Juan del Encina and the *Auto del repelón», Hispanic Review,* 32 (1964), págs. 189-201.
— «Encina and Skelton», *Hispania,* 47 (1964), págs. 467-474.
— *«Senor* in *Sayagués», Modern Language Notes,* 80 (1965), páginas 271-273.
PLANES-MAURIZI, Françoise, «Recherches sur théâtre et traditions populaires: Juan del Encina et l'*Auto del Repelón»*, en *Juan del Encina et le théâtre au XVe siècle...,* págs. 93-104.
PROFETI, Maria Grazia, «Luogo teatrale e scrittura: il teatro di Juan del Encina», *Linguistica e Letteratura,* 8 (1982), págs. 155-172.
RAMBALDO, Ana María, «Sobre la autoría y fecha de composición de la *Égloga interlocutoria», Bulletin of the Comediantes,* 33 (1981), págs. 39-45.
— «Nuevo enfoque sobre *La égloga representada en la misma noche de Antruejo* de Juan del Encina», *Hispanófila,* 86 (1986), páginas 63-67.
ROUX, Lucette-Elyane, «Du cercle à la spirale: Juan del Encina à la recherche d'une structure spatio-temporelle dans les églogues du *Cancionero* de 1496», en *Juan del Encina et le théâtre du XVe siècle...,* págs. 159-195.
SALOMON, Noël, *Lo villano en el teatro del Siglo de Oro,* trad. esp., Madrid, 1985.
STERN, Charlotte, «Juan del Encina's Carnival Eclogues and the Spanish Drama of the Renaissance», *Renaissance Drama,* 8 (1965), págs. 181-195.
— «The early Spanish drama: from medieval ritual to renaissance art», *Renaissance Drama,* New Series, 6 (1973), págs. 177-201.
— «Yet another look at Encina and the *Égloga interlocutoria», Bulletin of the Comediantes,* 33 (1981), págs. 47-61.
SULLIVAN, Henry W., «Towards a new chronology for the dramatic Eclogues of Juan del Encina», *Studies in Bibliography,* 30 (1977), págs. 257-275.
SURTZ, Ronald E., *The birth of a Theater. Dramatic convention in the Spanish theater from Juan del Encina to Lope de Vega,* Princeton-Madrid, 1979.
Teatro y práctica escénicas. I. El Quinientos Valenciano, dirigido por Joan Oleza Simó, Valencia, 1984.
TEMPRANO, Juan Carlos, *Móviles y metas en la poesía pastoril de Juan del Encina,* Oviedo, 1975.

—«Cronología de las ocho primeras églogas de Juan del Encina», *Hispanic Review,* 43 (1975), págs. 141-151.

ULYSSE, Georges, «Juan del Encina et le théâtre italien de son époque», en *Juan del Encina et le théâtre au XVe siècle...,* págs. 1-26.

VIAN HERRERO, Ana, «Una aportación hispánica al teatro carnavalesco medieval y renacentista: las *Églogas de Antruejo* de Juan del Encina», en *Il Carnevale: dalla tradizione araica alla tradizione colta del Rinascimento,* Viterbo, Centro di Studi sul Teatro Medioevale e Rinascimentale, 1990, págs. 121-148.

WARDROPPER, Bruce W., «Metamorphosis in the Theatre of Juan del Encina», *Studies in Philology,* 59 (1962), págs. 41-51.

WILTROUT, Ann E., *«Quien espera desespera:* El suicidio en el teatro de Juan del Encina», *Hispanófila,* 72 (1981), págs. 1-11.

YARBRO-BEJARANO, Yvonne, «Juan del Encina's *Representación a la Pasión.* Secular Harmony throug Christ's Redemption», *Revista de Estudios Hispánicos* (Homenaje a Stephen Gilman), 9 (1982), págs. 271-278.

— «Juan del Encina's *Égloga de las grandes lluvias:* The Historical Appropiation of Dramatic Ritual», en *Creation and Re-Creation: Experiments in Literary Form in Early Modern Spain. Studies in Honor of Stephen Gilman,* eds., R. E. Surtz y N. Weinerth, Nerwark, Delware, 1983, págs. 7-27.

— «The New Man and the Shepherd: Juan del Encina's First Dramatic Eclogue», *Revista Canadiense de Estudios Hispánicos,* 11 (1986), págs. 145-160.

3) OTROS ASPECTOS DE SU OBRA

ANDERSON, James A., *Juan del Encina: aesthethics of his poetry,* Ann Arbor, Michigan, 1985.

BAYO, Marcial J., *Virgilio y la pastoral española del Renacimiento,* Madrid, 1959.

BLECUA, Alberto, «Virgilio en España en los siglos XVI y XVII», en *Studia Virgiliana,* Actes del VI Simposi d'Estudis Clàssics, Universidad Autónoma de Barcelona, 1985, págs. 61-77.

COLLET, Henri, *Le mysticisme musical espagnol au XVIe siècle,* París, 1913.

DALMAES, Cándido de, *«Coplas sobre el año de quinientos y veynte y uno* de Juan del Enzina (Madrid, Biblioteca Nacional, Ms. 17510)»,

Quaderni Ibero-Americani, 47-48 (1975-1976), págs. 346-351.

GERHARDT, Mia I., «Les premières traductions des Bucoliques», *Neophilologus,* 33 (1949), págs. 51-56.

JONES, Royston O., «An Encina Manuscrit», *Bulletin of Hispanic Studies,* 38 (1961), págs. 229-237.

— «Encina y el *Cancionero* del British Museum», *Hispanófila,* 4 (1961), págs. 1-21.

— «Juan del Encina and Renaissance Lyric Poetry», en *Studia Iberica. Festschrift für Hans Flasche,* ed. K. H. Körner y K. Rühl, Berna-Munich, 1973, págs. 307-318.

— «Juan del Encina and posterity», en *Medieval Hispanic Studies presented to Rita Hamilton,* Londres, 1975, págs. 99-106.

LANGBEHN-ROLAND, Regula, «Cuatro aspectos formales en el *Cancionero* de Juan del Encina», *Lexis,* 2 (1978), págs. 17-25.

LÓPEZ ESTRADA, Francisco, «El *Arte de poesía castellana* de Juan del Encina (1496)», en *L'Humanisme dans les Lettres Espagnoles,* París, 1979, págs. 151-168.

MACANDREU, R. M., «Notes on Juan del Encina's *Églogas trobadas de Virgilio*», *Modern Language Notes,* 24 (1929), págs. 454-458.

MÁRQUEZ VILLANUEVA, Francisco, «La *Trivagia* y el problema de la conciencia religiosa de Juan del Encina», *La Torre,* Nueva época *(Estudios en honor de Albert A. Sicroff),* 1 (1987), págs. 473-500.

MICHAËLIS DE VASCONCELLOS, Carolina, «Nótulas sobre cantares e vilhancicos peninsulares e a respeito de Juan del Encina», *RFE,* 5 (1918), págs. 337-366.

QUILIS, Antonio, «Nebrija y Encina frente a la métrica», *Revista de Estudios Hispánicos,* 7 (1980), págs. 155-165.

SULLIVAN, Henry W., «Music of Juan del Encina extant in Segovia and Florence», *Neophilologus,* 61 (1977), págs. 378-383.

TEMPRANO, Juan Carlos, «El *Arte de poesía castellana* de Juan del Encina (Edición y notas)», *Boletín de la Real Academia Española,* 53 (1973), págs. 321-50.

TERNI, Clemente, *Juan del Encina. L'opera musicale. Studio introduttivo, trascrizione e interpretazione,* Florencia, 1974.

WALSH, John K., «Juan del Encina y el elogio del rey don Fernando», en *Literatura Hispánica. Reyes Católicos y Descubrimiento,* Actas..., Barcelona, 1989, págs. 366-375.

Ediciones de la obra dramática

Teatro completo de Juan del Encina, ed. de Manuel Cañete y F. Asenjo Barbieri, Madrid, Real Academia Española, 1893 (hay reimpresión en Nueva York, Greenwood Press, 1969).

Representaciones de Juan del Encina, ed. Eugen Kohler, Estrasburgo, P. H. Heitz, Bibliotheca Romanica, s.a. (1914).

Églogas de Juan del Enzina, ed. H. López Morales, Madrid, Escelicer, 1963.

Églogas completas de Juan del Enzina, ed. H. López Morales, Nueva York, Las Américas, 1968.

Obras dramáticas de Juan del Encina, I (Cancionero de 1496), ed. Rosalie Gimeno, Madrid, Istmo, 1975.

Juan del Encina. Teatro (Segunda producción dramática), ed. R. Gimeno, Madrid, Alhambra, 1977.

Juan del Encina. Obras completas, ed. Ana María Rambaldo, Madrid, Espasa-Calpe, 1978-1983, 4 vols.

Juan del Encina. Teatro y poesía, ed. Stanislav Zimic, Madrid, Taurus, 1986.

Juan del Enzina. El "Aucto del repelón", ed. Alfredo Álvarez de la Villa, París, Paul Ollendorff, s.a. (1912?).

Juan de la Encina. "Égloga del Plácida y Vitoriano", ed. Ernesto Giménez Caballero, Zaragoza, Ebro, 1960.

Teatro completo

Representaciones hechas por Juan del enzina a los ilustres y muy manificos señores don Fadrique de toledo y doña Ysabel pementel: Duques de alva Marqueses de coria. &c.

Egloga representada en la noche de la natividad de nuestro salvador. adonde se introduzen dos pastores: vno llamado Juan y otro Mateo. y aquel que Juan se llamava entro primero en la sala adonde el duque y duquesa estavan oyendo maytines y en nombre de Juan del enzina llego a presentar cien coplas de aquesta fiesta ala señora duquesa. Y el otro pastor llamado Mateo entro despues desto: y en nombre de los detratores y maldizientes: començo se a razonar con el. y Juan estando muy alegre y ufano por que sus señorias le avian ya recebido por suyo: convēcio la malicia del otro. adonde prometio que venido el mayo / sacaria la copilaciō de todas sus obras por que se las usurpavan y corrompian. y por que no pensassen que toda su obra era pastoril segun algunos dezian: mas antes conociessen que a mas se estēdia su saber.

Juan. Dios salve aca buena gente
asmo soncas aca estoy
que a ver a nuestramo voy
hela esta muy reluzsente:
o la visera me miente
o es ella sin dudança
miafe trayo le vn presente
poquillo y de buena miente
tome vuestra señorança.

Y no penseys abitaros
que no es cosa de comer
sino nuevas de prazer
para aver de gasajaros:
que mas precio contentaros
que nadie de nuestra aldea
todos deven alabaros
pero quien sabra loaros
por huerte zagal que sea.

Pues si digo de nuestramo
por quien os devemos mas
cuantes yo siempre jamas
el nuestro César le llamo:
que de tal arbor tal ramo
bien semeja parecer
al gran hijo de Priamo
si de gran fama le afamo
diga lo su gran poder.

Ya le temen soncas que
dentro en francia y portugal
por que saben que otro tal
a hotas que nunca fue:
el con sus fuerças abe
nos ampara y nos defiende
y aun yo juro a buena fe
que a penas aballa el pie
quando ya temen allende.

Es tan justo y tan chapado
tan castigador de robos
que los mas hambrientos lobos
huyen mas de su ganado:
anda ya tan perlabrado
el terruño en su concejo
quel mas pobre lazerado
tiene agora dios loado
pan de sobra tras añejo.

Mateo. O juan juan hi de pascula
cata cata aca estas tu
Juan. digo digo pues que hu
has de aver tu el alcavala:
Mateo. ya tu presumes de gala
que te arrojas al palacio
andar mucho en ora mala
cuydas que eres para en sala
no te vien de gerenacio.

I

Égloga representada en la noche de la Natividad

ÉGLOGA REPRESENTADA EN LA NOCHE DE LA NATIVIDAD DE NUESTRO SALVADOR. Adonde se introduzen dos pastores: uno llamado Juan y otro Mateo. Y aquel que Juan se llamava entró primero en la sala adonde el Duque y Duquesa estavan oyendo maitines y, en nombre de Juan del Enzina, llegó a presentar cien coplas de aquesta fiesta a la señora Duquesa. Y el otro pastor llamado Mateo entró después desto y, en nombre de los detratores y maldizientes, començóse a razonar con él. Y Juan, estando muy alegre y ufano porque sus señorías le avían ya recebido por suyo, convenció la malicia del otro. Adonde prometió que, venido el mayo, sacaría la copilación de todas sus obras, porque se las usurpavan y corrompían y porque no pensassen que toda su obra era pastoril, según algunos dezían, mas antes conociessen que a más se estendía su saber.

JUAN ¡Dios salve acá, buena gente!
Asmo, soncas, acá estoy,

Texto de *C1496,* fols. 103*r*-104*r*.

2 *asmo:* 'pienso, considero'; frecuente en toda la Edad Media, pero ya arcaico en la época de Encina, cuando pasa a recluirse en el habla rústica del pastor de teatro, como uno de tantos arcaísmos que la configuran.

soncas: 'en verdad, por cierto', probablemente derivado de la conjunción *sino que* > *son que* > *soncas;* es también muy frecuente en el habla pastoril.

que a ver a nuestrama voy.
¡Hela, está muy reluziente!
O la visera me miente 5
o es ella sin dudança.
¡Miafé! Tráyole un presente
poquillo y de buenamiente.
Tome vuestra señorança.

Y no penséis ahitaros, 10
que no es cosa de comer,
sino nuevas de prazer
para aver de gasajaros:
que más precio contentaros
que nadie de nuestra aldea. 15
Todos deven alabaros,
pero ¿quién sabrá loaros,
por huerte zagal que sea?

Pues si digo de nuestramo,
por quien os devemos más, 20
cuantes yo siempre jamás
el nuestro César le llamo,
que de tal árbor tal ramo,

---

5 *visera:* 'vista'.

7 *miafé:* fórmula arcaica de juramento, usada ya por el pastor como simple exclamación aseverativa; *vid.* también n. 32.

tráyole: 'tráigole', forma verbal arcaica (todavía sin el desarrollo de la *-g-* epentética y analógica).

presente: son las «cien coplas de aquesta fiesta», como ha indicado más arriba el encabezamiento de la égloga; se refiere probablemente al poema *Natividad de Nuestro Salvador trobado por Juan del Enzina,* recogido en el *Cancionero* de 1496, fols. 7*r*-11*v,* poema que va dedicado a la propia duquesa de Alba, doña Isabel Pimentel, y que consta exactamente de cien coplas.

8 *de buenamiente:* 'de buena gana', adverbio de modo.

9 *señorança:* 'señoría, excelencia', usado como tratamiento de respeto.

10 *ahitaros:* de *ahitar,* 'hartarse, llenar el estómago'.

12 *prazer:* por *plazer,* debido al rotacismo de la *-l-* agrupada, uno de los rasgos característicos del dialecto leonés, incorporado también al habla del pastor de teatro.

13 *gasajaros:* 'alegraros, divertiros', *vid. Égloga II,* n. 79 y *VI,* n. 123.

18 *huerte:* por *fuerte,* con aspiración de *f-* inicial, también característica del habla pastoril y del dialecto salmantino.

21 *cuantes:* 'cuanto más', *vid.* v. 144.

23 *árbor:* es la forma culta, como en *IV,* v. 158.

bien semeja parecer
al gran hijo de Priamo. 25
Si de gran fama le afamo,
dígalo su gran poder.
Ya le temen, soncas qué,
dentro en Francia y Portugal,
porque saben que otro tal, 30
ahotas, que nunca fue.
Él con sus fuerças, ahé,
nos ampara y nos defiende,
y aun yo juro, a buena fe,
que apenas aballa el pie 35
quando ya temen allende.
Es tan justo y tan chapado,
tan castigador de robos,
que los más hambrientos lobos
huyen más de su ganado. 40
Anda ya tan perlabrado

---

25 Esto es, Héctor; comp. Santillana, núm. 38: «El César afortunado / cessara de conbatir, / e fizieran desdezir / al Priámides armado, / antes que yo te dexara...»

31 *ahotas:* 'de verdad, cierto', como subraya J. Lihani, «con la connotación de 'apuesto a que'» (*El lenguaje de Lucas Fernández,* Bogotá, 1973, pág. 359).

32 *ahé:* 'a fe', interjección aseverativa que intensifica el sentido de la frase; ofrece también las variantes: *a he, a la he, en buena he, miafé, a buena fe* (v. 34).

35 *aballa:* de *aballar,* 'empezar a caminar, mover', muy usado en el lenguaje pastoril.

37 *chapado:* 'excelente', es adjetivo también muy frecuente en el habla pastoril y tiene distintos significados, como 'primoroso', 'agradable', 'adornado', etc.

41 *perlabrado:* forma con el prefijo intensificador *per-,* que viene a disfrazar un uso latino de dialectismo rústico (véase Frida Weber de Kurlat, «Latinismos arrusticados en el sayagués», *NRFH,* 1 [1948], págs. 166-70). Su uso es muy frecuente en el habla pastoril y se documenta igualmente en el dialecto leonés: «El prefijo *per-* se halla omnipresente. Es uno de los recursos más corrientes para la formación de vocabulario pastoril. La preposición intensifica el sentido relacionado con la palabra a la cual se agrega. Por sí sola la preposición contenía el significado de entereza, de algo cumplido o consumado, llevado a cabo. Esta idea, al añadirse a un adjetivo, le daba una calidad de superlativo: *perchapado* 'extremadamente chapado, extremadamente adecuado'. Al añadirse al sustantivo, le otorgaba la calidad de completa penetra-

el terruño en su concejo
qu'el más pobre lazerado
tiene agora, Dios loado,
pan de sobra trasañejo. 45

MATEO ¡O, Juan, Juan, hi de Pascuala!
Cata, cata, ¿acá estás tú?
JUAN Digo, digo, pues ¿qué hu?
¿Has de aver tú ell alcavala?
MATEO ¿Ya tú presumes de gala, 50
que te arrojas al palacio?
¡Andar mucho en ora mala!
¿Cuidas que eres para en sala?
No te vien de generacio.
JUAN ¿No me viene de natío? 55
Calla, calla ya, malsín,
que nunca faltas de ruin,
tú tanbién como tu tío.

---

ción y cumplimiento: *perpotencia* 'suma potencia'; al juntarse al verbo, le confería la noción de llevar la idea hasta el último límite posible: *percontar* 'contar hasta su fin', *perñotar* 'informar completamente', *percundió* 'cundió enteramente', etc.» (Lihani, págs. 230-231).

45 *trasañejo:* «lo mismo que tresañejo [que vale de tres años antes], y se extiende a lo que tiene más años» *(Aut.)*.

46 *hi:* forma sincopada, corriente en la lengua antigua (Juan de Valdés, *Diálogo de la lengua:* «dezimos también *hi* por *hijo,* diziendo *hi de vezino* por *hijo de vezino, hi de puta* por *hijo de puta* y *hidalgo* por *hijo dalgo»)*.

48 *hu:* por *fue,* con contracción del diptongo y aspiración de la *f-* inicial, características del habla rústica y pastoril.

49 *ell:* palatalización de *-l* y fluctuación del artículo ante sustantivos que comienzan por *a-*.

alcavala: impuesto sobre las transacciones comerciales instituido ya por Alfonso XI.

53 *cuidas:* 'piensas'.

54 *vien:* apócope de la desinencia verbal de tercera persona, frecuente en el habla pastoril.

generacio: derivado del nominativo latino *generatio,* 'linaje, abolengo'.

55 *natío:* «lo mismo que nacimiento» *(Aut.)*.

58 *tu tío:* probable alusión a conflictos con la familia de Lucas Fernández. Éste, huérfano desde niño, fue educado por su tío Alonso González de Cantalapiedra, quien fue beneficiado de Alaraz, villa perteneciente al arciprestazgo de Alba de Tormes, circunstancia que sin duda le obligaría a rela-

Quando agora con tal frío
a ladrar tan bien te amañas, 60
¿qué harás en el estío,
que con ravia de mi brío
se te quemen las entrañas?

MATEO ¡O, lazerado pastor,
de los más ruines del hato, 65
aún no vales por un pato
y tiéneste en gran valor!

JUAN Desmuele ya, pecador,
essa embidia que en ti mora,
que aún ternías más rencor 70
si supiesses la lavor
que a nuestrama traxe agora.

MATEO Déxate dessas barajas,
que poca ganancia cobras.
Yo conoço bien tus obras: 75
todas no valen dos pajas.

JUAN No has tú visto las alhajas
que tengo so mi pellón.
Essas obras que sovajas
son regoxos y migajas 80
que se escuelan del çurrón.

---

cionarse con los duques, en cuya corte intentaría introducir a su sobrino, músico y poeta (véase R. Espinosa Maeso, «Nuevos datos biográficos de Juan del Encina», *BRAE,* 8 [1921], pág. 647).

68 *desmuele:* 'deshaz', comp. *Eg. V,* v. 131.

70 *ternías:* 'tendrías', forma arcaica en la formación del futuro y condicional.

73 *barajas:* 'pendencias, contiendas'.

75 *conoço:* 'conozco', formación analógica en la primera persona del presente de indicativo en los verbos incoativos.

78 *pellón:* «vestido antiguo que parece era ropa larga y que por hacerse regularmente de pieles le dieron este nombre» *(Aut.).*

79 *sovajas:* 'manoseas', 'maltratas, rebajas'.

80 *regoxos:* «el pedazo o porción de pan que queda de sobra de la mesa después de haber comido» *(Aut.).*

81 *escuelan:* formación verbal con el prefijo *es-,* frecuente en leonés; *vid.* también Juan de Valdés, *Diálogo:* «debéis de quitar un 'es-' de algunos vocablos, como son 'estropeçar' y 'escomencar'».

MATEO Yo te juro a San Pelayo
que qualquiera te deseche,
que nunca de buena leche
has mamado sólo un rayo. 85

JUAN Aunque agora yo no trayo
sino hato de pastores,
dexa tú venir el mayo
y verás si saco un sayo
que relumbren sus colores. 90

Sacaré con mi eslavón
tanta lumbre en chico rato
que vengan de qualquier hato
cada qual por su tizón.
Darles he de mi montón 95
bellotas para comer,
mas algunas tales son
que en roer el cascarón
avrán harto que hazer.

MATEO Pues yo te prometo, Juan, 100
por más ufano que estés,
que te dé yo más de tres
que lo contrario dirán:

---

82 *juro a San Pelayo:* es una de tantas fórmulas de juramento empleadas por el pastor de teatro; con propósito de atenuar el juramento alternan en esas fórmulas nombres de santos verdaderos con otros fantásticos e inventados (Sobre todas estas expresiones, puede verse F. Weber de Kurlat, *Lo cómico en el teatro de Fernán González de Eslava,* Buenos Aires, 1963, páginas 102-106).

91 *eslavón:* hierro que se choca con el pedernal.

96 *bellotas:* Yvonne Yarbro-Bejarano, «The New Man and the Shepherd: Juan del Encina's First Dramatic Eclogue», *RCEH,* 11 (1986), págs. 145-60, sugiere una asociación de las 'bellotas' como fruto de la 'encina' con los poemas producidos por 'Encina', y considera que la imagen es un reflejo de la nueva ideología que aquí expone el poeta, basada en la idea senequista de los méritos naturales como medida del valor de la obra. La citada investigadora propone una avanzada interpretación de la pieza, que ve dividida en dos partes: una de humildad y rendimiento encomiástico al duque, y otra segunda, con la llegada de un nuevo pastor y el diálogo con él, en la que la égloga se hace portadora de una ideología individualista, basada en la conciencia del valer personal y de las obras propias frente al valor de clase y de «generación».

que bien sé que mofarán
de tus obras y de ti. 105

JUAN Essos tales ¿quién serán,
sino Juan, el sacristán,
que anda hinchado de mí?

MATEO Y aun Pravos, qu'es buen gaitero,
te remuerde los çancajos, 110
y el carillo de Sorvajos,
y el padre de Gil Vaquero,
y el sobrino del herrero,
y aun Lloriente tu cuñado,
y el hijo del messeguero, 115
qu'es zagal de buen apero,
te tacha quanto has labrado.

JUAN Delante destos señores,
quien me quisiere tachar,
yo me obrigo de le dar 120
por un error mil errores.
Tenme por de los mejores.
Cata que estás engañado,
que si quieres de pastores
o si de trobas mayores, 125
de todo sé, Dios loado.

Y no dudo aver errada
en algún mi viejo escrito,
que quando era zagalito
no sabía quasi nada. 130
Mas agora va labrada
tan por arte mi lavor
que, aunque sea remirada,
no avrá cosa mal trobada
si no miente el escritor. 135

MATEO Ora digo que en ti está

---

108 *hinchado:* 'enojado'.

109 *Pravos:* Pablos, por metátesis y neutralización de *-l-/-r-*.

110 *çancajos, remorder (roer) los:* refrán que significa murmurar o decir mal de alguien.

111 *carillo:* 'hermano, amigo, compañero' (Lihani, pág. 388-390).

un bien chapado zagal.

JUAN Yo te juro que por tal
me tienen mis amos ya,
y después que moro acá 140
éme parado más luzio.

MATEO ¿Acá moras?

JUAN ¡Miafé! Ha.

MATEO ¿Cómo te va?

JUAN Bien me va.

MATEO Quantes ora no te ahuzio.

JUAN ¿Y tú nunca lo has sabido? 145

MATEO Miafé, no, soncas, digamos.

JUAN Pues estos dos son mis amos.

MATEO ¿Tiénente ya percogido?

JUAN ¡Digo! Ya estoy avenido,
y aun me dan buena soldada. 150

MATEO ¿Qué te han dado? ¿Qué has avido?

JUAN Aún agora no he cumprido.

MATEO Llugo, ¿no te han dado nada?

JUAN No me han dado, mas darán
dexándolos Dios bivir. 155

MATEO No los dexes de servir,
ahotas, que sí harán:
que yo te seguro, Juan,
no estás a lumbre de pajas,
ni te falte ya del pan. 160

JUAN No son amos que se están
recachando en las meajas.

---

141 *luzio:* 'lucido, ataviado, espléndido'.

142 *ha:* interjección de afirmación; «entre labradores la *ha* vale tanto como *sí» (Covarrubias); «ha* afirma como *sí,* es algo rústica» *(Correas).*

144 *quantes:* así en el original, comp. v. 21; *ahuzio:* 'creo, tengo confianza', deriv. de *fiduzia* > *huzia.*

148 *percogido:* ver n. 41.

153 *llugo:* por *luego,* con palatalización de *l-* y reducción del diptongo, características del habla pastoril.

159 *a lumbre de pajas:* «frase vulgar con que se da a entender la brevedad y poca duración de alguna cosa» *(Aut.).*

162 *recachando:* 'recreando, regodeando'; *meajas:* 'monedas de poco valor'.

MATEO Y aun con esse tal prazer
parlas tú de regolage.
Yo cuido que como el page 165
de Ledesma querrás ser,
aquel que por más valer
le arrimó su padre al Duque.
Yo te juro a mi poder
que en tales amos tener 170
ya ninguno no te cuque.

Fin

JUAN A Dios gracias, que me dio
tal gracia que suyo fuesse.
MATEO Si tales amos tuviesse,
saldría de cuita yo. 175
JUAN Nunca tal amo se vio
ni tal ama tan querida,
nunca tal ni tal nació.
Dios, que tales los crió,
les dé mil años de vida.

---

164 *regolage:* 'jolgorio, regocijo'.
166 *Ledesma:* población de la provincia de Salamanca, al noroeste de la capital.
169 *juro a mi poder:* fórmula eufemística de juramento, en la que la invocación de la propia persona sustituye a la que podría haber sido irreverente apelación a la divinidad o a algún santo; ver también n. 82.
171 *cuque:* de *cucar,* 'mofarse, burlarse' *(DCECH).*

II

Égloga representada en la mesma noche de Navidad

ÉGLOGA REPRESENTADA EN LA MESMA NOCHE DE NAVIDAD. Adonde se introduzen los mesmos dos pastores de arriba, llamados Juan y Mateo. Y estando éstos en la sala adonde los maitines se dezían, entraron otros dos pastores, que Lucas y Marco se llamavan. Y todos quatro, en nombre de los cuatro evangelistas, de la Natividad de Cristo se començaron a razonar.

LUCAS. MARCO	¡Dios mantenga! ¡Dios mantenga!	
JUAN. MATEO	¡Oh, nora buena vengáis!	
LUCAS	¿Y vosotros acá estáis?	
MATEO	¡Miafé, ha! Venga quien venga.	
LUCAS	No ay quien de prazer se tenga.	5
MATEO	¿Y qué nuevas ay allá?	
LUCAS	Ay una nueva muy luenga,	
	menester es gran arenga:	

Texto de *C1496,* fols. 104*r*-105*v*.

1 *Dios mantenga:* fórmula de saludo habitual entre rústicos en la lengua de la época y en adelante muy usada por el pastor de teatro.

2 *nora buena:* 'en hora buena', por aféresis de la *e-* y contracción de la preposición con la palabra siguiente, fenómenos que se dan con frecuencia en el lenguaje rústico y pastoril.

4 *miafé:* véase *Égloga I,* n. 7; *ha:* 'sí', véase *I,* n. 142.

8 *arenga:* 'discurso, plática'.

	que Dios es nacido ya.	
MATEO	¿Y quándo, quándo nació?	10
LUCAS	Aun agora, en este punto:	
	Dios y hombre todo junto,	
	y una virgen lo parió.	
MARCO	Bien lo barruntava yo.	
MATEO	Yo tanbién bien lo sentía,	15
	mas primero lo sintió	
	aquellotro que escrivió	
	que una virgen pariría.	
LUCAS	¿Qué te parece Mateo?	
MATEO	¿Y a ti, Lucas? Di, verás.	20
LUCAS	¿Y tú, Marco, qué dirás?	
MARCO	Qu'es cumplido mi desseo.	
LUCAS	¿Y tú, Juan del buen asseo,	
	qué dizes que estás callando?	
JUAN	Miafé, digo que lo creo,	25
	que ya estava yo en oteo	
	de luengo tiempo esperando.	
MATEO	¿Qué esperavas? Di, zagal,	
	por tu salud, habra, habra.	
JUAN	Que Dios, que era la palabra,	30
	decendiesse a ser carnal.	
LUCAS	En un vientre virginal	
	como lluvia decendió,	

---

17 *aquellotro:* 'aquel otro', por contracción del pronombre y palatalización de *-l-*.

18 Alude a la profecía de Isaías: «Ecce virgo concipiet et pariet filium, et vocabitur nomen eius Emmanuel» *(Isaías,* 7, 14); G. Boussagol, «La deuxième *Églogue* de Juan del Encina», *RELV,* 66 (1929), págs. 193-98, señaló algunas de las numerosísimas referencias y lugares bíblicos puestos en boca de los interlocutores de esta pieza.

23 *asseo:* 'porte, compostura', 'apariencia exterior'.

31 Evangelio de *San Juan,* 1, 1 y 14: «Et Deus erat Verbum (...) et Verbum caro factum est.»

29 *habra:* véase *I,* n. 12.

33 La imagen de la lluvia asociada a las revelaciones divinas es un lugar bíblico, que se halla, por ejemplo, en *Jueces,* 6, 36-40 y *Salmos,* 71, 6; la comparación con la encarnación de Cristo en el seno virginal, como señala Rosalie Gimeno, ed. cit., I, procede seguramente de las homilías marianas de San Bernardo.

para remediar el mal
del pecado original — 35
qu'el primer padre nos dio.
Del cielo vino su nombre,
el mayor que nunca hu,
que le llamassen Jesú
y Cristo por sobrenombre. — 40

JUAN
Ya tenemos Dios y hombre,
ya passible el impassible.
¿Quién avrá que no se assombre?
¿Quién avrá que allá no encombre
ver visible el invisible? — 45

LUCAS
Embió Dios embaxada
a la Virgen con Graviel
para en ella venir él,
y luego quedó preñada.
Dizen que estava turbada — 50
del mensage nunca visto,
mas quedó muy confortada,
que esperava ser llamada
la madre de Jesucristo.

MATEO
Con el dedo acertaría, — 55
que deve ser una esposa
de Josepe, muy hermosa,
essa tal que tal paría.

LUCAS
Una que llaman María.

MATEO
Pésame que no ay espacio, — 60
que aun de aquessa yo sabría
contar la genealogía
de todo su generacio.
Él es hijo de David,
de David y de Abrahán. — 65

---

38 *hu:* véase *I,* 48.
44 *encombre:* 'encumbre'.
54 Remiten estos versos al evangelio de *San Lucas,* 1, 26-31.
57 *Josepe:* José, del hebreo Yoseph, Josep.
63 *generacio: I,* 54. El evangelio de *San Mateo,* 1, 1-16, hace relación de la genealogía de Jesús.

LUCAS Diga, diga, diga, Juan,
qu'es zagal de buen ardid.

JUAN Digo, digo que Él es vid,
vida, verdad y camino.
Todos, todos le servid, 70
todos comigo dezid
qu'Él es el Verbo divino.

MATEO Sí dezimos.

MARCO Sí dezimos.

LUCAS Assí digo yo tanbién,
que nacido es en Belén 75
y de un ángel lo supimos.
Aunque gran temor huvimos
y nos puso gran anteo,
gran gasajo recebimos,
que a los ángeles oímos 80
la grolla del *celis Deo.*
Sonavan con gran dulçor
unos sones agudillos
de muy huertes caramillos
al nacer del Redentor. 85

JUAN Nació nuestro Salvador
por librar nuestra pelleja.
¡O, qué chapado pastor,
que morirá sin temor
por no perder una oveja! 90

LUCAS ¡Qué pastor tan singular
te parece este donzel!

68-69 Son palabras del evangelio del propio *San Juan,* 15, 1 («Ego sum vitis vera...») y 14, 6 («Ego sum via, et veritas, et vita...»).

78 *anteo:* 'antojo', 'ansia, deseo'.

79 *gasajo:* 'placer en compañía' *(DCECH),* término muy frecuente en el teatro pastoril.

81 *grolla:* 'gloria', por metátesis *(grolia)* y palatalización *(grolla),* voz rústica y pastoril. Todo el verso es una deformación, en boca del pastor, del *Gloria in excelsis deo* del anuncio del ángel a los pastores, según el evangelio de *San Lucas,* 2, 14.

88 *chapado:* véase *Ég. I,* n. 37.

90 *San Juan,* 10, 11.

Todos bivamos con él,
que éste nos viene a salvar.

JUAN — Y después ha de dexar 95
a Pedro, nuestro carillo,
las ovejas a guardar
y las llaves del lugar,
y su hato y caramillo.

MATEO — Miafé, con Él nos uñamos, 100
que su yugo es muy suave
y su carga no es muy grave,
mas muy leve, si miramos:
si de gana la tomamos,
gran gasajo sentiremos. 105

LUCAS — Muy humildes le seamos,
que si bien nos umillamos,
bien ensalçados seremos.

MARCO — Deste son las profecías
que dizen que profetaron 110
aquellos que pernunciaron
la venida del Mexías,
cuyas carreras y vías
antes d'Él aparejava
el hijo de Zacarías, 115
la boz que tú, Juan, dezías
que en el desierto clamava.
Aquel que nos predicó

---

96 *carillo:* véase *I,* 111. Según el evangelio de *San Juan,* 21, 15-17, Jesús tras su resurrección confirma a Pedro como nuevo pastor la promesa de entregarle las llaves del reino de los cielos, promesa ya referida en el evangelio de *San Mateo,* 16, 19.

100 *uñamos:* 'unamos', con palatalización de *-n-,* frecuente en el habla pastoril.

103 Evangelio de *San Mateo,* 11, 30: «Iugum enim meum suave est, et onus meum leve.»

108 Son palabras del evangelio del propio *San Lucas,* 14, 11.

110 *profetaron:* 'profetizaron', arcaísmo favorecido por el metro.

111 *pernunciaron:* 'anunciaron', véase *I,* 41.

115 Es decir, San Juan Bautista; *San Mateo,* 1, 2-3.

117 Evangelio de *San Juan,* 1, 23.

que vernía después dél
otro más valiente qu'él, 120
que es aqueste que oy nació.
Y este mesmo le embió,
yo le vi por nuestra aldea,
y aun él dixo: «No so yo
ni menos soy dino, no, 125
de desatar su correa.»

(MARCO) Quísole Dios embiar
delante por mensagero,
porque pudiesse primero
todo el hato recordar. 130

JUAN Vino al mundo a predicar
de Cristo, por su mandado,
para testimonio dar.

MARCO Cristo vino a ministrar,
no para ser ministrado. 135

JUAN Hartar, hartar ya, gañanes,
qu'es venido pan del cielo,
pan de vida y de consuelo!
No comáis somas de canes,
ni andéis hechos albardanes 140
comiendo vianda vil,
que aquéste con cinco panes
hartará más rabadanes
que otro con cinco mil.

LUCAS Mateo, si no revellas 145

---

119 *vernía:* 'vendría', véase *I,* 70.

124-125 *so, soy:* en la lengua de la época alternaban ambas formas verbales; *so* se mantendría en el leonés.

126 Evangelio de *San Marcos,* 1, 7, aunque también *San Juan,* 1, 27.

133 *San Juan,* 1, 7: «Hic venit in testimonium.»

139 *somas:* 'pan de segunda, inferior', destinado a alimento de perros y otros animales.

140 *albardanes:* 'holgazanes'; alude al refrán: «El porfiado albardán comerá de tu pan» *(Aut.).*

144 Es alusión al milagro de la multiplicación de los panes y los peces, relatado en el evangelio de *San Juan,* 6, 5-14: «Est puer unus hic qui habet quinque panes...»

145 *revellas:* 'te rebelas, te resistes, te obstinas'.

	y te percude cariño,	
	vamos a ver aquel Niño	
	qu'es de las cosas más bellas.	
MATEO	Y tú, Juan, que las estrellas	
	oteas de hito en hito,	150
	ven, verás la mayor dellas,	
	luzero de las donzellas,	
	con su hijo tan bendito.	
LUCAS	A Belén vamos, zagales,	
	que allí dizen que ha nacido	155
	en un pesebre metido,	
	embuelto en unos pañales;	
	entre brutos animales	
	quiso venir a nacer	
	en tan crudos temporales.	160
	Por pagar bien nuestros males	
	ya comiença a padecer.	
	El señor de la riqueza,	
	por dexarnos gran erencia,	
	en su muy pobre nacencia	165
	a ser pobres nos aveza.	
	Nunca fue tan gran pobreza	
	para hijo de tal padre.	
	Aballemos sin pereza,	
	vamos a tomar barveza	170
	y a gasajar con su madre.	

Fin

MATEO	De los primeros seremos.
	Vamos, vamos, vamos, Juan.

146 *percude:* 'golpea, sacude', 'sobreviene'.
165 *nacencia:* 'nacimiento'.
166 *aveza:* 'nos acostumbra, nos enseña'.
169 *aballemos:* 'caminemos', véase *I,* 35.
170 *barveza:* voz de oscuro significado; quizá algún tipo de alimento o refacción ('carnero asado' propone Lihani, pág. 379); aparece también en Lucas Fernández, *Farsa o quasi comedia de dos pastores y un soldado,* vv. 874-76: «De todos los rededores, / los pastores / vendrán a tomar barbeza.»

LUCAS Benditos los que verán
lo que nosotros veremos. 175
MARCO Aballemos, aballemos,
y no estemos anaziados.
JUAN Mas dad acá, respinguemos
y dos a dos cantiquemos
porque vamos ensayados. 180

Villancico

Gran gasajo siento yo.
¡Huy, ho!
Yo tanbién, soncas, ¿qué ha?
¡Huy, ha!
Pues Aquel que nos crió 185
por salvarnos nació ya.
¡Huy, ha! ¡Huy, ho!
Que aquesta noche nació.
Esta noche, al medio della,
quando todo estava en calma, 190
por nos alumbrar ell alma
nos nació la clara estrella,
clara estrella de Jacó.
¡Huy, ho!
Alegrar todos, ahá. 195
¡Huy, ha!

---

177 *anaziados:* enaciados, 'que se han quedado apartados', 'apartados del rebaño', es forma arcaica que sobrevive en el lenguaje villanesco de Encina *(DCECH).*

178 *respinguemos:* 'saltemos'.

181 Este *villancico,* aunque en forma muy fragmentaria y deturpada, se halla también copiado con su música en el *Cancionero de la Catedral de Segovia,* fols. 207*v*-208*r,* cancionero conjuntado a fines del siglo XV para la corte de Isabel la Católica (véase la ed. de los textos castellanos por Joaquín González Cuenca, Ciudad Real, 1980, págs. 51-53). Tal vez ello indique, como sugiere D. Becker, «De l'usage de la musique...», art. cit., que la égloga fue luego utilizada fuera de la corte de Alba.

183 *soncas:* 'cierto', véase *I,* 2.

191 *ell:* véase *I,* 49.

Pues Aquel que nos crió
por salvarnos nació ya.
¡Huy, ha! ¡Huy, ho!
Que aquesta noche nació. 200

En Belén, nuestro lugar,
muy gran claror relumbrea:
yo te juro que esta aldea
todo el mundo ha de sonar,
porque tal fruto nos dio. 205
¡Huy, ho!
Gran onra se le dará.
¡Huy, ha!
Pues Aquel que nos crió
por salvarnos nació ya. 210
¡Huy, ha! ¡Huy, ho!
Que aquesta noche nació.

Una virgen concibiera
sin simiente de varón,
y virgen sin corrución 215
al Hijo de Dios pariera,
y después virgen quedó.
¡Huy, ho!
Gran memoria quedará.
¡Huy, ha! 220
Pues Aquel que nos crió
por salvarnos nació ya.
¡Huy, ha! ¡Huy, ho!
Que aquesta noche nació.

Una virgen de quinze años, 225
morenica, de tal gala
que tan chapada zagala
no se halla en mil rebaños:
nunca tal cosa se vio.
¡Huy, ho! 230
Ni jamás fue ni será.
¡Huy, ha!
Pues Aquel que nos crió
por salvarnos nació ya.
¡Huy, ha! ¡Huy, ho! 235

Que aquesta noche nació.
Vámonos de dos en dos,
aballemos a Belén,
porque percancemos bien
quién es el Hijo de Dios: 240
gran salud nos embió.
¡Huy, ho!
En Belén dizen que está.
¡Huy, ha!
Pues Aquel que nos crió 245
por salvarnos nació ya.
¡Huy, ha! ¡Huy, ho!
Que aquesta noche nació.

Fin

Ya rebulle la mañana,
aguigemos qu'es de día, 250
preguntemos por María,
una hija de Sant'Ana,
que ella, ella, lo parió.
¡Huy, ho!
Vamos, vamos, andá allá. 255
¡Huy, ha!
Pues Aquel que nos crió
por salvarnos nació ya.
¡Huy, ha! ¡Huy, ho!
Que aquesta noche nació. 260

---

239 *percancemos:* 'alcancemos', con el prefijo intensificador *per-* muy usado en la formación del vocabulario pastoril (véase *I,* 41).
250 *aguigemos:* 'aceleremos el paso', 'corramos'.

III

Representación a la Passión y muerte de Nuestro Redentor

REPRESENTACIÓN A LA MUY BENDITA PASSIÓN Y MUERTE DE NUESTRO PRECIOSO REDENTOR. Adonde se introduzen dos hermitaños, el uno viejo y el otro moço, razonándose como entre Padre y Hijo, camino del santo sepulcro. Y estando ya delante del monumento, allegóse a razonar con ellos una muger llamada Verónica, a quien Cristo, quando le llevavan a crucificar, dexó imprimida la figura de su glorioso rostro en un paño que ella le dio para se alimpiar del sudor y sangre que iva corriendo. Va esso mesmo introduzido un Ángel que vino a contemplar en el monumento y les traxo consuelo y esperança de la santa resureción.

HIJO ¡Deo gracias, padre onrado!
PADRE Por siempre, hijo.
HIJO ¿Dó vas,
que tanta prisa te das,
con tus canas, ya cansado?
PADRE ¡Ay cuitado! 5
Que dizen, mira, verás,
qu'es Cristo crucificado.
HIJO Cristo, nuestra claridad,

Texto de *C1496,* fols. 105*v*-107*v*.

nuestro señor, nuestro Dios,
¿por qué padeció?

PADRE Por nos, 10
por pagar nuestra maldad.

HIJO ¿Y es verdad?

PADRE Vámonos ambos a dos,
si fuere tu voluntad.

Que yo, cierto, allá camino 15
por este valle desierto,
por siquiera desque muerto
ver aquel Verbo divino:
pues es dino
de ser adorado, cierto, 20
allá voy a tino a tino.

HIJO ¿Y no sabes dónde está?,
¿dónde le crucificaron?,
¿para dó te encaminaron?

PADRE No te cures, andacá. 25

HIJO Andallá.

PADRE Al lugar do le llevaron
el rastro nos llevará.

Que iva sangre corriendo,
muy cruelmente açotado 30
y de espinas coronado,
cien mil injurias sufriendo,
y gimiendo,
la cruz a cuestas cargado,
arrodillando y cayendo. 35

HIJO Y dime, ¿quándo fue? Di,
que maravillado estoy.

PADRE Dígote, por cierto, que oy.

HIJO ¿Oy, en este día?

PADRE Sí,
y no le vi, 40
que tan lastimado voy
que no se parte de mí.

---

21 *a tino a tino:* 'derechamente'.
25 *cures:* 'cuides, preocupes'.

HIJO	¿Tan presto fue sentenciado?	
PADRE	Ningún descanso le dieron.	
	A maitines le prendieron	45
	y a la prima fue levado	
	y acusado,	
	que a Pilato le traxeron,	
	y a tercia fue condenado.	
	Fuéronle a crucificar	50
	a la hora de la sesta.	
HIJO	¡O, qué gran crueldad ésta!	
	Vamos, vámosle adorar.	
PADRE	Y a rogar,	
	pues que tan caro le cuesta,	55
	nuestra alma quiera salvar.	
HIJO	Según su grave tormento,	
	ya deve aver espirado.	
PADRE	Y aun será ya sepultado.	
	Vamos ver el monumento.	60
HIJO	Soy contento.	
	Pues fue por nuestro pecado,	
	mostremos gran sentimiento.	
PADRE	Si sintieras como yo,	
	sintieras quando espirava:	65
	quando la tierra temblava,	

45-51 *maitines, prima, tercia, sesta:* conforme al relato de los evangelistas, y con la de *nona,* que sería la de la muerte, son las horas que marcan los momentos culminantes de la pasión de Cristo (corresponden aproximadamente, en el cómputo de la época, a las tres de la mañana, las seis, las nueve, las doce y las quince). Se les añadirían más tarde las *vísperas* y las *completas* para configurar el ciclo de las *horas canónicas* que corresponde al conjunto de actos litúrgicos y oraciones distribuidos a lo largo del día y de la noche y que constituyen el oficio divino.

46 *levado:* 'llevado', de *levar,* forma arcaica, aunque aún muy usada en la época; Juan de Valdés, *Diálogo:* «yo por mejor tengo dezir *llevar,* aunque no fuesse sino porque *levar* también significa *levantar;* Encina alterna ambas formas.

60 *monumento:* se trata del monumento sepulcral (no del eucarístico del Jueves Santo), utilizado en ceremonias litúrgicas de Pasión y Resurrección (veánse diversos testimonios en V. García de la Concha, «Dramatizaciones litúrgicas pascuales de Aragón y Castilla en la Edad Media», en *Homenaje a don José María Lacarra de Miguel,* V, Zaragoza, 1982, págs. 153-175).

quando el sol se escureció,
espiró.
Cada qual lo barruntava,
todo el mundo lo sintió. 70

HIJO Mi sentido bien alcança
a tan grandes movimientos:
bien sentí los elementos
que mostraron gran mudança
sin tardança, 75
quando tales sufrimientos
sufría nuestra esperança.

Mas yo, cierto, no pensé,
si de ti no lo supiera,
que por tan gran passión era 80
quanto terremoto fue.
Por tu fe,
hagamos de tal manera
que vamos donde él esté.

PADRE Según que se me figura 85
y según lo qu'él merece,
aquesta que aquí parece
deve ser su sepultura.
¡O ventura!
¡Cómo el criador padece 90
por salvar la criatura!

VERÓNICA ¿Cómo tan tarde venís

---

68 Narran tales fenómenos y acontecimientos *San Marcos,* 15, 33-38 y *San Lucas,* 23, 44-45.

84 *vamos:* 'vayamos', forma arcaica del subjuntivo; igual en el v. 60.

88 La *sepultura* es el *monumento* mencionado en el v. 60. Padre e Hijo se han debido de ir trasladando a lo largo de un espacio abierto (la sala o la capilla del palacio de Alba de Tormes) hasta llegar, mientras iban hablando, al sepulcro donde se encuentran con la Verónica. Este personaje, no evangélico ni habitual en el ciclo dramático de la *Visitatio sepulchri,* es sin embargo perfectamente idóneo y verosímil para introducir, como testigo presencial, todo el relato de la Pasión. El Ángel del sepulcro, que sí era personaje obligado del drama, aparecerá más adelante (vv. 281 y ss.) asumiendo un papel consolatorio y anunciando la próxima resurrección y la redención de todos los humanos.

a ver, hermanos benditos,
los tormentos infinitos
deste señor que dezís? 95
Mal oís.
¡No aver oído los gritos
en el yermo do bivís!

Que desde muy gran mañana
andavan ya desvelados 100
estos judíos malvados
por matarle con gran gana.

PADRE ¡Ay, hermana,
muere por nuestros pecados
nuestra vida soberana! 105

VERÓNICA ¡O, mis benditos hermanos,
qué gran lástima de ver
tan gran señor padecer
por dexar sus siervos sanos!
Pies y manos 110
clavado, sin merecer,
por salud de los humanos.

Su cara abofeteada
y escupido todo el gesto,
y de espinas por denuesto 115
su cabeça coronada.
¡Qué lançada
le dieron en la cruz puesto,
que me tiene lastimada!

¡Mirad cómo le tratava 120
aquella gente cruel,
que a bever vinagre y hiel
muy crudamente le dava,
quando estava
puesto por valança y fiel, 125

---

99 *gran mañana:* 'muy temprano'.

112 *salud:* 'salvación'.

125 Recoge este verso una de las imágenes del himno de la liturgia de pasión *Vexilla regis,* compuesto por Venancio Fortunato en el siglo VI en honor de la Santa Cruz: *Beata, cuius brachiis / pretium pependit saeculi, / statera facta est corporis / praedam tulitque tartari* («Feliz el que en sus ramas / llevó el precio de

que la redención pesava.

HIJO
Pues que por salvar la gente
padeció tantas passiones,
sientan nuestros coraçones
lo que por nosotros siente. 130

VERÓNICA
Cruelmente
en medio de dos ladrones
pusieron al inocente.
Y el traidor de Judas fue
el que le trató la muerte, 135
tratóle passión tan fuerte
aquel malvado sin fe:
¿qué diré
señor de tan alta suerte
padecer a sin porqué? 140
A su maestro vendió,
¿ay razón que tal sufriesse,
que en treinta dineros diesse
al mesmo que le crió?
Paz le dio 145
para que le conociesse
la gente que le prendió.

PADRE
¡O, Judas, Judas maldito,
malvado, falso, traidor,
que vendiste a tu señor 150
siendo su precio infinito!

VERÓNICA
¡Quán aflito
viérades al Redentor
dar su espíritu bendito!

---

los mundos; / hecha balanza del cuerpo, / arrebató al infierno su presa»). La imagen consiste en la comparación de la Cruz, por su misma forma, con una balanza en la que el cuerpo de Cristo ofrece el peso necesario por el precio de la redención del mundo. Como en otros lugares de la pieza, según vamos viendo, Encina sabe aprovechar teatralmente diversos elementos constitutivos de las ceremonias litúrgicas de pasión.

128 *passiones:* 'dolores, sufrimientos'.

135 *trató:* 'negoció'.

153 *viérades:* 'viérais', forma arcaica de la desinencia de segunda persona.

En señal de redención 155
nos dexó para memoria,
por armas de su vitoria,
las plagas de su passión;
por pendón,
su santa cruz, qu'es gran gloria 160
de nuestra consolación.

Y aun passando el Salvador
a dar fin a nuestro daño,
yo le di, por cierto, un paño
para limpiarse el sudor, 165
con dolor
de su dolor muy estraño
sufrido por nuestro amor.

Y dexóme aquí imprimida
en el paño su figura, 170
do parece la tristura
de su passión dolorida,
sin medida,
y ésta es su sepultura,
tesoro de nuestra vida. 175

HIJO ¡O, sagrario divinal,
arca de muy gran tesoro,
no de plata ni de oro,
mas de más alto metal,
celestial, 180
descanso de nuestro lloro,
remedio de nuestro mal.

PADRE Hermana, por caridad,

---

158 *plagas:* 'llagas'.

159 *pendón:* el pendón o estandarte que acompañaba la procesión del *Vexilla regis* del Viernes Santo y que tenía en su centro una cruz con las cinco llagas de la pasión. Dicho pendón volvía también a utilizarse abriendo la procesión del Domingo de Pascua (por lo que también vuelve a recordarlo Encina en la pieza siguiente, vv. 145-148) (véase V. García de la Concha, art. cit.).

177 *arca:* el arca o sagrario en que es encerrado el cuerpo de Cristo hasta el Domingo de Resurrección es otro objeto sagrado de las ceremonias litúrgicas de Viernes Santo.

muéstranos su semejança,
qu'es gran bienaventurança 185
tener tú tal heredad.

VERÓNICA En verdad,
demostraros sin tardança
lavor de su magestad.

Veis aquí donde veréis 190
su figura figurada,
del original sacada
porque crédito me deis.
Si queréis,
su passión apassionada 195
aquí la contemplaréis.

PADRE ¡O, muy bendita muger,
por tú ser tan piadosa
eres tú la más dichosa
de quantas pudieran ser: 200
por tener
figura tan gloriosa
imprimida en tu poder.

HIJO A quien Cristo dio tal don
gran privança le demuestra. 205
Sirvámosle, hermana nuestra,
pues es nuestra redención.

PADRE Con razón,
que bien parece en la muestra
la lavor de su passión. 210

VERÓNICA En su passión tan mortal
podéis ver muy bien, hermanos,
si fueron los miembros sanos
yendo la cabeça tal.

PADRE Nuestro mal 215

191-195 *figura figurada, passión apassionada:* es una de las varias «galas de trobar» que Encina describe en su *Arte de poesía castellana* y a la que llama *redoblado,* «que es quando se redoblan las palabras» (corresponde a la figura retórica de la *derivación);* todas estas «galas», dice Encina, «no las devemos usar muy a menudo, que el guisado con mucha miel no es bueno sin algún sabor de vinagre».

traxo su cuerpo a las manos
de aquella gente infernal.

HIJO ¡Pueblo judaico malvado,
traspassador de la ley,
matar a su propio rey 220
aviendo de ser onrado
y adorado!

VERÓNICA Murió el pastor por su grey
de todos desamparado.

Si dicípulos tenía, 225
ninguno dellos quedó
que no le desamparó,
salvo la virgen María,
que sentía
quanta passión él sintió 230
como a quien más le dolía.

No sé quién pueda contar
el tormento y dolor suyo:
no ay dolor que iguale al tuyo,
¡o madre, Virgen sin par, 235
singular!
Ver quién es el hijo y cuyo,
mucho deve lastimar.

¡O, qué dolor de sentir
sentimiento dolorido! 240
Madre que tal ha perdido
es dolor verla bivir,
qu'es morir.
Y la muerte le es partido
pues es menos de sufrir. 245

¡O, ánima traspassada
con cuchillo de dolor!
¡Ver morir al Redentor,
ay de ti, madre cuitada,

---

232 Encina acude al tópico de lo indecible a la hora de introducir, por boca de la Verónica, la patética relación de los *dolores* de la Virgen.

237 *cuyo:* uso arcaico del relativo sin antecedente y como predicativo de *ser*.

lastimada! 250
Fue tu lástima mayor
que a muger nunca fue dada.
¡O, madre que tal pariste,
tu sentimiento lloremos,
pues con tanta razón vemos 255
el gran dolor que sentiste
y sufriste!

PADRE
En el hijo contemplemos,
dexa ya la madre triste.

HIJO
Contemplemos la umildad 260
de aqueste manso cordero,
hijo de Dios verdadero,
camino, vida y verdad,
y bondad,
con el padre por entero, 265
una mesma voluntad.
Padre y hijo en un querer,
un mesmo consentimiento:
que el paterno mandamiento
es al hijo obedecer, 270
sin más ver.

VERÓNICA
¡O, dichoso monumento,
que lo alcançaste a tener!

PADRE
Hagamos aquí oración,
las rodillas en el suelo, 275
las manos puestas al cielo
con muy mucha devoción
y afición,
pues sufrió tal desconsuelo
por nuestra consolación. 280

EL ÁNGEL
¡O, monumento sagrado,
sepulcro más que dichoso!
¡O, cuerpo muy glorioso
de Cristo crucificado,

---

263 Evangelio de *San Juan,* 14, 6; comp. *Ég. II,* v. 69.

sepultado, 285
tesoro más que precioso
aunque por poco apreciado!

Descansa tus miembros tiernos,
duerme siquiera y reposa,
mientra ell alma gloriosa 290
va despojar los infiernos,
por hazernos
vezindad muy más gozosa
en los sus gozos eternos.

Por los justos decendió 295
a sacarlos del profundo,
y para salvar el mundo
el criador padeció,
y pagó
Cristo, nuestro Adán segundo, 300
lo que el primero pecó.

¡O, qué primer pecador,
culpa bienaventurada
que para ser desculpada
mereció tal Redentor, 305
vencedor
de guerra tan guerreada
con tanta pena y dolor!

Tal dolor en cuerpo tal
fue para más alegría, 310
para luego a tercer día
ressucitar inmortal
de mortal.
¡O, sola esperança mía!
¡O, misterio divinal! 315

¡O, muy sagrada passión
de gozo muy infinito!
¡O, misterio muy bendito

---

300 *Adán segundo:* es un concepto tipológico de larga tradición cristiana, que se halla ya en San Pablo; Cristo es el segundo Adán porque redimió el pecado de éste y de su descendencia, a la que ofrece un nuevo Paraíso de salvación.

de santa resurreción!
¡O, gran don 320
de carta de fin y quito
para nuestra redención!

¿Qué pudiera aprovechar
que Jesucrito naciera,
que naciera y que muriera, 325
para no ressucitar
y tornar
al hombre lo que perdiera
el primer hombre en pecar?

Crean todos ya comigo 330
su resurreción sagrada
y no duda nadie nada:
que yo vengo a ser testigo
y lo digo,
digo que está rematada 335
cuenta con el enemigo.

Los que estáis desconsolados
consolad los desconsuelos,
que vuestros llantos y duelos
en gozo serán tornados 340
y aun doblados.
Subirá Cristo a los cielos
con sus siervos libertados.

Fin

A los cielos soberanos
subirá con su poder, 345
que presto le esperan ver
los celestes ciudadanos

---

321 *carta de fin y quito:* «finiquito: el remate de las cuentas o el despacho que se da para que conste estar ajustadas y satisfecho el alcance que resulta de ellas» *(Aut.);* comp. vv. 335-336.

334-335, 337-338, 342-344 Son versos encadenados, gala poética también descrita por Encina: «Ay una gala de trobar que se llama *encadenado,* que en el consonante que acaba en un pie [o verso], en aquel comiença el otro.»

cortesanos,
y avremos todos plazer.
Andad en paz, mis hermanos. 350

Villancico

Esta tristura y pesar
en plazer se ha de tornar.
Tornaráse esta tristura
en plazer, gozo y holgura,
que Cristo en la sepultura 355
no puede mucho tardar.
En llegando a los tres días
gozaremos de alegrías,
qu'el Redentor y Mexías
tornará a ressucitar. 360
Ressucitará con gloria,
vencedor de gran vitoria.
Pongamos nuestra memoria
en siempre le contemplar.

Fin

Pongamos nuestra esperança 365
en la bienaventurança,
pues que Cristo nos la alcança
muriendo por nos salvar.

---

348 *cortesanos:* 'de la corte celestial'.

368 Yvonne Yarbo-Bejarano, «Juan del Encina's *Representación a la Pasión:* secular harmony through Christ's redemption», *REH,* 9 (1982), págs. 271-278, ha estudiado la pieza como representativa de una supuesta dualidad ideológica y religiosa de Encina: de un lado, su adscripción al cristianismo más ortodoxo, reflejada en su descarnada descripción de la pasión y el ataque expreso a los judíos (vv. 218 y ss.); de otro, su posición apologética de converso por la que enfatizaría la culpa colectiva en el pecado original y el júbilo por la redención, subsiguiente a la pasión, y la salvación de todos los humanos (aunque sólo supuestamente puede pensarse que en ese 'todos' Encina se esté refiriendo única y exclusivamente a los cristianos nuevos y viejos).

IV

Representación a la santíssima Resurreción de Cristo

REPRESENTACIÓN A LA SANTÍSSIMA RESURRECIÓN DE CRISTO. Adonde se introduzen Joseph y la Madalena y los dos dicípulos que ivan al castillo de Emaús, los quales eran Cleofás y San Lucas. Y cada uno cuenta de qué manera le apareció Nuestro Redentor. Y primero Joseph comiença contemplando el sepulcro en que a Cristo sepultó. Y después entró la Madalena y, estándose razonando con él, entraron los otros dos dicípulos. Y en fin vino un Ángel a ellos por les acrecentar ell alegría y fe de la resurreción

JOSEPH ¡O, sepulcro singular,
de nuestra vida memoria,
gran corona de vitoria
en ti se vino a labrar!
¡O, misterio muy sin par, 5
pues en tan pequeño suelo
tomó Cristo su solar

Texto de *C1496*, fols. 107*v*-108v.

1 Se trata del personaje evangélico de José de Arimatea, hombre rico de aquella ciudad y discípulo secreto de Jesús que, tras la muerte del Maestro, pidió el cuerpo de éste a Pilato para darle sepultura; luego de envolverlo en una sábana limpia, lo depositó en el sepulcro que para sí mismo tenía excavado en una peña (con escasas variantes, narran tales sucesos *Mateo*, 27, 57-60; *Marcos*, 15, 42-46; *Lucas*, 23, 50-53 y *Juan* 19, 38-42).

para en él edificar
el gran palacio del cielo!
Teníate yo guardado — 10
para ser mi sepultura,
no sabía la ventura
de tu precioso ditado.
Siempre serás adorado,
pues eres hecho tan dino, — 15
do Cristo fue sepultado
y agora ressucitado
con el su poder divino.

MADALENA — ¡O, Joseph, mi buen amigo!
JOSEPH — ¡O, María Madalena, — 20
vengas mucho en ora buena!
MADALENA — Dios esté siempre contigo.
JOSEPH — No me harto yo comigo
de ver este monumento.
MADALENA — De gran mañana, te digo, — 25
vine ver a nuestro abrigo
con esta caxa de ungüento.
Mas, según avrás ya vido,
bien sabrás qu'el Redentor
ressucitó vencedor, — 30
y el demonio es ya vencido.
JOSEPH — Bien lo tengo ya sabido,
que yo vi muy libre y sano
a Cristo nuestro querido.
MADALENA — A mí hame aparecido — 35
en figura de ortolano.
Yo, que estava en gran pesar
llorando, que no sabía
adónde le hallaría,
que le vine aquí a buscar, — 40

---

25 *gran mañana:* 'muy temprano', comp. *Ég. III,* 99.
28 *vido:* 'visto', forma arcaica y dialectal del participio.
35 La aparición de Cristo a María Magdalena se narra detalladamente en el evangelio de *San Juan,* 20, 11-18.

vile detrás de mí estar,
y començó preguntarme
la causa de mi llorar,
mas, yo que le iva a tocar,
dixo: «No quieras tocarme.» 45

JOSEPH Ortolano verdadero,
plantador de las virtudes,
que con gran socorro acudes
muy gran vencedor guerrero,
que estando yo presionero, 50
tú mesmo me visitaste,
a ti amo y a ti quiero,
en ti, Señor, sólo espero,
pues tú, Señor, me libraste.

Aquella mala nación, 55
porque te di sepultura,
de embidia y malicia pura
me tenían en presión.
De grado, muerte y passión
sufriera, Señor, por ti, 60
mas con tu resurreción
dísteme la redención
y acordástete de mí.

MADALENA A él se den los loores,
a él se den los servicios, 65
que quitó de mí los vicios
para plantarme de flores.
Con él tengamos amores,

50-58 Estos sucesos del encarcelamiento de José de Arimatea por los judíos a causa de haber dado sepultura al cuerpo de Jesús y luego la aparición del propio Cristo que le libera de la prisión, no corresponden al relato de los evangelios canónicos. Están tomados, en cambio, de los apócrifos de la pasión y resurrección, exactamente de las *Actas de Pilato* o *Evangelio de Nicodemo,* parte 1.ª, XII y XV, y de uno de sus apéndices conocido con el título de *Declaración de José de Arimatea.*

55 Comp. *Declaración...,* IV, 1: «Y, por el hecho de haber pedido el cuerpo de Jesús para darle sepultura, los judíos, dejándose llevar de un arranque de cólera, me metieron en la cárcel donde solía retenerse a los malhechores. Me ocurría esto a mí la tarde del sábado que nuestra nación estaba prevaricando...»

onremos su santo templo,
confíen los pecadores 70
en su socorro y favores,
pues que yo les soy enxemplo.

LUCAS. CLEOFÁS Dios os salve y dé reposo.
JOSEPH Y a vosotros dé plazer,
que venís tanbién a ver 75
su monumento precioso.
Mas su cuerpo glorioso
sabed que ressucitó.
LUCAS ¡O, poder muy poderoso
de Cristo maravilloso, 80
que allá nos apareció!
Quando ívamos camino
al castillo de Emaús,
nos apareció Jesús
en trage de peregrino 85
y el sacro Verbo divino
vino a confirmar la fe
que iva perdiendo el tino,
y en tal ábito nos vino
qual necessario nos fue. 90
CLEOFÁS Y con él mesmo comimos,
aunque algunos dudarán,
y en verle partir el pan
entonces le conocimos.
Y otra vez después le vimos 95
que entró, las puertas cerradas,
a muchos que allí estovimos;
y pues tal bien recebimos,
a Dios gracias sean dadas.
LUCAS Aqueste día bendito 100
es el que hizo el Señor

83 Narra esta aparición *San Lucas,* 24, 13-35, quien menciona sólo el nombre de uno de los discípulos, Cleofás (el otro, cabe interpretar, como hace Encina, que fuera él mismo). Sobre el episodio evangélico se creó el drama litúrgico del *Peregrinus,* muy difundido desde el siglo XIII.

el más santo y el mayor
que se halla por escrito.
Tomemos gozo infinito,
demos fin a los sospiros, 105
con coraçón muy contrito
pongamos ojo en tal hito
donde assesten nuestros tiros.

Con Cristo ressucitemos
en estas cuatro maneras: 110
con voluntades enteras
y presto, que no tardemos,
y que a morir no tornemos
y muy verdaderamente
que nada no simulemos, 115
y con esto alcançaremos
aquel imperio ecelente.

Que Cristo, nuestro dechado,
ressucitó desta suerte
para que más de la muerte 120
no fuesse señoreado;
y en verdad, no simulado,
y en la mañana, no tarde,
y perfeto, no menguado;
y el muerto por el pecado 125
esto le cumple que guarde.

MADALENA Busquemos resurreción
sin tornar más a morir,
qu'es del pecado salir,
y ha de ser por confissión 130
y de puro coraçón,
proponiendo el emendar
con contrición y atrición
y entera satisfación,
y en gracia perseverar. 135

JOSEPH ¡O, capitán vencedor
que al enemigo venciste
y por tus siervos quesiste
morir y ser Redentor!
Padeciendo gran dolor 140

por el mundo libertar,
diste tal precio, Señor,
que bastava su valor
para mil mundos mercar.

CLEOFÁS ¡O, qué vandera ganaste, 145
luzero de nuestra luz,
cinco plagas y la cruz
por memoria nos dexaste!
Tú venciste y triunfaste,
y el campo por ti quedó, 150
todo el mundo libertaste,
los infiernos despojaste,
que nadie te lo vedó.

LUCAS ¡O, cruz, triunfo precioso
de vitoria verdadera, 155
tú serás nuestra vandera,
bordón de nuestro reposo!
Árbor más que glorioso
que llevaste tan buen fruto,
tan buen fruto y tan sabroso, 160
qu'él solo fue poderoso
para quitar nuestro luto.
Nuestro luto ya quitado,
de alegría nos vistamos,
pues que ya ressucitamos 165
en Cristo ressucitado.
En muchos fue figurado,
primero mucho que fuesse
por muchos profetizado,
a muchos fue demostrado 170
por que el mundo lo creyesse.

---

148 Véase *Representación a la Pasión,* n. 159.

157 *bordón:* 'báculo de peregrino'.

158 *árbor:* forma culta, comp. *Ég. I,* 23. Esta exaltación y presencia escenográfica de la Cruz es un recuerdo muy vivo de las ceremonias litúrgicas de Pasión y Resurrección. De igual modo, los versos recogen motivos poéticos y expresiones del himno *Vexilla regis* que en aquellas se cantaba: *Arbor decora et fulgida* (...) / *Fundis aroma cortice, / vincis sapore nectare, / iucunda fructu fertili / plaudis triumpho nobili.»*

Fin

EL ÁNGEL ¡Paz sea con vos del cielo!
Tomad muy gran alegría,
pues que Cristo en este día
ressucitó deste suelo. 175
Florezca vuestro consuelo
más que nunca floreció,
pues que con amor y zelo
de esforçar vuestro recelo
Cristo ya ressucitó. 180

Villancico

Todos se deven gozar
en Cristo ressucitar.
Pues que tu triste passión
fue para resurreción,
con muy gran consolación 185
nos devemos alegrar.
Cristo por nos redemir
gran passión quiso sufrir,
con su precioso morir
la vida nos quiso dar. 190
Si fue muy grande el dolor,
el plazer es muy mayor
viendo a nuestro Redentor
de muerte ressucitar.

Fin

Por tan ecelente bien 195
las gracias a Dios se den.
Digamos todos Amén
por santamente acabar.

V

Égloga representada en la noche postrera de Carnal

ÉGLOGA REPRESENTADA EN LA NOCHE POSTRERA DE CARNAL, QUE DIZEN DE ANTRUEJO O CARNESTOLLENDAS. Adonde se introduzen cuatro pastores, llamados Beneito y Bras, Pedruelo y Lloriente. Y primero Beneito entró en la sala adonde el Duque y Duquesa estavan, y començó mucho a dolerse y a cuitarse porque se sonava que el Duque, su señor, se avía de partir a la guerra de Francia. Y luego tras él entró el que llamavan Bras, preguntándole la causa de su dolor. Y después llamaron a Pedruelo, el qual les dio nuevas de paz. Y en fin vino Lloriente que les ayudó a cantar.

BENEITO ¡O, triste de mí, cuitado,
lazerado!
Nora mala acá nací.
¿Qué será, triste de mí,
desdichado? 5
Ya no ay huzia, mal pecado.

De estas dos *Églogas de Carnaval,* la V y la VI, se ha conservado también una edición en pliego suelto, *ECP* (véase introducción, «Las fuentes textuales»).
Texto de base: *C1496,* fols. 109*r*-110*r*.
6. *ECP:* fuzia.

3 *nora:* 'en hora', por aféresis de *e-* y contracción de la preposición con la palabra siguiente, característica del habla vulgar y rústica.
6 *huzia:* 'fe, confianza', derivado arrusticado del lat. *fiducia.*

BRAS ¡A! Beneito del Collado,
¿dónde vas?
BENEITO Miafé, miafé, miafé, Bras,
de muerte voy debrocado. 10
BRAS ¿Debrocado ya, mortal?
BENEITO Y aun bien tal.
BRAS En mal ora y en mal punto,
dome a Dios, que estás defunto.
BENEITO ¡Ay, zagal, 15
no sabes aún bien mi mal!
BRAS Tu gesta bien da señal
de muy malo.
BENEITO Ya más seco estoy que un palo,
qu'es mi mal muy desigual. 20
BRAS ¿Y de qué se te achacó?
BENEITO No faltó
de cuido, grima y cordojo.
BRAS Asmo que deve ser ojo.
BENEITO Miafé, no, 25
desse mal no peco yo.
BRAS ¿Desde cuándo te tomó
tu acidente?
BENEITO Desde que primeramente
una nueva se sonó. 30
Y tal nueva de sentir
es morir.

---

7. *ECP:* Benito.
9. *ECP:* miafé, miafé, Bras.
11. *ECP:* d. y aun mortal.
17. *ECP.* gesto.
19. *ECP:* estó.

10 *debrocado:* 'atormentado, apenado, enfermado', aunque puede tener muy diversos significados (Lihani, págs. 416-418).

17 *gesta:* 'cara, semblante', coexistía en el teatro pastoril con *gesto;* Lucas Fernández la documenta en rima: «¿qué palabra he aquesta? / Allégrami acá essa gesta / y quellótrate de vero».

20 *desigual:* 'desproporcionado, enorme'.

23 *cordojo:* 'angustia, duelo' (Lihani, pág. 401).

24 *asmo:* 'pienso, creo', arcaísmo refugiado en el habla pastoril; *ojo:* 'mal de ojo, aojo'.

Yo siempre llanteo y cramo,
que se suena que nuestramo,
sin mentir, 35
se quiere a las Francias ir.

BRAS Esso yo lo oí dezir
por muy cierto,
antes mucho de mes muerto
y que al março ha de partir. 40

BENEITO Dime, Bras, ¿qué sentiremos
si lo vemos
que se parte y que nos dexa,
quando un poco que se alexa
ya creemos 45
que del todo nos perdemos?

BRAS Miafé, Beneito, roguemos
por su vida,
que forçada es la partida
por más que nos quellotremos. 50

---

24. *C1496:* deve sor, *errata.*
33. *ECP:* llanto.
43. *ECP: falta este verso.*
44. *ECP: omite* que.
46. *ECP:* lo perdemos.

---

34 *nuestramo:* contracción del posesivo y la palabra siguiente.

36 Parece referirse a sucesos de 1493 y a los conflictos surgidos entonces entre los Reyes Católicos y Carlos VIII de Francia que estuvieron a punto de ocasionar una gran movilización bélica, pero que se saldaron pacíficamente con la firma de los tratados de Narbona y Barcelona, ambos en enero de 1493 (véase G. Cirot, «La théâtre religieux...», cit., pág. 18, n. 3; J. C. Temprano, «Cronología...», art. cit., págs. 149-150; Ana M.ª Rambaldo, ed. cit., IV, pág. 40 y I, pág. 333, quien especifica que alude al mismo conflicto sobre el Rosellón y la Cerdeña que la traducción de la *Eg. X* de las *Bucólicas).* Los partidarios de una cronología más tardía de las piezas de *C1496* entienden que se trata del conflicto de 1495 sobre la posesión de Nápoles (J. Caso González, «Cronología...», art. cit., pág. 365; Henry W. Sullivan «Towards a new chronology...», art. cit., pág. 261).

50 *quellotremos:* de *quellotrar, quellotro,* voces muy usadas en el habla pastoril como muletillas vacías de sentido que adquieren su significado según el contexto: aquí, 'lamentemos, quejemos'; Juan de Valdés, *Diálogo de la lengua: «quillotro* no servía sino de arrimadero para los que no sabían o no se acordavan

Beneito	¡Ha, no praga a Dios contigo,	
	y aun comigo,	
	si has de salir verdadero!	
Bras	¿Y tú dudas, compañero?	
	Yo me obrigo	55
	ser verdad lo que te digo.	
Beneito	¡Ay de mí, tan sin abrigo!	
	Mi ganado	
	no quiere pacer bocado,	
	aunque lo lanço en el trigo.	60
Bras	¡O, qué casta tan aguda!	
	¡La res muda	
	sentir el mal de su dueño!	
Beneito	Mi ganado en verme el ceño	
	se demuda	65
	como persona sesuda.	
Bras	Beneito, no pongo duda,	
	que bien siento	
	que sentirás gran tormento	
	en quellotrança tan cruda.	70
Beneito	¿Tan cruda dizes? ¡Y cuánto!	
	Yo me espanto	
	cómo no soy muerto ya;	
	en pensar que se nos va	
	ya no canto.	75
	Mi cantar es todo llanto.	
Bras	¡Júrote a San Hedro santo	
	que lo creo!	
	Tan deslumbrado te veo	

del vocablo de la cosa que querían decir»; puede verse también M. Romera Navarro, «*Quillotro* y sus variantes», *HR,* 2 (1934), págs. 227-236, y Gillet, III, págs. 239-44.

51 *ha:* 'sí', I, 142; *praga:* 'plazca', 'plegue'.

70 *quellotrança:* véase n. 50; *cruda:* 'cruel'.

77 *San Hedro:* forma eufemística de juramento con deformación del nombre del santo invocado (San Pedro) para atenuar la irreverencia; «en el norte de España se encuentra la confusión entre la *b, p y b.* Se manifestaba esta confusión sobre todo en las derivaciones de la *f-* inicial latina. No sería imposible la *h* por la *p»* (Lihani, pág. 464).

	que me pones gran quebranto.	80
Beneito	Quebranto malo nos vino,	
	¡ay, mezquino!	
Bras	¡O, cuán desalmado sos!	
	Roguemos por él a Dios	
	de contino	85
	por que lleve buen camino.	
	Quédome a Dios, que magino,	
	si él va allá,	
	que muy gran vitoria avrá,	
	qu'es muy diestro y de gran tino.	90
Beneito	Esso yo te lo seguro	
	y aun te juro,	
	donde fuere su pendón,	
	que no falte coraçón	
	huerte y duro,	95
	qu'él es fortaleza y muro.	
Bras	Y aun con esso no me curo	
	que se vaya	
	donde gran vitoria traya	
	por su gran esfuerço puro.	100
	Y aun, ahotas, qu'él concierte	
	de tal suerte	
	la gente de su rebaño	
	que en las Francias haga daño,	
	donde acierte	105
	no es menester otra muerte.	
Beneito	No ay zagal que assí despierte.	
Bras	Digo, ¡hey!	

83 *sos:* 'eres', segunda persona de singular, por analogía con *só* (soy).
85 *de contino:* 'continua, insistentemente'.
87 *magino:* 'imagino', con aféresis de la vocal inicial.
95 *huerte:* 'fuerte', con aspiración de *f-*, muy característica del habla pastoril.
99 *traya:* 'traiga', véase *Ég. I,* n. 7.
101 *ahotas:* expresión adverbial con el sentido de 'de verdad, ciertamente' y la connotación de 'apuesto a que', ver *I*, 31.
108 *hey:* «interjección que da énfasis a lo que se dice, o para llamar la atención» (Lihani, pág. 466).

	Tiene gran cariño al rey	
	y el rey le quiere muy huerte.	110
	Y por él se nos destierra	
	a la guerra.	
Beneito	Allá bolará su fama.	
Bras	Acá nos queda nuestrama	
	en esta tierra	115
	donde todo el bien se encierra.	
	Asmo que en toda la sierra	
	hasta agora,	
	nunca se vio tal señora.	
Beneito	Quien esso no cree, yerra.	120
Bras	Miafé, yerra, y aun te digo	
	como amigo	
	que de lo que más me pesa	
	de nuestrama la Duquesa	
	que me obrigo	125
	que sienta gran desabrigo.	
Beneito	¡Ha, no, pese a San Rodrigo!	
	que con esso	
	ya no tengo solo un huesso	
	que tenga salud consigo.	130
	Todo, todo me desmuelo	
	con gran duelo,	
	trasijado de cordojos,	
	hago laguna mis ojos	
	sin consuelo,	135
	llanteando me desvelo;	
	allastrado por el suelo	
	de pesar,	
	no me puedo levantar	
	a poder hazer un pelo.	140

126 *desabrigo:* 'desamparo'.
127 *pese a San Rodrigo:* fórmula de juramento eufemístico, véase *I,* 82.
131 *me desmuelo:* 'me deshago', ver *I,* 68.
133 *trasijado:* 'que tiene los ijares hundidos', 'enflaquecido'; comp. *Coplas de Mingo Revulgo,* 13: «Está la perra Justilla, / que viste tan denodada, / muerta, flaca, trasijada»; *cordojos:* 'duelos, enojos', n. 23.
137 *allastrado:* 'tendido, echado'.

BRAS	Calla, calla, dolorido,	
	pan perdido,	
	huzia en Dios que no se irá.	
	Pedruelo nos lo dirá	
	si es venido,	145
	que oy al mercado era ido	
BENEITO	Por amor de Dios te pido,	
	anda, Bras,	
	llámale, corre, verás,	
	qu'él avrá nuevas oído.	150
BRAS	Que me praze, juro a mí.	
	Guarda aquí.	
	¡Ha, Pedruelo! ¿Estás acá?	
PEDRUELO	Acá estoy, asmo, ¿qué ha?	
BRAS	¿Qu'es de ti?	155
	¿Fuéstete, que no te vi?	
PEDRUELO	Pues bien tarde me partí	
	del ganado.	
BRAS	¿Oy ha sido buen mercado?	
PEDRUELO	Bueno, miafé, pues vendí.	160
BRAS	¿Qué llevavas de vender?	
	Ora ver.	
PEDRUELO	Tres gallos y dos gallinas.	
	Traxe puerros y sardinas	
	por comer	165
	el domingo a mi prazer.	
BRAS	Aun te juro a mi poder,	
	tal estava,	
	que no se me percordava	
	la cuaresma que ha de ser.	170
PEDRUELO	Percordar en demasía	
	te devría	

142 *pan perdido:* 'holgazán', (*Covarrubias*); «el que ha dexado su casa y se ha metido a holgazán y vagamundo» (*Aut.*).

169 *percordava:* 'acordaba', con el prefijo intensificador *per-*, véase *I*, 41. Al mencionar Pedruelo los *puerros* y las *sardinas*, Bras cae en la cuenta de la inminente llegada de cuaresma. Es el primer motivo carnavalesco que aparece en la obra.

cuatra témpora tan larga.
Mañana, sus, a la carga.
Vía, vía, 175
ayunemos a porfía.

BRAS ¡Quando zagal bien solía!

PEDRUELO ¿Y ora, Bras?

BRAS El viernes de cruz no más,
y hételo aquí cada día. 180

PEDRUELO Mucho te deve penar
ayunar.

BRAS Ya me rugen los maçuelos.

PEDRUELO Aun primero ay muchos duelos
de passar. 185

BRAS No lo cures de mentar.
Dexemos hasta cenar
esse preito,
que te quiere ora Beneito
no sé qué repreguntar. 190

BENEITO Ven, Pedruelo, ven acá.

PEDRUELO Ya vo, ya.

BENEITO Assí te veas llogrado.
Pues que vienes del mercado,
tú me da 195
de las nuevas que ay allá.

PEDRUELO Miafé, dizen que estará,
si a Dios praz,

---

173. *ECP:* quatro t.
190. ECP: no sé qué me preguntar.
192. *ECP:* ya, ya va.

---

173 *témpora:* témporas son los días de ayuno en cada una de las cuatro estaciones del año; «este ayuno de las témporas instituyó el papa Calisto de tres en tres meses, las de enero, febrero y marzo, que caen en la Quaresma (...)» (*Covarrubias*).

183 *maçuelos:* «mazuelo, mango con que se toca el morterete; se refiere al ruido que se hacía después de los oficios de la tarde durante los últimos días de la Semana Santa» (Lihani, pág. 484).

190 *repreguntar:* con el prefijo aumentativo y reduplicador *re-* frecuente en el lenguaje villanesco.

193 *llogrado:* con palatalización de *l-*.

ya Castilla y Francia en paz,
que ninguna guerra avrá. 200

BENEITO ¿No avrá guerra? Di, moçuelo;
di, Pedruelo.

PEDRUELO No, que ya Dios anda en medio
y él quiere embiar remedio
desde el cielo. 205
No tengas ningún recelo:
toma, toma gran consuelo
que te prega.

BENEITO Yo te mando una borrega
de las que andan al majuelo. 210
Pues me das nueva tan buena,
por estrena
te la mando, si no mientes.

PEDRUELO Dízenlo todas las gentes,
ya se suena, 215
toda la villa está llena.

BENEITO Hasme dado buena cena.
Buenos ramos
avremos con nuestros amos
si Dios las pazes ordena. 220

PEDRUELO Yo lo doy por ordenado,
Dios loado.
¡Loado sea Jesú!

BENEITO Ruega, ruégaselo tú
con cuidado, 225
que eres zagal sin pecado;
da cramor acelerado
con hemencia.

PEDRUELO ¡O, Señor, por tu cremencia,
danos tiempo paziguado! 230

---

201. *ECP: om.* guerra.

---

210 *majuelo:* 'espino albar, escaramujo' (*DCECH*).
212 *estrena:* 'regalo, dádiva'.
228 *hemencia:* frecuente en la lengua medieval, 'vehemencia'.

Fin

BRAS	Todos, todos nos juntemos	
	y cramemos	
	al Señor muy reziamente	
BENEITO	Hes, allí viene Lloriente.	
PEDRUELO	Comencemos.	235
BRAS	No comiences, esperemos.	
	Ven, Lloriente, cantaremos.	
LLORIENTE	Que me praz.	
BENEITO	Roguemos a Dios por paz.	
LLORIENTE	Miafé, Beneito, roguemos.	240

Villancico

Roguemos a Dios por paz,
pues que dél solo se espera,
qu'él es la paz verdadera.
El que vino desd'el cielo
a ser la paz en la tierra, 245
él quiera ser desta guerra
nuestra paz en este suelo,
él nos dé paz y consuelo,
pues que dél solo se espera,
qu'él es la paz verdadera. 250
Mucha paz nos quiera dar
el que a los cielos da gloria,

---

235 *hes:* puede ser una expresión deíctica, con el sentido de 'he ahí, mira, ve ahí'.

229 y 233 *senor* en *C1496*, *señor* en el pliego suelto *ECP;* puede tratarse de un error tipográfico, pero también es posible que coexistieran las dos formas, como opina J. E. Gillet, «Señor, 'señor'», *NRFH,* 3 (1949), págs. 264-267, quien cree documentar la forma *senor* en el habla de los pastores de Encina y Lucas Fernández, pero no así en las obras dramáticas del siglo XVI, aunque «puede suponerse que se habrán perdido muchos casos por ultracorrección en las imprentas (...) En su aspecto afectivo tiene la forma 'senor' el valor de un reforzamiento de 'señor', por la indicación de humildad implícita en su rustiquez».

él nos quiera dar vitoria
si es forçado guerrear;
mas, si se puede escusar, 255
dénos paz muy plazentera,
qu'él es la paz verdadera.

Fin

Si guerras forçadas son,
él nos dé tanta ganancia
que a la flor de lis de Francia 260
la vença nuestro león;
mas, por justa petición,
pidámosle paz entera,
qu'él es la paz verdadera.

---

264. *ECP:* pidamos la paz e.

VI

Égloga representada la mesma noche de Antruejo

ÉGLOGA REPRESENTADA LA MESMA NOCHE DE ANTRUEJO O CARNESTOLLENDAS. Adonde se introduzen los mesmos pastores de arriba, llamados Beneito y Bras, Lloriente y Pedruelo. Y primero Beneito entró en la sala adonde el Duque y Duquesa estavan, y tendido en el suelo, de gran reposo comenzó a cenar; y luego Bras, que ya avía cenado, entró diziendo «¡Carnal fuera!». Mas importunado de Beneito, tornó otra vez a cenar con él. Y estando cenando y razonándose sobre la venida de Cuaresma, entraron Lloriente y Pedruelo, y todos cuatro juntamente, comiendo y cantando con mucho plazer, dieron fin a su festejar.

BRAS ¡Carnal fuera! ¡Carnal fuera!
BENEITO Espera, espera,
que aún no estoy repantigado.
BRAS ¡Ya estoy ancho, Dios loado!

Como la anterior, se halla también en el pliego suelto *ECP*.
Texto de base: *C1496*, fols. 110*v*-111*v*.

---

1 Nótese que la acción de la obra ha comenzado antes de esta intervención de Bras que inicia el diálogo; previamente, como indica la rúbrica, Beneito ha entrado en escena y «de gran reposo» ha comenzado a cenar.

3 *repantigado:* «repantigarse: arrellanarse en el asiento, y extenderse para mayor comodidad» *(DRAE)*; 'repleto, harto' (Gillet, III, pág. 682).

BENEITO Aún somera 5
tengo mi gorgomillera.
BRAS ¡Hideputa! ¡Quién pudiera
comer más!
BENEITO Siéntate, siéntate, Bras,
come un bocado siquiera. 10
BRAS No me cumpre, juro a mí.
Ya comí
tanto, que ya estoy tan ancho
que se me rehincha el pancho.
BENEITO Siéntati. 15
BRAS Pues me acusas, héme aquí.
¿Qué tienes de comer? Di.
BENEITO Buen tocino
y aqueste barril con vino
del mejor que nunca vi. 20
BRAS Pues daca, daca, comamos
y bevamos.
Muera gata y muera harta.
Aparta, Beneito, aparta,
que quepamos 25
por que bien nos estendamos.
BENEITO Estiéndete, Bras, y hayamos
gran solaz
oy, qu'es San Gorgomellaz,

---

19. *ECP:* de vino.

---

6 *gorgomillera:* 'garguero', derivado de *gargamella* 'garganta' *(DCECH)*.

7 *hideputa:* exclamación que se empleaba en lo antiguo «encareciendo y alabando en bien o en mal» (Correas, *Refranes,* ed. L. Combet, pág. 765).

14 *pancho:* variante jocosa de *panza,* tal vez de origen mozárabe *(DCECH)*.

15 *siéntati:* por cierre de la *–e* en posición final, características del leonés.

23 *muera gata y muera harta:* «pónele el Comendador [Hernán Núñez], y nunca le oí a nadie» (Correas, *Refranes,* pág. 561); con la misma variante aparece también recogido en la colección que se atribuye al marqués de Santillana. La forma más extendida es 'Muera Marta y muera harta' (véase comentario de Correas, loc. cit.).

29 *San Gorgomellaz:* introducido como santo paródico y burlesco. Es un aumentativo de la familia de palabras comentadas en la nota 6, que viene a

	que assí hazen nuestros amos.	30
BRAS	Nuestros amos ya han cenado	
	bien chapado.	
BENEITO	Y aun hasta traque restraque.	
BRAS	Quien me diesse agora un baque,	
	mal pecado,	35
	diésseme por rebentado.	
BENEITO	Calca, calca buen bocado.	
BRAS	No me cabe.	
BENEITO	¡Hideputa! ¡Y cómo sabe	
	esto que está collorado!	40
	Come, come, come, come,	
	no nos tome	
	la Cuaresma rellanados.	
	Harvemos estos bocados.	
BRAS	Aunque assome,	45
	no temo que me desllome.	
BENEITO	Miafé, Bras, a mí espantóme	
	de tal suerte	
	que, aunque cenemos muy huerte,	
	júrote que ella nos dome.	50
BRAS	¿Adónde la viste estar?	
BENEITO	Vila andar	
	allá por essas aradas,	
	tras el Carnal a porradas	
	por le echar	55

33. *ECP:* retraque.
39. *ECP: om.* y.

significar 'gran garganta', 'gran tragador', y simboliza perfectamente el espíritu carnavalesco sobre el que gira la obra, emparentándose con otros nombres de la tradición carnavalesca europea, como Gargantúa, Grandgozier, Pantagruel, etc. (véase Charlotte Stern, «Juan del Encina's Carnival Eclogues and the Spanish Drama of the Renaissance», *Renaissance Drama*, 8 [1965], págs. 181-195).

32 *chapado:* véase *I*, 37.

33 *traque:* 'ruido, estallido (del cohete)', 'reventón'; *hasta traque restraque:* 'hasta reventar' (Lihani, pág. 577).

34 *baque:* 'golpe que se da al caer'.

44 *harvemos:* 'comandos de prisa', de *harbar (Aut.)*.

de todo nuestro lugar.
Vieras, vieras assomar
por los cerros
tanta batalla de puerros
que no lo sé percontar. 60
Y assomó por otra parte
el estandarte
del ermandad y ortaliza,
diziendo a la longaniza:
«¡Guarte, guarte, 65
tiempo es ya de confessarte!»
Desmayaron de tal arte
los buñuelos
que pegaron con sus duelos
las gentes de papillarte. 70
Fue la sardina delante,
rutilante,
y al tocino arremetió,
y un batricajo le dio
tan cascante 75
que no sé quien no se espante.
Domóle tan perpujante
sus porfías
que en estos cuarenta días
yo dudo qu'él se levante. 80
Vieras los ajos guerreros,
con morteros
huertemente encasquetados,
saltando por essos prados
muy ligeros 85

69. *ECP:* pagaron.
70. *ECP:* la gente.

60 *percontar:* véase *I,* 41.
65 *guarte:* 'guárdate', forma contracta del imperativo, documentada en los ss. XIV a XVI *(DCECH).*
70 *papillarte:* ver nota 142.
74 *batricajo:* 'golpazo'.
77 *perpujante:* véase *I,* 41.

con lanças y majaderos;
los gallos por los oteros
muy corridos,
cansados, muertos, heridos
a poder de cañaveros. 90

Las cebollas enristraron
y assomaron
por ensomo de aquel teso;
los huevos, mandega y queso
no pararon, 95
que soncas llugo botaron
y al Carnal triste dexaron.
En rebuelta
va huyendo a rienda suelta.
Hasta agora pelearon. 100

BRAS ¡O, cuán crudo pelear!
Gran pesar
me pone con su venida
la Cuaresma dolorida.

BENEITO Sin dudar 105
ya se viene a más andar.
No puede mucho tardar
que no venga.

BRAS Lloriente y el hi de Menga
veo por allí assomar. 110

94. *ECP:* manteca.
109. *ECP: om.* y.

87 *majaderos:* 'mazas', 'instrumentos para majar'.
93 *ensomo:* 'encima'; *teso*: «el ribazo o alto de algún cerro o collado» *(Aut.)*.
94 *mandega:* 'manteca'.
96 *soncas:* véase *I*, 2; *llugo: I,* 153.
100 En realidad, Encina se ha limitado en esta descripción a resumir y condensar en unos cuantos trazos las largas enumeraciones que del combate de Carnal y Cuaresma ofrecía la tradición literaria; en ese sentido, queda lejos del viejo poema francés de la *Bataille de Caresme et de Carnage,* así como del imponente despliegue verbal y descriptivo del *Libro de buen amor* (las coincidencias son mínimas: *puerros, sardina, tocino, gallos*).

BENEITO	¿Carean de cara acá?	
BRAS	Miafé, ha.	
BENEITO	Dales muy huertes apitos	
	que los aturries a gritos.	
BRAS	Bien será.	115
	¡Andá, zagales, andá!	
LLORIENTE	¿Queréis que vamos allá?	
BRAS	Miafé, sí.	
BENEITO	Aballá, aballá, vení,	
	que para todos avrá.	120
LLORIENTE	Pedruelo, daca, aballemos.	
	Tomaremos	
	un rato de gasajado,	
	que toste, toste priado	
	bolveremos	125
	por que nos desenhademos.	
PEDRUELO	Vamos presto, no tardemos,	
	que yo llevo	
	un tarro de leche nuevo	
	para que la sopetemos.	130
LLORIENTE	Gañanes, buena pro haga.	
PEDRUELO	Ha, Dios praga.	
	¡Cómo comeis a remanso!	

---

111 *carean:* de *carear* 'dirigir el ganado hacia alguna parte'.

112 *ha:* 'sí', véase *II,* 4.

113 *apitos:* 'silbidos', 'gritos de pastor'.

114 *aturries:* 'aturdas'.

116 *andá:* forma de imperativo con pérdida de la *–d* final, extendida en leonés.

117 *vamos:* 'vayamos', ver *III,* 84.

119 *aballá:* 'caminad', ver *I,* 35.

123 *gasajado:* 'placer colectivo, que se toma en compañía' *(DCECH)*.

124 *toste:* 'pronto', adverbio ya arcaico; *priado:* variante muy extendida del adv. antiguo *privado* 'prontamente'; *toste priado:* 'enseguida, inmediatamente', comp. *Danza de la muerte,* c. 8: «A la dança mortal venid los nascidos (...) / el que non quisiere a fuerça e amidos, / fazerle he venir muy toste parado.»

126 *desenhademos:* 'desenfademos', 'desenojemos', con aspiración de la *h–*.

130 *sopetemos:* 'sopeteemos', de *sopetear* 'mojar'.

BRAS	Queremos tomar descanso,	
	pues nos vaga,	135
	que después todo se paga.	
LLORIENTE	Gran lazeria nos amaga,	
	soncas, cras.	
BENEITO	Diles que se sienten, Bras.	
BRAS	Gentezilla es que bien traga.	140
	Sentaivos aquí, garçones	
	papillones,	
	aguzá los passapanes.	
LLORIENTE	Sí, que no somos gañanes	
	comilones	145
	ni tanpoco beverrones.	
BRAS	Hidesputas, mamillones,	
	no dexáis	
	cabra que no la mamáis.	
PEDRUELO	¡Si habrassen los çurrones!	150
BENEITO	¿Qué traes en el çurrón?	
	di, garçón.	
PEDRUELO	Trayo un buen tarro de leche	
	para que nos aproveche.	
BRAS	¡Ha, mamón!	155
	De las cabras es de Antón.	
PEDRUELO	¡Soncas, yo no soy ladrón!	
	Muy mal habras.	
	Aun yo sí que tengo cabras,	
	maguer que tantas no son.	160
BENEITO	Daca acá, Pedruelo, daca,	
	saca, saca.	
	Comamos a muerde y sorve,	
	y uno a otro no se estorve.	
BRAS	Si es de vaca,	165

138 *cras:* 'mañana'.
141 *sentaivos:* 'sentaos', forma de imperativo característica del leonés.
142 *papillones:* 'comilones, tragones'.
143 *aguzá:* ver n. 116; *passapanes:* 'gargueros, gargantas'.
147 *mamillones:* véase v. 155.
160 *maguer:* 'aunque', conjunción arcaica refugiada en el habla pastoril.

	es perdañosa y vellaca.	
BENEITO	Bien sabe, si no es muy fraca,	
	la vacuna.	
PEDRUELO	Yo os la daré cabretuna	
	y avéis de sorver a estaca.	170
	Sorve, sorve tú primero,	
	Bras cabrero.	
	¡Cómo sorves descortés!	
BRAS	Sorva Beneito después,	
	qu'es vaquero,	175
	y dis Lloriente ovegero.	
PEDRUELO	Yo quiero ser el postrero	
	por sorver	
	huertemente a mi prazer,	
	pues que yo traxe el apero.	180
LLORIENTE	Beneito, pues sos umano,	
	sorve llano.	
PEDRUELO	¡Hideputa! ¡Y cómo sorves!	
BENEITO	Calla, calla, no me estorves	
	a mi mano,	185
	no me habres tan temprano.	
LLORIENTE	Daca acá, Beneito hermano,	
	sorveré,	
	que llugo se lo daré	
	a Pedruelo bueno y sano.	190

Fin

BENEITO — Límpiate primero el moco.

---

176. *ECP:* e diles.
180. *ECP:* *om.* que.
181. *ECP:* sos hermano.
183. *ECP:* *om.* y.
187. *ECP:* daca, daca.
189. *ECP:* luego.

---

169 *cabretuna:* '(leche) de cabra'.
176 *dis:* 'después, luego'.
180 *apero:* 'aparejo, utensilios'.
181 *sos:* veáse *V*, 83.

Sorve poco,
que quede para Pedruelo.

LLORIENTE Calla tú, que yo, moçuelo,
no soy loco, 195
que muy cortesmente emboco.

PEDRUELO Mira cómo yo le toco
sin sollar,
y miafé, sus, a cantar,
y verás cómo le froco. 200

Villancico

Oy comamos y bevamos,
y cantemos y holguemos,
que mañana ayunaremos.
Por onra de Sant Antruejo
parémonos oy bien anchos, 205
embutemos estos panchos,
recalquemos el pellejo,
que costumbre es de concejo
que todos oy nos hartemos,
que mañana ayunaremos. 210
Onremos a tan buen santo
por que en hambre nos acorra.
Comamos a calca porra,

---

204. *ECP:* san antruejo.

---

200 *froco:* 'doy, golpeo' (Gillet, III, págs. 316-17), muy usado en el teatro pastoril.

201 Este villancico de Encina se halla también recogido con notación musical en el *Cancionero musical de los siglos XV y XVI,* editado por F. Asenjo Barbieri, Madrid, 1890, núm. 357, cancionero representativo de la producción lírica y musical de la corte de los Duques de Alba y de la de los Reyes Católicos.

204 *Antruejo:* «antic. y dial., 'Carnaval', alteración del antiguo *entroido,* y éste del lat. *introitus,* propiamente 'entrada (de Cuaresma)' (...); la alteración parece ser debida al verbo derivado **entroidar* 'celebrar con bromas el Carnaval', cambiado regularmente en **antruedar* y luego *antruejar* por influjo del antiguo *trebejar* 'jugar, retozar'» *(DCECH).*

213 *a calca porra:* 'a más no poder'.

que mañana ay gran quebranto.
Comamos, bevamos tanto 215
hasta que nos rebentemos,
que mañana ayunaremos.

Beve, Bras. Más tú, Beneito.
Beva Pedruelo y Lloriente.
Beve tú primeramente, 220
quitarnos has desse preito.
En bever bien me deleito:
daca, daca, beveremos,
que mañana ayunaremos.

Fin

Tomemos oy gasajado, 225
que mañana vien la muerte;
bevamos, comamos huerte,
vámonos carra el ganado.
No perderemos bocado,
que comiendo nos iremos 230
y mañana ayunaremos.

---

228. *ECP:* vamos cara el g.
231. *ECP:* que mañana.

---

228 *carra:* 'hacia' (Gillet, III, pág. 215), por *cara a,* como en el verso 111.

231 Charlotte Stern, art. cit., pág. 185, ha señalado muy bien la sugestión de parodia religiosa que posee toda esta escena de la obra, una especie de oración al santo burlesco carnavalesco, que contrasta con las escenas finales de las piezas de Navidad en las que los pastores danzan, cantan y rezan a la Virgen. Habría que añadir que no sólo en esta escena y villancico final puede advertirse la relación con el teatro de Navidad, sino que, en realidad, toda la pieza carnavalesca está construida como parodia sobre el esquema representacional navideño: la plática de los pastores con los comentarios sobre algún motivo actual y visto (aquí el combate de Carnal y Cuaresma), seguida de la llegada de nuevos pastores y la escena de gozo y regocijo ante el acontecimiento celebrado (aquí el festín carnavalesco y las preces jocosas al santo burlesco).

VII

Égloga representada en requesta de unos amores

ÉGLOGA REPRESENTADA EN REQUESTA DE UNOS AMORES. Adonde se introduze una pastorcica llamada Pascuala que, yendo cantando con su ganado, entró en la sala adonde el Duque y Duquesa estavan. Y luego después della entró un pastor, llamado Mingo, y començó a requerilla. Y estando en su requesta llegó un Escudero que, tanbién preso de sus amores, requestándola y altercando el uno con el otro, se la sossacó y se tornó pastor por ella.

MINGO Pascuala, Dios te mantenga.
PASCUALA Nora buena vengas, Mingo.
¿Oy, qu'es día de domingo,
no estás con tu esposa Menga?
MINGO No ay quien allá me detenga, 5
qu'el cariño que te tengo
me pone un quexo tan luengo
que me acossa que me venga.
PASCUALA Y no praga a Dios contigo

Texto de *Cl496,* fols. 111*v*–113*r.*

1 *Dios te mantenga:* fórmula de saludo, véase *Ég. II,* n. 1.

7 *quexo:* 'queja, lamento', frecuentemente usado en esta forma; comp. Juan de Mena: «mis tristes quexos / no menos cerca los fallo / que vuestros bienes de lexos (*Obra lírica,* núm. 1).

	y aun con tu esposa Menguilla.	10
	¿Cómo dexas tu esposilla	
	por venirte acá comigo?	
MINGO	Soncas, soncas, ¿no te digo	
	que eres, zagala, tan bella	
	que te quiero más que a ella?	15
	Dios lo sabe, qu'es testigo.	
PASCUALA	Miafé, Mingo, no te creo	
	que de mí estés namorado.	
	Pues eres ya desposado,	
	tu querer no lo desseo.	20
MINGO	¡Ay, Pascuala, que te veo	
	tan lozana y tan garrida,	
	que yo te juro a mi vida	
	que deslumbro si te oteo!	
	Y porque eres tan hermosa	25
	te quiero; mira, verás,	
	quiéreme, quiéreme más,	
	pues por ti dejo a mi esposa.	
	Y toma, toma esta rosa	
	que para ti la cogí,	30
	aunque no curas de mí	
	ni por mí se te da cosa.	
PASCUALA	¡O, qué chapados olores!	
	Mingo, Dios te dé salud	
	y gozes la juventud	35
	más que todos los pastores.	
MINGO	Y tú dasme mil dolores.	
	Dame, dame una manija,	
	o siquiera essa sortija,	
	que traya por tus amores.	40

---

13 *soncas:* 'cierto', véase *Ég. I*, n. 2.
18 *namorado:* con aféresis favorecida por el metro.
31 *curas:* 'cuitas, prestas cuidado'.
33 *chapados:* 'agradables', véase *I*, 37.
38 *manija:* 'manilla, pulsera', dádiva en señal de compromiso que pide Mingo.
40 *traya:* 'traiga', véase *I*, 7.

PASCUALA ¡Tirte, tirte allá, Minguillo,
no te quellotres de vero!
Hete, viene un escudero,
vea que eres pastorcillo.
Sacude tu caramillo, 45
tu hondijo y tu cayado;
haz que aballas el ganado,
silva, hurria, da gritillo.

ESCUDERO Pastora, sálvete Dios.
PASCUALA Dios os dé, señor, buen día. 50
ESCUDERO Guarde Dios tu galanía.
PASCUALA Escudero, assí haga a vos.
ESCUDERO Tienes más gala que dos
de las de mayor beldad.
PASCUALA Essos que sois de ciudad 55
perchufáis huerte de nos.
ESCUDERO Desso no tengas temor.
Por mi vida, pastorcica,
que te haga presto rica
si quieres tener mi amor. 60
PASCUALA Essas trónicas, señor,
allá para las de villa.
ESCUDERO Vete comigo, carilla.
Dexa, dexa esse pastor.
Déxalo, que Dios te vala. 65

---

41 *tirte:* síncopa de *tírate,* 'vete, aparta, quítate'.

42 *no te quellotres:* aquí, 'no te entusiasmes. no te emociones', véase *Ég. V,* 50.

46 *hondijo:* 'honda'.

47 *aballas:* 'echas a caminar', véase *I,* 35.

48 *hurria:* 'arrea (el ganado)', derivado verbal de la interj. *hurria, hurriallá,* variantes de la más extendida *arre* y muy características del habla pastoril.

50 *senor* en *Cl496,* véase lo dicho en *Ég. V,* n. 229.

56 *perchufáis:* 'burláis, mofáis', con el prefijo intensificador *per-*, véase *I,* 41; *huerte:* 'fuerte', *I,* 18.

61 *trónicas:* 'retóricas', 'patrañas, hablillas' (Lihani, pág. 583), de una forma vulgar *retrónica* por *retórica (DCECH).*

63 *carilla:* 'amiga', *I,* 111.

No te pene su penar,
que no te sabe tratar
según requiere tu gala.

MINGO — Estáte queda, Pascuala,
no te engañe este traidor, 70
palaciego, burlador,
que ha burlado otra zagala.

ESCUDERO — ¡Hideputa, avillanado,
grossero, lanudo, brusco!

MINGO — ¡Ha, no praga a Dios con vusco 75
porque venís muy pendado!

ESCUDERO — Cura allá de tu ganado.
Calla, si quieres, matiego.

MINGO — Porque sois muy palaciego,
presumís de corcobado. 80
¿Cudáis que los aldeanos
no sabemos quebrajarnos?
No penséis de sovajarnos
essos que sois ciudadanos,
que tanbién tenemos manos 85
y lengua para dar motes,
como aquessos hidalgotes
que presumís de loçanos.
Anda acá, Pascuala, vamos.
No paremos, qu'es ya tarde. 90

ESCUDERO — ¡Por vida de quién! Aguarde,

---

70 *trador,* por errata, en *Cl496.*

73 *hideputa:* véase *VI,* 7.

75 *con vusco:* 'con vos, contigo', forma arcaica ya en la época.

76 *pendado:* 'peinado', bien documentado en la lengua medieval *(Libro de Alexandre, Libro de buen amor)* y muy usado en el habla pastoril; vid. *VIII,* 18.

78 *matiego:* 'rústico, grosero', derivado de *mata.*

80 *corcobado:* quizá con el sentido de 'discutidor, malicioso, motejador', relacionado con *corcovo,* 'el salto malicioso que da el caballo, metiendo la cabeza entre los brazos, para echar de sí al ginete» *(Aut.); «corcobo* de cavallo o bestia, lat. *tortus»* (Nebrija, *Vocabulario).*

81 *cudáis:* 'cuidáis, pensáis', con reducción del diptongo.

82 *quebrajarnos:* 'requebrarnos'.

83 *sovajarnos:* 'maltratarnos, sobarnos', véase *I,* n. 79.

por que más nos entendamos.

PASCUALA Espera, Mingo, veamos.

ESCUDERO ¡O, bendita tal zagala!
Yo te doy mi fe, Pascuala, 95
que no nos desavengamos.
Pénasme por sólo verte
y con tu vista me aquexas;
si tú te vas y me dexas,
muy presto verás mi muerte. 100
No me trates de tal suerte,
pues que yo te quiero tanto.

MINGO Júrote a San Junco santo
que la quiero yo más huerte.

ESCUDERO ¿Qué aprovecha tu querer, 105
que no tienes que le dar?
Y la fe y el bien amar
en las obras se ha de ver.

MINGO Yo te juro a mi poder
que le dé yo mil cosicas, 110
que, aunque no sean muy ricas,
serán de bel parecer.

ESCUDERO Dime, pastor, por tu fe,
¿qu'es lo que tú le darás
o con qué la servirás? 115

MINGO Con dos mil cosas que sé.
Yo, miafé, la serviré
con tañer, cantar, bailar,
con saltar, correr, luchar,
y mil donas le daré. 120

94-102 Son versos de requiebros cortesanos, en el lenguaje estilizado de la lírica cancioneril, que contrastan obviamente con las expresiones más rudas utilizadas por el pastor Mingo.

103 *júrote a San Junco santo:* fórmula eufemística de juramento, con santo ficticio; véase *I,* n. 82.

108 «El amor y la fe, en las obras se ve. Refr. que explica lo poco que se puede fiar de las palabras, ofertas y agasajos, si no se tienen experiencias de la verdadera amistad del otro» *(Aut.)*.

112 *bel:* forma sincopada del adj. *bello,* usada en el español medieval y clásico.

120 Los versos que siguen recogen el motivo de la enumeración de pre-

Daréle buenos anillos,
cercillos, sartas de prata,
buen çueco y buena çapata,
cintas, bolsas y texillos.
Y manguitos amarillos, 125
gorgueras y capillejos,
dos mil adoques bermejos,
verdes, azules, pardillos.

Manto, saya, sobresaya
y alfardas con sus orillas, 130
almendrillas y manillas,
para que por mí las traya.
Labraréle yo de haya
mil barreñas y cuchares,
que en todos estos lugares 135
otras tales no las haya.

Y frutas de mil maneras
le daré dessas montañas:
nuezes, bellotas, castañas,
mançanas, priscos y peras. 140
Dos mil yervas comederas:
cornezuelos, botiginas,
pies de burro, çapatinas,
y gavanças y azederas.

Berros, hongos, turmas, xetas, 145
anozejas, refrisones,
gallicresta y arvejones,
florezicas y rosetas.

---

sentes prometidos en ofrenda de matrimonio por el pastor, muy repetido en toda la poesía bucólica desde Teócrito.

122 *cercillos:* 'zarcillos, pendientes'; *sartas:* 'collares'.

124 *texillos:* 'ceñidores'.

126 *capillejos:* especie de 'cofias'.

127 *adoques:* 'cintas', adornos.

130 *alfardas:* 'paño que cubría el pecho de las mujeres'.

134 *cuchares:* 'cucharas', de un sing. *cuchar.*

140 *priscos:* 'duraznos, albérchigos'.

142 *cornezuelos:* 'hongos pequeños de la flor del centeno que se usan como medicamento'; *botiginas:* 'fruto de la achicoria'.

144 *gavanças:* 'flor del rosal silvestre'.

Cantilenas, chançonetas
le chaparé de mi hato, 150
las fiestas de rato en rato,
altibaxos, çapatetas.
Y aun daréle paxarillas,
codornizes y zorzales,
xergueritos y pardales, 155
y patoxas en costillas,
pegas, tordos, tortolillas,
cuervos, grajos y cornejas,
las de las calças bermejas.
¿Cómo no te maravillas? 160

ESCUDERO Calla, calla, que es grossero
todo quanto tú le das.
Yo le daré más y más,
porque más que tú la quiero.

MINGO Miafé, señor escudero, 165
ella diga quién le agrada
y de aquél sea adamada,
aunque yo la amé primero.

ESCUDERO Plázeme que sea assí,
pues que quieres que assí sea, 170
y luego, luego se vea
antes que vamos de aquí.
Y tú mesmo se lo di

---

149 *chançonetas:* «corrompido de cancioneta, diminutivo de canción. Dízense chançonetas los villancicos que se cantan las noches de Navidad en las iglesias en lengua vulgar, con cierto género de música alegre y regozijado» *(Covarrubias).*

150 *chaparé:* aquí parece que con el sentido de 'componer, cantar, recitar'.

152 *altibaxos:* 'saltos, brincos', 'baile rústico'; *çapatetas:* «çapatear, bailar, dando con las palmas de las manos en los pies, sobre los çapatos, al son de algún instrumento, y el tal se llama çapateador; *çapatetas,* los tales golpes en los çapatos».

155 *xergueritos:* 'jilgueros'.

156 *patoxas:* quizá 'patas'.

157 *pegas:* 'urracas'.

165 *senor* en *C1496,* lo mismo que en v. 182 y 204, véase *V,* 229.

167 *adamada:* 'amada'.

porque después no te quexes,
mas cumple que me la dexes 175
si dize que quiere a mí.

MINGO Assí te mantenga Dios,
Pascuala, que tú nos digas,
y por la verdad te sigas,
a quál quieres más de nos. 180

PASCUALA Miafé, de vosotros dos,
Escudero, mi señor,
si os queréis tornar pastor,
mucho más os quiero a vos.

ESCUDERO Soy contento y muy pagado 185
de ser pastor o vaquero.
Pues me quieres y te quiero,
quiero cumplir tu mandado.

PASCUALA Mi çurrón y mi cayado
tomad luego por estrena. 190

ESCUDERO Venga, venga en ora buena,
y vamos luego al ganado.
Y tú, Mingo, no te espantes,
descordoja tu cordojo;
aunque tengas gran enojo, 195
ruégote que te levantes.
No te aquexes ni quebrantes,
pues que tan buen zagal eres;
seamos, si tú quisieres,
amigos mejor que de antes. 200

Fin

MINGO Mucho me pena esta llaga
quando bien bien me percato;
mas, pues ya sois deste hato,
buena pro, señor, os haga.

---

177 *mantenga Dios:* véase *II*, 1.
190 *estrena:* 'regalo', véase *V*, 212.
194 *cordojo:* ver *V*, 23.

Ya muy poco espacio vaga; 205
quedad, si queréis quedar,
que yo voyme a repastar.

ESCUDERO Vamos todos, Dios te praga.

Villancico

Repastemos el ganado.
¡Hurriallá! 210
Queda, queda, que se va.
Ya no es tiempo de majada
ni de estar en çancadillas.
Salen las Siete Cabrillas,
la media noche es passada, 215
viénese la madrugada.
¡Hurriallá!
Queda, queda, que se va.
Queda, queda acá el vezado:
helo, va por aquel cerro. 220
Arremete con el perro
y arrójale tu cayado,
que anda todo desmandado.
¡Hurriallá!
Queda, queda, que se va. 225
Corre, corre, corre, bovo,
no te des tanto descanso.
Mira, mira por el manso,
no te lo lleven de robo.
Guarda, guarda, guarda el lobo. 230
¡Hurriallá!
Queda, queda, que se va.
Del ganado derreniego

---

208 *praga:* 'plegue', ver *V*, 51.
210 *hurriallá:* ver n. 48.
214 *Cabrillas:* «se llaman siete estrellas que están juntas, de las quales una casi no se divisa. Están éstas en la rodilla del signo de Tauro. Llámalas Pléyades los astrónomos» *(Aut.)*.

y aun de quien guarda tal hato
que, siquiera sólo un rato, 235
no quiere estar en sossiego,
aunque pese ora a San Pego.
¡Hurriallá!
Queda, queda, que se va.

No le puedo tomar tino, 240
desatina este rebaño.
Otro guardé yo el otro año,
mas no andava tan malino.
Emos de andar de contino.
¡Hurriallá! 245
Queda, queda, que se va.

Fin

Aun asmo que juraría
que nunca vi tal ganado,
que si él fuesse enamorado
no se nos desmanaría. 250
Ya quiere venir el día.
¡Hurriallá!
Queda, queda, que se va.

---

237 *San Pego:* comp. *V*, 127, corrupción de *San Pedro.*

VIII

Égloga de Mingo, Gil y Pascuala

ÉGLOGA REPRESENTADA POR LAS MESMAS PERSONAS que en la de arriba van introduzidas, que son: un pastor que de antes era escudero, llamado Gil, y Pascuala, y Mingo y su esposa Menga, que de nuevo agora aquí se introduze. Y primero Gil entró en la sala adonde el Duque y Duquesa estavan, y Mingo, que iva con él, quedóse a la puerta espantado, que no osó entrar. Y después, importunado de Gil, entró y, en nombre de Juan del Enzina, llegó a presentar al Duque y Duquesa, sus señores, la copilación de todas sus obras, y allá prometió de no trobar más, salvo lo que sus Señorías le mandassen. Y después llamaron a Pascuala y a Menga, y cantaron y bailaron con ellas. Y otra vez tornándose a razonar, allí dexó Gil el ábito de pastor que ya avía traído un año, y tornóse del palacio y con él juntamente la su Pascuala. Y en fin, Mingo y su esposa Menga, viéndolos mudados del palacio, crecióles embidia y, aunque recibieron pena de dexar los ábitos pastoriles, también ellos quisieron tornarse del palacio y probar la vida dél. Assí que, todos cuatro juntos, muy bien ataviados, dieron fin a la representación cantando el villancico del cabo.

GIL ¡Ha, Mingo, quédaste atrás!
Passa, passa acá delante.
Ahotas que no se espante,

Texto de *C1496*, fols. 113*r*-116*r*.
3 *ahotas:* 'cierto, seguro', *I*, 31.

como tú, tu primo Bras.
Asmo que tú pavor as. 5
¡Entra, no estés revellado!

MINGO ¡Dome a Dios, que estoy asmado!
No me mandes entrar más.

GIL Enfinges de esforcejudo
adonde no es menester; 10
después, donde lo has de ser,
pásmaste y tórnaste mudo.
Entra, entra, melenudo,
si quieres que no riñamos.

MINGO En me ver ante mis amos 15
me perturbo y me demudo.

GIL ¿De qué te perturbas, di?
¡Sí nunca medre tu greña!

MINGO Dígote que de vergüeña
estoy ageno de mí. 20

GIL ¿Que estás ageno de ti?
Torna, torna en ti, Dios praga,
y pues espacio nos vaga,
desasnémonos aquí.
Entre aquesta buena gente 25
nos gasagemos un rato,
que allá queda con el hato
Pascuala y Menga Lloriente.

MINGO ¡Yo te juro a San Crimente
que no sé qué me hazer! 30

GIL Tomar gasajo y prazer
como buen zagal valiente.

MINGO Mucho habras, Gil hermano,

---

5 *asmo:* 'pienso', *I,* 2.
6 *revellado:* 'terco, obstinado', *II,* 145.
9 *enfinges:* 'finges', forma arcaica, refugiada en el habla rústica; *esforcejudo:* 'forcejudo, valiente', con el prefijo rústico *es-,* véase *I,* 81.
18 *greña:* 'la cabellera revuelta y sin peinar del pastor', que contrasta con lo bien peinado del Escudero (véase *VII,* 76) y de la gente de villa *(XIV,* 740); *medrar la greña:* 'mejorar el modo de vida' (Lihani, pág. 457).
19 *vergüeña:* 'vergüenza'.
26 *gasagemos:* ver *I,* 13.
29 *juro a San Crimente:* véase *I,* 82.

	en derecho de tu dedo;	
	si tú tuviesses mi miedo,	35
	no entrarías tan ufano.	
GIL	Entra ya, daca la mano.	
MINGO	Espera, santiguarm'é	
	por que San Jullán me dé	
	buen estrena este verano.	40
GIL	Anda ya, que sí dará,	
	que apero llevas ya dello.	
MINGO	Assí espero en Dios de vello.	
GIL	Entra, entra, acaba ya.	
MINGO	Ora, Gil, sus, anda allá.	45
	Vamos, en nombre de Dios,	
	que en entrar ambos a dos	
	algún esfuerço me da.	
	Mas quiérote preguntar,	
	antes que adelante vamos,	50
	si avrán enojo mis amos	
	que los llegue a saludar;	
	que trayo para les dar	
	agora, por cabo de año,	
	el esquilmo del rebaño,	55
	quanto pude arrebañar.	
GIL	Llega, llega, lazerado.	
	Ahotas que yo te digo	
	que no les pese contigo,	
	antes avrán gasajado.	60
	No so yo tan empachado.	
MINGO	Tú criástete en palacio.	
GIL	Llega agora que ay espacio.	

39 *San Jullán:* San Julián, santo relacionado con el mundo rústico y pastoril, invocado por los caminantes; comp. Santillana, *Serranilla VI:* «fallé moça de Bedmar, / ¡Sant Jullán en buen estrena!».

40 *estrena:* «es el aguinaldo y presente que se da el principio del año (...) En Salamanca me acuerdo que los que pregonavan el vino de alguna taberna, quando se encetava la cuba, entre otras cosas que dezían, invocaban a San Julián de buena estrena» *(Covarrubias)*.

42 *apero:* 'aparejo', como en *VI,* v. 180.

45 *sus:* exclamación, 'arriba, adelante, ¡ea!'.

54 *cabo de año:* 'al cumplirse el año', 'aniversario'.

MINGO Muy bien me has aconsejado.
Mas tengo mucho temor 65
de caer en muy gran falta,
que señorança tan alta
requiere muy gran valor.

GIL No temas, pues lo mejor
es la buena voluntad: 70
bien sabe su magestad
que eres un pobre pastor.

MINGO ¡Bien dizes, juro a San Pego!
Espérame, Gil, un cacho,
y mira cuán sin empacho 75
a ver a mis amos llego
con muy chapado sossiego
más que pastor nunca hu,
y aun quiçás que más que tú,
que has ya sido palaciego. 80

Mingo al Duque y a la Duquesa:

(MINGO) ¡Nuestramo, que os salve Dios
por muchos años y buenos!
Y a vos, nuestrama, no menos,
y juntos ambos a dos.
Miafé, vengo, juro a ños, 85
a traeros de buen grado
el esquilmo del ganado,
no tal qual merecéis vos.
Recebid la voluntad,
tan buena y tanta, que sobra; 90

---

67 *senorança* en *C1496*, ver *V*, 229.

73 *juro a San Pego:* véase *I*, 82.

85 *ños:* 'nos', por palatalización de *n*– inicial, característica del leonés y del habla rústica del pastor de teatro.

89-97 Copla anómala de nueve versos, que rompe la secuencia estrófica de la pieza compuesta en coplas de arte menor de ocho versos y tres rimas. Tal vez no sea necesario pensar que tal cambio obedece a alguna motivación especial; véase J. A. Anderson, «Juan del Encina: an abuse of form?», *RN*, 10 (1969), págs. 357-58.

los defetos de mi obra
súplalos vuestra bondad.
Siempre, siempre me mandad,
que aquesto estoy desseando.
Mi simpleza perdonad 95
y a Dios, a Dios os quedad,
que me está Gil esperando.

Mingo a Gil:

(MINGO) Pues ¿qué te parece, Gil?
Deslinda tu parecer.
GIL Haslo hecho a mi prazer, 100
como zagal bien sotil.
MINGO A grandeza tan gentil
mucho servirla codicio:
por nonada de servicio,
me han hecho mercedes mil. 105
Aunque dure a más durar
mi vida por muy gran trecho,
las mercedes que me han hecho
no se las podré pagar.
GIL En esso no hay que dudar, 110
todos bien lo perllotramos,
que otros tan chapados amos
nunca se podrán hallar.
Son amos de maravilla,
sírveles, sírveles, Mingo; 115
quando fuere gran domingo,
vente siempre a su vigilla
y mucho te les omilla.
Dales de tus cantilenas,
hazme algunas cosas buenas 120
para la mi Pascualilla.
MINGO Ya me tientas de pacencia.
¿No basta que la llevaste

111 *perllotramos:* aquí con el sentido de 'comprendemos', variante de *quellotrar.*

	y que me la sossacaste	
	sin membrarme tal dolencia?	125
	Devrías aver concencia	
	en tal cosa me pedir.	
	Aquí podremos dezir:	
	sobre cuernos, penitencia.	
GIL	No te quieras escusar.	130
MINGO	Aquí hago despedida	
	que, juria Dios, en mi vida	
	no me vean más trobar	
	en veras ni por burlar,	
	quanto más para Pascuala,	135
	que en aquesta mesma sala	
	por ti me quiso dexar.	
	Trobe y cante quien cantare,	
	que yo te prometo, Gil,	
	so pena de ruin y vil,	140
	sí yo nunca más trobare,	
	salvo quando lo mandare	
	qualquiera destos mis amos.	
GIL	Miafé, no te lo creamos.	
MINGO	Verlo has desque oy passare.	145
	Oy haze, por mi dolor,	
	un año punto por punto	
	que me dexaste defunto	
	sin amiga y sin favor,	
	y te tornaste pastor	150
	por tu provecho y mi daño.	
GIL	Hagamos oy cabo de año	
	en memoria del amor.	
	Porque más nos gasagemos,	
	llama a Menga, tu esposilla;	155
	llamaré yo a Pascualilla.	

---

129 Refrán muy expresivo, ya documentado en la colección atribuida al marqués de Santillana.

132 *juria Dios:* por cambio fonológico de *-o* en *-i,* ante *a-*, en una pronunciación enfática y rápida como es la fórmula de juramento (Lihani, pág. 103).

MINGO — Pardiós, si quieres, llamemos.
GIL — Pues, presto, no lo tardemos.

MINGO — ¡Ha, Menga!
GIL — ¡Pascuala!
PASCUALA. MENGA — ¿Praz?
GIL — Venid, tomaréis solaz. 160
PASCUALA — Esperad, que llugo iremos.
MINGO — Llugo, llugo, no tardéis,
avréis gasajado un rato.
MENGA — ¿Quién quedará con el hato?
GIL — Muy priado os bolveréis; 165
y aunque un rato lo dexéis,
a buen seguro estará.
PASCUALA — Ora, sus, vamos allá,
pues que vosotros queréis.
Entra tú primero, Menga. 170
MENGA — Mas primero tú, Pascuala,
que sabes ya bien la sala.
PASCUALA — ¡A la miefé, Dios mantenga!
GIL — ¡O, qué nora buena venga
la vuestra buena compaña! 175
MENGA — Dome a Dios que esta cabaña
qu'es bien chapada y bien lluenga.
GIL — Pues aquí fue el descordojo
que passamos ora un año.
PASCUALA — Henos aquí donde antaño. 180
MINGO — Ya se te rehila el ojo,
ya de ti no tengo enojo,
que quiero tanto a mi esposa
que ya no quiero otra cosa
ni me percude otro antojo. 185
GIL — Déxate de sermonar

---

165 *priado:* 'privado', 'enseguida, al momento'.
172 Porque allí estuvo ya el año pasado (v. 179), lo que fue referido en la égloga anterior.
178 *descordojo:* 'alegría, placer'.
181 *rehila:* 'agita, tiembla', 'alegra'.
185 *percude:* véase *II,* 146.

en esso, que está escusado.
Démonos a gasajado,
a cantar, dançar, bailar.

MINGO Sea llugo a más tardar. 190

PASCUALA Ruin sea por quien quedare.

MENGA Y aun yo, si no os ayudare.

GIL ¡Ea, sus, a gasajar!

Villancico

¡Gasagémonos de huzia,
qu'el pesar 195
viénese sin le buscar!
Gasagemos esta vida,
descruziemos del trabajo,
quien pudiere aver gasajo
del cordojo se despida. 200
¡Déle, déle despedida,
qu'el pesar
viénese sin le buscar!
Busquemos los gasajados,
despidamos los enojos; 205
los que se dan a cordojos
muy presto son debrocados.
¡Descuidemos los cuidados,
qu'el pesar
viénese sin le buscar! 210
De los enojos huyamos
con todos nuestros poderes,
andemos tras los plazeres,
los pesares aburramos.

---

194 Este villancico se encuentra también recogido, aunque incompleto y sólo las dos primeras coplas, en el *Cancionero musical de los siglos XV y XVI,* ed. F. Asenjo Barbieri, cit., núm. 353.
198 *descruziemos:* 'deshagámonos, librémonos', 'descansemos'.
207 *debrocados:* 'apenados, enfermos', véase *V,* 10.
214 *aburramos:* 'dejemos, desechemos', 'aborrezcamos'.

¡Tras los plazeres corramos, 215
qu'el pesar
viénese sin le buscar!

Fin

Hagamos siempre por ser
alegres y gasajosos;
cuidados tristes, pensosos, 220
huyamos de los tener.
¡Busquemos siempre el plazer,
qu'el pesar
viénese sin le buscar!

Tórnanse a razonar los mesmos pastores

MINGO Vámonos, Gil, all aldea, 225
que me semeja qu'es tarde
y no queda allá quien guarde
el ganado ni lo vea.

GIL Miafé, no quiero que sea
ya mi Pascuala pastora 230
ni yo pastor desde agora,
pues no me vien de ralea.

MINGO ¿Páraste agora a burlar
o dízesmelo de vero?

GIL Pardiós, vete, compañero, 235
que aquí me quiero quedar
y a mi Pascuala tornar
en dama y, por que lo creas,
luego quiero que nos veas
aquestos hatos mudar. 240
Quita essos hatos, Pascuala,
y dellos ya derreniega,
y a fuer de la palaciega
te me pone muy de gala.
Y luego, assí Dios te vala, 245
te me torna muy polida;
dexemos aquesta vida,

qu'es muy grossera y muy mala.

PASCUALA
Que me plaze, mi señor,
mudarme, pues os mudastes, 250
que tanbién vos os tornastes,
por amor de mí, pastor.
Y pues me tenéis amor,
yo jamás os dexaré;
quanto mandardes haré 255
libremente sin temor.

MINGO
¿Qué te parece, Menguilla,
de quál está Pascualeja?

MENGA
¡Dome a Dios que ya semeja
doñata de las de villa! 260
¡Miafé, ya se nos engrilla!

MINGO
Pues, si dezimos de Gil,
¡Juro a diez que está gentil!

MENGA
Ya de Gil no es maravilla,
que Gil ha sido escudero 265
y vienle de generacio:
primero fue del palacio
que pastor ni que vaquero,
siempre fue de buen apero;
mas Pascuala no ay porqué, 270
que nunca criada fue
sino en terruño grossero.

MINGO
Es tan huerte zagalejo,
miafé, Menga, el amorío,
que con su gran poderío 275
haze mudar el pellejo,
haze tornar moço al viejo
y al grossero muy polido,
y al muy feo muy garrido,
y al muy huerte muy sobejo. 280
Haze tornar al cruel,
quando quiere, piadoso;

---

266 *generacio:* 'linaje', véase *I*, 54.

haze lo amargo sabroso,
haze que amargue la miel,
haze ser dulce la hiel, 285
y quita y pone cuidados,
haze mudar los estados.
¡Mira, mira quién es él!

MENGA Bien deslindas sus lavores,
y aun con esso Pascualeja 290
ha mudado la pelleja
por tener con Gil amores.

GIL ¿Qu'es lo que dezís, pastores?

MENGA Que nos has, soncas, burlado.
Hasnos el hato dexado 295
por andar entre señores.

MINGO Miafé, siempre te picaste
de hazer escarnio de mí;
nunca te lo merecí.
Otra vez ya me burlaste: 300
ora un año me robaste
a Pascuala a mi pesar
y ora quiéreste quedar.
Nunca tú bien me trataste.
Pues, juro a diez, si me visto 305
los mis hatos domingueros
y si mudo aquestos cueros,
que te mando mal galisto.
Guárdate, que si yo ensisto
en tornarme palaciego... 310

GIL Antes, Mingo, te lo ruego.

MINGO Aún tú, Gil, no me has bien visto.
Y aún, si quiero, a mi esposilla
que te la ponga chapada,

---

288 A lo largo de estos versos, ha hecho enumeración de los dos más clásicos y poderosos efectos de amor: la transformación ennoblecedora del que ama y la conciliación de contrarios (véase, por ejemplo, Andreas Capellanus, *De amore,* lib. I, cap. IV).

296 *senores* en *C1496*.

308 *galisto:* 'garbo, gracia'.

y aún que no le falte nada, 315
también como a Pascualilla,
pues aún bien te maravilla
cómo ya no me descingo.

GIL
Hazlo, por vida de Mingo;
no me quede esta manzilla. 320
Harásme muy gran plazer
que todos cuatro quedemos
y que al palacio nos demos.

MINGO
¿Es muy malo de aprender?

GIL
Presto lo podréis saber, 325
yo os mostraré, si quisierdes,
las cosas que no supierdes.

MINGO
En punto estoy de lo hazer.
Mas ¿cómo podré dexar
los plazeres dell aldea? 330
Desque en palacio me vea,
luego olvidaré el luchar
y el correr con el saltar,
y no jugaré al cayado.
¿Y qué será del ganado? 335

GIL
Él se irá para el lugar.
Según tus fuerças y mañas
y el esfuerço que en ti está,
podrás aprender acá
a justar y a jugar cañas. 340

MINGO
Cata, Gil, que las mañanas
en el campo ay gran frescor,
y tiene muy gran sabor
la sombra de las cabañas.
Quien es duecho de dormir 345
con el ganado de noche,
no creas que no reproche
el palaciego bivir.
¡O, qué gasajo es oír

---

318 *descingo:* 'desciño'.
340 *jugar cañas:* juego caballeresco cortesano, de origen árabe.
345 *duecho:* 'ducho, acostumbrado'.

el sonido de los grillos 350
y el tañer los caramillos!
¡No ay quien lo pueda dezir!
Ya sabes qué gozo siente
el pastor muy caluroso
en bever con gran reposo 355
de bruças agua en la fuente
o de la que va corriente
por el cascajal corriendo,
que se va toda riendo.
¡O, qué prazer tan valiente! 360
Pues no te digo verás
las holganças de las bodas;
mas pues tú las sabes todas,
no te quiero dezir más.

GIL
Anda, que acá gozarás 365
otras mayores holganças,
otros bailes y otras danças
del palacio aprenderás.

MINGO
Ora yo quiero provar
este palacio a qué sabe, 370
siquiera por que me alabe
si bolviere a mi lugar.
Y el hato quiero mudar
antes que otra cosa venga;
y tú, miafé, también, Menga, 375
encomiénçate a dusnar.

MENGA
Cata que yo no sabré
ser para ser del palacio.

PASCUALA
Calla, que desque aya espacio,
yo, Menga, te mostraré, 380
y el rostro te curaré
por que mudes la pelleja,
y te pelaré la ceja.
Muy gentil te pararé.

MENGA
Pascuala, dessa manera 385
antes me darás gran quiebra.

---

376 *dusnar:* 'desnudar'.

	¿Que mude como culebra	
	los mis cueros? ¡Tirte a huera!	
Pascuala	No pienses tú, compañera,	
	que son estas curas crudas,	390
	no son sino blandas mudas	
	y una cosa muy ligera.	
Menga	Ora que por ti me creo,	
	y quiero, pues Mingo quiere,	
	ser en todo lo qu'él fuere,	395
	qu'él es todo mi desseo.	
Mingo	Ponte, Menga, ya de arreo	
	de los tus hatos mejores;	
	dexemos de ser pastores,	
	qu'es hato de mal asseo.	400
Menga	¡Ea, sus, manos al hato!	
Mingo	¡A ello, nombre de Dios!	
	Provemos ambos a dos	
	esta vida y este trato.	
Menga	Dome a Dios que en poco rato	405
	aprenda yo a ser de villa	
	como hizo Pascualilla,	
	si bien yo las mientes cato.	
Gil	Cata, cata, cata, Mingo,	
	¿eres tú quien estos días?	410
	¿Cómo nunca te vestías	
	esse hato algún domingo?	
Mingo	Nuevamente me lo cingo.	
Gil	¡Qué buen capuz colorado!	
Mingo	Y el jubón es bien chapado:	415
	ora daré buen respingo.	
Gil	¿Y tú vienes en jubón?	
	Toma, toma este mi sayo,	
	que otro tengo que allí trayo.	
Mingo	No lo quiero, compañón,	420
	que tiene muy gran mangón.	
Gil	Calla, calla, qu'es al talle.	

413 *nuevamente:* 'por primera vez'; *cingo:* 'ciño'.
416 *respingo:* ver *II*, 178.

MINGO Dome a Dios que no me halle:
pareceré frailejón.

GIL ¿Quiéreslo?

MINGO Que no lo quiero. 425

GIL Mira si quieres.

MINGO ¡Porfiar!

GIL No te hagas de rogar.

MINGO Muchas gracias, compañero.
¿No es aquéste buen apero?
¡Sí, que bien estoy assí! 430
Por tu vida, Gil, me di:
¿no pareço assí escudero?

GIL Por mi vida, Mingo hermano,
que estás assí gentilhombre;
no siento quien no se assombre, 435
ya pareces cortesano.

MINGO ¿No semejo ya aldeano?

GIL Calla, calla, qu'es postema.
Ponte el bonete de tema
y en el costado la mano. 440

MINGO ¿Y para qué en el costado?

GIL Porqu'es muy gran galanía.

MINGO Esso ya yo lo sabía
de quando estava cansado.

GIL Echa el bonete al un lado, 445
assí como aqueste mío.

MINGO ¡Ha, pareceré jodío!

GIL Calla, qu'es de requebrado.

MINGO ¿Requebrado? ¿Cómo assí?
Dime, dime, ¿qu'es aquesso? 450
¿Es cosa de carne y huesso
o, soncas, burlas de mí?

GIL ¡Guárdeme Dios! ¿Yo de ti?
No ayas miedo agora ya.
Llaman requebrado acá 455
al que está fuera de sí.

---

448 *requebrado:* 'enamorado'.

MINGO ¿Al que está lloco?
GIL No, no,
sino al que está namorado
y se muestra muy penado
por la que le enamoró. 460
MINGO Esso ya me lo sé yo.
GIL Pues que todo te lo sabes,
razón es que a Dios alabes
porque tal saber te dio.
PASCUALA ¿No veis a Menga, señor? 465
MINGO ¡Mírala, mírala, Gil!
GIL ¡Por Dios, que está muy gentil!
MINGO No es ya esposa de pastor.
PASCUALA ¿Hállaste, Menga, mejor
aquí que con el ganado? 470
MENGA Muy remejor, Dios loado.
PASCUALA ¡Mira qué causa el amor!
Que quien a mí me dixera
que avía de ser de villa,
como por gran maravilla, 475
yo creer no lo pudiera.
MENGA Yo no sabes qué tal era
antes que a Mingo quisiesse,
que, aunque la vida me fuesse,
a la villa no viniera. 480
GIL Espantáisos del Amor
que al palacio os convertió:
¡ved quién dixera que yo
avía de ser pastor!
De todos es vencedor, 485
él pone y quita esperança,
al que quiere da privança
y al que quiere, disfavor.
Ningún galán namorado
no tenga quexa de mí, 490
que en pastor me convertí

485 Toda esta exaltación del poder del Amor es un recuerdo del virgiliano «omnia vincit Amor» *(Ecl. X, 69)*.

porque fue de Amor forçado.
Donde Amor pone cuidado
luego huye la razón
y muda la condición 495
con su fuerça y aun de grado.
Mingo, pues que ya tenemos
esta vida palanciana,
de gran voluntad y gana
a la criança nos demos. 500
Mucho a la virtud miremos,
huyamos de malos vicios,
empleemos los servicios
en lugar donde medremos.

Fin

MINGO Daca, Gil, por buena entrada 505
de la vida del palacio,
cantemos de gran espacio
alguna linda sonada
y luego, sin tardar nada.
GIL Que digo que soy contento. 510
MINGO ¿Tú, Pascuala?
PASCUALA Que consiento.
GIL ¿Y tú, Menga?
MENGA Que me agrada.

Villancico

Ninguno cierre las puertas
si Amor viniere a llamar,
que no le ha de aprovechar. 515
Al Amor obedezcamos
con muy presta voluntad,

---

498 *palanciana:* 'de palacio'.
513 También este villancico aparece recogido en el cit. *Cancionero musical de los siglos XV y XVI,* núm. 354.

pues es de necessidad,
de fuerça virtud hagamos.
Al Amor no resistamos, 520
nadie cierre a su llamar,
que no le ha de aprovechar.

Amor amansa al más fuerte
y al más flaco fortalece,
al que menos le obedece 525
más le aquexa con su muerte.
A su buena o mala suerte
ninguno deve apuntar,
que no le ha de aprovechar.

Amor muda los estados, 530
las vidas y condiciones;
conforma los coraçones
de los bien enamorados.
Resistir a sus cuidados
nadie deve procurar, 535
que no le ha de aprovechar.

Aquel fuerte del Amor,
que se pinta niño y ciego,
haze al pastor palaciego
y al palaciego pastor. 540
Contra su pena y dolor
ninguno deve lidiar,
que no le ha de aprovechar.

El qu'es amor verdadero
despierta al enamorado, 545
haze al medroso esforçado
y muy polido al grossero.
Quien es de Amor presionero
no salga de su mandar,
que no le ha de aprovechar. 550

Fin

El Amor con su poder
tiene tal juridición
que cativa el coraçón

sin poderse defender.
Nadie se deve asconder 555
si Amor viniere a llamar,
que no le ha de aprovechar.

IX

Égloga de las grandes lluvias

ÉGLOGA TROBADA POR JUAN DEL ENZINA, REPRESENTADA LA NOCHE DE NAVIDAD; en la que qual a quatro pastores: Juan, Miguellejo, Rodrigacho y Antón llamados, que sobre los infortunios de las grandes lluvias y la muerte de un sacristán se razonavan. Un Ángel aparesce y el nascimiento del Salvador les anunciando, ellos con diversos dones a su visitación se aparejan.*

JUAN ¡Miguellejo, ven acá,
por vida de Marinilla,
que esta noche qu'es vegilla
gran prazer acudirá!
MIGUELLEJO Anda allá. 5

Sigo como base el texto de *C1507*, fols. 94*v*-95*v*, donde por primera vez fue publicada la pieza.

* En *C1509* y *C1516* varía ligeramente el encabezamiento de la obra: «(...) representada en la noche (...) Un ángel aparece a ellos y les anuncia el nacimiento del Salvador. Y ellos con diversos dones se aparejan para irle a visitar».

---

1 *Miguellejo:* con la palatalización de *-l-*, característica del habla pastoril de teatro y del leonés.

3 *vegilla:* por *vigilia*, con palatalización de *-li-* y vacilación del timbre vocálico, también propias del habla del pastor.

4 *prazer:* véase *Ég. I*, n. 4.

	Gasajémonos un cacho;	
	llamemos a Rodrigacho,	
	que también llugo verná.	
JUAN	Rodrigacho, ¿dónde estás?	
RODRIGACHO	Aquí estoy, tras las barrancas.	10
JUAN	Llugo, llugo te abarrancas	
	encovado allá detrás.	
	Ven, verás,	
	haremos dos mil quellotros.	
RODRIGACHO	Mas andad acá vosotros	15
	y, soncas, seremos más.	
JUAN	¿E quién est'allá contigo?	
RODRIGACHO	No volo quiero dezir.	
	Vení si queréis venir,	
	ternéis lumbre y buen abrigo.	20
JUAN	Digo, digo,	
	¡dome a Dios!, qu'est'allá Antón.	
	¡O del gran acertajón!	
	Vamos allá, miafé, amigo.	
	En buen ora estéis, zagales.	25
[RODRIGACHO]	Y en tal vosotros vengáis	
[MIGUELLEJO]	A gran abrigada estáis.	
ANTÓN	¡Para en tales temporales!	
[RODRIGACHO]	Estos males	
	assí se han de perpassar.	30
	Ora, sus, sus, assentar.	
	tras aquestos barrancales.	

26. En todos los cancioneros, por error de impresión, los vv. 26-27 van atribuidos a JUAN y los vv. 29-32 a ANTÓN; el sentido aconseja, sin embargo, la distribución del diálogo que hacemos.

6 *gasajémonos:* 'divirtámonos', ver *I,* 13; *cacho:* 'rato, tiempo'.
8 *llugo:* por 'luego', véase *I,* 153; *verná:* 'vendrá', *I,* 70.
14 *quellotros:* véase *Ég. V,* n. 50.
16 *soncas:* 'en verdad', *I,* 2.
18 *volo:* 'vos lo'.
23 *acertajón:* aumentativo de *acertajo, acertijo (Aut.).*
30 *perpassar:* formación verbal con el prefijo intensificados *per-,* véase *I,* 41.

ANTÓN Estamos bien abrigados.
JUAN Dexarnos eis calecer. 35
RODRIGACHO Todos podemos caber
a la lumbre rodeados.
MIGUELLEJO De ganados
poco cuidado se nos pega.
ANTÓN Más vale estar, Dios te prega,
al fuego carrapuchados. 40
RODRIGACHO Cuido que con más cuidado
deven estar nuestros amos.
JUAN Pensarán ellos qu'estamos
pastoreando el ganado.
¡Ay, cuitado, 45
qu'el mundo se pierde todo!
ANTÓN Todos estamos con llodo,
no ay ninguno bien librado.
MIGUELLEJO Noche es ésta de prazer.
¡Callá, tomemos gasajo! 50
JUAN Ogaño Dios a destajo
tiene tomado el llover.
RODRIGACHO A mi ver,
correncia tienen los cielos.
MIGUELLEJO Asmo, si no acuden yelos, 55
todo avrá de perescer.
RODRIGACHO Di tú, que vienes de villa,
¿ovo gran tormenta allá?
JUAN Dos mil vezes más que acá.
Tanto que no sé dezilla, 60
de manzilla.
ANTÓN ¿Iva el río muy perhundo?

---

41. *Es la lección de C1509; C1507, C1516, por error:* cuidado que con más cuidado.

---

34 *dexarnos eis:* 'nos dejaréis' forma arcaica del futuro analítico; *calecer:* 'calentar, ponerse caliente' *(DCECH)*.
40 *carrapuchados:* 'acurrucados, arrebujados' *(DCECH)*.
47 *llodo:* 'lodo', con palatalización de *l-*.
54 *correncia:* 'flujo, diarrea', derivado de *correr (Aut.)*.
55 *asmo:* 'pienso', *I,* 2.
62 *perhundo:* 'muy hondo', 'profundo, caudaloso'.

JUAN	Nunca tal se vio en el mundo.	
RODRIGACHO	¡O, que huerte maravilla!	
ANTÓN	Por tu salud, que lo cuentes.	65
JUAN	Tú contar no me lo mandes.	
	Con los andiluvios grandes	
	ni quedan vados ni puentes,	
	ya las gentes	
	reclaman a boz en grito:	70
	andan como los de Egipto.	
RODRIGACHO	¡Soncas, gimentes enfrentes!	
JUAN	Cient mill álimas perdidas.	
ANTÓN	¿Y ganados perecidos?	
MIGUELLEJO	¿Y aun los panes destruidos?	75
JUAN	Las casas todas caídas	
	y las vidas	
	puestas en tribulación.	
RODRIGACHO	¡Danos Dios gran tresquilón	
	ogaño con avenidas!	80
JUAN	Pernotar, asmo, se deve	
	tan grande tresquelimocho,	
	año de noventa y ocho	
	y entrar en noventa y nueve.	
RODRIGACHO	Agua y nieve	85
	y vientos bravos corrutos,	
	¡reniego de tiempos putos!	
	¡Ya dos meses a que llueve!	
MIGUELLEJO	Dinos, dinos, dinos, Juan,	
	en tiempo de tal manzilla,	90
	¿para qué huste a la villa?	

---

64 *huerte:* 'fuerte', véase *I,* 18.

67 *andiluvios:* 'diluvios', formación rústica con el prefijo intensificador *an-*.

72 *gimentes enfrentes:* es una deformación lingüística del pastor, por *gimentes et flentes* de la *Salve, Regina.*

73 *álimas:* forma vulgar y rústica, por *almas.*

79 *tresquilón:* propiamente 'corte de pelo sin orden, de un golpe', de *esquilar;* aquí con el sentido figurado de 'castigo, tormento'.

82 *tresquelimocho:* «trasquilimocho: trasquilado a raíz; es voz inventada y jocosa» *(Aut.).*

91 *huste:* 'fuiste', ver *I,* 48.

JUAN	¡Año pese a Sant Jullán!	
	Por del pan,	
	que en la aldea no lo avía.	
	Y acuntió que en aquel día	95
	era muerto un sacristán.	
RODRIGACHO	¿Qué sacristán era?, di.	
JUAN	Un huerte canticador.	
ANTÓN	¿El de la greja mayor?	
JUAN	Esse mesmo.	
RODRIGACHO	¿Aquésse?	
JUAN	Sí.	100
RODRIGACHO	¡Juro a mí,	
	que canticava muy bien!	
MIGUELLEJO	¡O, Dios lo perdone, amén!	
ANTÓN	Hágante cantor a ti.	
RODRIGACHO	El diabro te lo dará,	105
	que buenos amos te tienes,	
	que cada que vas y vienes	
	con ellos muy bien te va.	
MIGUELLEJO	No están ya	
	sino en la color del paño;	110
	más querrán qualquier estraño	
	que no a ti, que sos d'allá.	
RODRIGACHO	Dártelo an si son sesudos.	
JUAN	Sesudos y muy devotos,	
	mas hanlo de dar por botos	115

---

92. *C1509, C1516:* Julián.

---

92 *Sant Jullán:* véase *VIII,* 39.

95 *acuntió:* de un antiguo *acontir,* 'acontecer'.

96 Se trataba de Fernando Torrijos, cantor de la catedral de Salamanca desde el año 1485, el cual muere en 1498 y deja vacante la plaza que disputarán Encina y Lucas Fernández (véase «Perfil biográfico»).

99 *greja:* corrupción rústica, por *iglesia.*

107 *cada que:* 'cada vez que' (Juan de Valdés: *«cada que,* por *siempre* dizen algunos, pero no lo tengo por bueno»).

110 Alude al refrán 'En la color del paño estamos y no nos concertamos'.

112 *sos:* 'eres', creado sobre la primera persona *so,* de uso frecuente en el habla rústica.

RODRIGACHO Por botos no, por agudos.
¡Aun los mudos
habrarán que te lo den!
JUAN Miafé, no lo sabes bien;
muchos ay de mí sañudos: 120
los unos no sé por qué
y los otros no sé cómo:
ningún percundio les tomo,
que nunca lle lo pequé.
MIGUELLEJO A la fe, 125
unos dirán que eres lloco,
los otros que vales poco
JUAN Lo que dizen bien lo sé.
RODRIGACHO Ora cállate y callemos.
No te cures, compañero, 130
que siempre el mejor gaitero
menos medrado lo vemos.
No curemos
de estar más en más desputa.
Si traxiste alguna fruta, 135
danos della, jugaremos.
JUAN Por amansar estas sañas,
aquí trayo, miafé, amigos,
una gran sarta de higos
y tres brancas de castañas. 140
MIGUELLEJO Essas mañas
ya nunca las perderás;
siempre trayes onde vas
mill golosinas estrañas.
JUAN Topé, con la gran tormenta, 145

---

138. *C1516:* traigo.

---

116 *botos:* establece el texto un juego paronímico entre *voto,* 'dictamen, parecer', y *boto,* en su doble acepción de 'romo y contrario de agudo' y, traslaticiamente, 'rudo y torpe de ingenio' *(Aut.).*

123 *percundio:* 'rencor, agravio'.

124 *lle:* palatalización de formas pronominales en dativo o acusativo, muy frecuentes en el habla rústica.

140 *brancas:* 'blancas', moneda de vellón, cuyo valor fijaron los Reyes Católicos, en el año 1497, en medio maravedí.

una puta vieja franca
que me dio veinte a la branca,
que son por todas sesenta.

RODRIGACHO Ora cuenta,
reparte, ¿cómo cabemos? 150

JUAN Quatro somos, no erremos.
Diez, veinte, treinta, quarenta.

RODRIGACHO ¿Quántas sobran?

JUAN Veinte son.

RODRIGACHO Repártelas otra vez.

JUAN Cinco y cinco, que son diez, 155
y diez para mí y Antón.

MIGUELLEJO Compañón,
trocam'ésta, qu'es podrida.

JUAN No haré, juro a mi vida,
pues te cupo en tu quiñón. 160
¡Ora juguemos!

ANTÓN ¡Juguemos!

MIGUELLEJO ¿Y a qué juego, compañones?

RODRIGACHO Juguemos pares y nones.

JUAN ¡Ahotas, que bien haremos!

ANTÓN ¡Comencemos! 165

JUAN ¿Qué les dizes?

ANTÓN ¡Juro a ños!
Nones digo.

JUAN Daca dos.

ANTÓN Cata que no trampillemos.

RODRIGACHO ¿Qué les dizes, Migallejo?

MIGUELLEJO Pares les digo.

---

151. *C1507, C1516:* herremos.

---

146 *franca:* 'dadivosa, generosa'.
157 *compañón:* 'compañero', forma arcaica.
160 *quiñón:* 'la parte que a cada uno corresponde en el reparto de algo'.
163 *nones:* «el número que se opone a pares; nació del juego que llaman a pares y nones, porque el uno dezía *par est* y el otro *non est,* y corrompido se dixo *pares* y *nones*» *(Covarrubias).*
164 *ahotas:* 'cierto', *I,* 31.
168 *trampillemos:* 'hagamos trampas'.

RODRIGACHO	Perdiste.	170
JUAN	¡Diabros! ¿Y doyte yo el triste?	
	¡Ya pones el sobrecejo!	
RODRIGACHO	Quando viejo	
	muy ruin gesto as de tener:	
	¡por tres castañas perder	175
	reniegas de Sant Conejo!	
MIGUELLEJO	¿Qué les dizes, Rodrigacho?	
RODRIGACHO	Asmo que dígoles pares.	
MIGUELLEJO	¡Al diabro tales jugares!	
RODRIGACHO	¡Ora ganéte buen cacho!	180
	Don muchacho,	
	poquito sabes de juegos,	
	no te aprovechan reniegos.	
	¡Cata, yo soy hombre macho!	
JUAN	¿Nunca acabaremos hoy?	185
	Devemos juego mudar.	
RODRIGACHO	¿Y a qué podemos jugar?	
ANTÓN	Miafé, a bivo te lo doy.	
MIGUELLEJO	Yo no soy	
	en jugar juego tan ruin;	190
	mas juguemos al trentín,	
	que muy desdichado estoy.	
EL ÁNGEL	Pastores, no ayáis temor,	
	que os anuncio gran plazer.	
	Sabed que quiso nascer	195
	esta noche el Salvador	
	redemptor,	

---

176 *Sant Conejo:* es otro nombre más del santoral fantástico, muy característico del teatro pastoril, en el que se mezclan algunos santos verdaderos con otros muchos burlescos y jocosos, como éste. No son infrecuentes los creados sobre una mala interpretación de nombres y expresiones litúrgicas: Santo Martilojo, Santo Ficeto, etc. A propósito de los cuales criticaba con sorna Juan de Lucena en su *Epístola exhortatoria a las letras:* «Preguntóme uno quién era Santoficeto y Doña Bisodia, que se nombraban en el *Paternoster*. Respondíle que Doña Bisodia era el ama de Christo, y Santoficeto el pollino. Son cosas estas muy de reír a nosotros y a ellos muy de llorar.»

181 *don:* empleo irónico del título de tratamiento.

en la cibdad de David.
Todos, todos le servid,
qu'es Cristo, nuestro señor. 200

E doyos esta señal
en que le conosceréis:
un niño embuelto hallaréis
pobremente so un portal,
y aun es tal 205
qu'en un pesebre está puesto,
y conosceréis en esto
aquel gran rey celestial.

RODRIGACHO Compañeros, digo yo
que vamos hasta Belén, 210
porque persepamos bien
quién es éste que oy nasció.

JUAN Bien habró.

MIGUELLEJO Pues vamos toste priado,
que aquel garçón repicado 215
por cierto nos lo contó.

RODRIGACHO ¿Quién dixo qu'era nascido?

JUAN Cuido qu'el saludador.

MIGUELLEJO ¡Que no, sino el Salvador!
¿No lo tienes entendido? 220

JUAN De atordido
no pude perentenderlo.
Aballemos toste a verlo,
sepamos quién ha parido.

MIGUELLEJO Yo leche le endonaré, 225
soncas, de mi cabra mocha.
Haréle una miga cocha
con que le empapiçaré;

218. *C1516:* saluador.
228. *C1507:* enpapicaré.

214 *toste priado:* 'pronto, en seguida, al punto', véase *Ég.* VI, 24.
215 *garçón:* 'mancebo', ya introducido en textos del siglo XIII; *repicado:* 'apuesto, muy pulido'.
223 *aballemos:* 'vayamos', *I*, 35.

llevarl'é
de camino, quando vaya, 230
una barreña de haya,
la que dilunes llabré.

JUAN — Yo le daré un cachorrito
de los que parió mi perra,
xetas y turmas de tierra. 235

ANTÓN — Yo le llevaré un cabrito.

JUAN — Yo un quesito.

RODRIGACHO — Yo natas y mantequillas.

MIGUELLEJO — Yo tres o quatro morcillas.

ANTÓN — Y yo, miafé, un xerguerito. 240

JUAN — Yo le diré mill cantares,
con la churumbella, nuevos.

RODRIGACHO — Yo le daré muchos huevos.

MIGUELLEJO — Y yo, de las mis cuchares,
dos, tres pares. 245

JUAN — ¡Gasajémonos con él!

RODRIGACHO — Darl'é yo manteca y miel
para untar los paladares.

Fin

JUAN — Ora no nos detengamos;
cada qual, si le pruguiere, 250
lleve lo más que pudiere
por que mejor le sirvamos.

MIGUELLEJO — ¡Vamos, vamos
antes, antes que más llueva!

RODRIGACHO — ¡Preguntemos bien la nueva 255
porque lo cierto sepamos!

---

235. *C1516:* xertas.

---

232 *dilunes:* 'día lunes'.

235 *xetas:* 'setas', con palatalización de *s-*, que se mantuvo hasta el siglo XVII; *turmas:* 'trufas'.

240 *xerguerito:* 'jilguerito'.

242 *churumbella:* 'instrumento pastoril de viento, parecido a la chirimía' (Lihani, pág. 414).

244 *cuchares:* véase *VII*, 134.

X

Representación sobre el poder del Amor

*REPRESENTACIÓN POR JUAN DEL ENZINA ANTE EL MUY ESCLARESCIDO Y MUY ILLUSTRE PRÍNCIPE DON JUAN, NUESTRO SOBERANO SEÑOR. Introdúzense dos pastores, Bras y Juanillo, y con ellos un Escudero, que, a las bozes de otro pastor, Pelayo llamado, sobrevinieron; el qual, de las doradas frechas del Amor mal herido, se quexava, al qual andando por dehesa vedada con sus frechas y arco, de su gran poder afanándose, el sobredicho pastor avía querido prendar**.

AMOR Ninguno tenga osadía
de tomar fuerças comigo,
si no quiere estar consigo
cada día
en rebuelta y en porfía. 5

Se editó por vez primera en *C1507*, fols. 96*r*-98*r*, y fue incluida después en *C1509* y *C1516*. Se ha conservado también en tres pliegos sueltos del siglo XVI: *EAM, EAO* y *EAP*.

Texto de base: *C1507*. A partir de esa impresión y con el título de *El triunfo de amor* la pieza fue editada por B. J. Gallardo en el t. V de *El Criticón*, Madrid, 1836.

* En *EAM* y *EAO*, con ligeras variantes entre sí, el texto de la rúbrica es como sigue: «Égloga trobada por Juan del Enzina. En la qual representa el Amor de cómo andava a tirar en una selva. Y de cómo salió un pastor llamado Pelayo a dezille que por qué andava a tirar en lugar devedado. Y después cómo lo hirió el Amor. Y de cómo vino otro pastor llamado Bras a consolallo, y otro pastor llamado Juanillo, y un Escudero que llegó a ellos.»

5. *EAO:* en reyerta e p.

¿Quién podrá de mi poder
defender
su libertad y alvedrío?,
pues puede mi poderío
herir, matar y prender. 10
Prende mi yerva do llega
y, en llegando al coraçón,
la vista de la razón
luego ciega.
Mi guerra nunca sosiega, 15
mis artes, fuerças y mañas,
y mis sañas,
mis bravezas, mis enojos,
quando encaran a los ojos
luego enclavan las entrañas. 20
Mis saetas lastimeras
hazen siempre tiros francos
en los hitos y en los blancos,
muy certeras,
muy penosas, muy ligeras. 25
Soy muy certero en tirar
y en bolar,

---

6. *EAO:* de mi querer.
10. *EAO:* ferir.
19. *EAO:* *om.* a.
26. *EAO:* muy cierto.

---

10 En este soliloquio con que se abre la pieza, el Amor se ufana de su inmenso poder sobre los mortales y hace alarde de algunos de sus efectos más tópicos, como el de la conciliación de contrarios (vv. 31 y ss.) o el de la transformación ennoblecedora de quien ama (vv. 51 y ss.).

11 *yerva:* 'veneno'.

21 Compárese la caracterización y atributos de Amor en estos versos con la representación del dios que, por ejemplo, aparece en el *Tratado de amor* atribuido a Juan de Mena: «E pintavan a este Cupido, más verdaderamente llamado ídolo que dios, con dos goldres llenos de frachas e con un arco dorado. E las frechas que traía en el un goldre eran doradas, las del otro plunbias, es a dezir de plomo. E dezían que al que este Dios fería con la frecha dorada siempre le cresçía el deseo de amar, e al que fería con la frecha de plomo más le cresçía aborresçer a quien le amase» (ed. M. A. Pérez Priego, *Juan de Mena, Obras completas,* Barcelona, 1989, pág. 379).

más que nadie nunca fue.
Afición, querer y fe,
ponerlo puedo y quitar. 30
Yo pongo y quito esperança,
yo quito y pongo cadena,
yo doy gloria, yo doy pena
sin holgança;
yo firmeza, yo mudança, 35
yo deleites y tristuras
y amarguras,
sospechas, celos, recelos;
yo consuelo, desconsuelos,
yo ventura, desventuras. 40
Doy dichosa y triste suerte,
doy trabajo y doy descanso.
Yo soy fiero, yo soy manso,
yo soy fuerte,
yo doy vida, yo doy muerte, 45
y cevo los coraçones
de passiones,
de sospiros y cuidados.
Yo sostengo los penados
esperando gualardones. 50
Hago de mis serviciales
los grosseros ser polidos,
los polidos más luzidos

---

30. *EAM:* ponella.
32. *EAM, EAO:* e pongo y quito c.
39. *EAM, EAO:* consuelos.
40. *EAM, EAO:* venturas.
41. *EAO: om.* y.
42-43. *EAM, EAO:* a quien yo quiero e me pago / con castigo, con alago (falago).
46. *EAM, EAO:* yo cevo.
50. *Así C1507; los demás:* galardones.
52. *EAM, EAO:* los discretos ser p.
53. *EAM:* e los p.; *C1507:* lozidos.

---

51 Este efecto transformador del amor ya había sido descrito por Encina en la *Ég. VIII,* 275 y ss.

y especiales,
los escassos, liberales. 55
Hago de los aldeanos
cortesanos
y a los simples ser discretos,
y a los discretos perfectos,
y a los grandes muy humanos. 60

Y a los más y más potentes
hago ser más sojuzgados,
y a los más acovardados
ser valientes;
y a los mudos, eloquentes, 65
y a los más botos y rudos
ser agudos.
Mi poder haze y deshaze,
hago más, quando me plaze,
los eloquentes ser mudos. 70

Hago de dos voluntades
una mesma voluntad,
renuevo con novedad
las edades
y ageno las libertades. 75
Si quiero, pongo en concordia
y en discordia,
mando lo bueno y lo malo,
yo tengo el mando y el palo,
crueldad, misericordia. 80

Doy favor y disfavor
a quien yo quiero, y me pago

---

59. *C1507, C1516: om.* a.
65. *C1616: om.* y.
66. *EAM:* crudos.
68. *EAM, EAO:* desfaze.
71. *EAO:* fago.
75. *EAM, EAO: om.* y.
76. *EAO: om.* en.
79. *EAO: om.* yo.
81. *EAM, EAO: falta toda esta estrofa.*

---

66 *botos:* véase *Ég. IX,* n. 116.

con castigo, con halago,
con dolor;
doy esfuerço, doy temor. 85
Yo soy dulçe y amargoso,
lastimoso,
y acarreo pensamientos,
doy plazeres, doy tormentos,
soy en todo poderoso. 90
Puedo tanto quanto quiero,
no tengo par ni segundo,
tengo casi todo el mundo
por entero
por vasallo y prisionero: 95
príncipes y emperadores,
y señores,
perlados y no perlados,
tengo de todos estados,
hasta los brutos pastores. 100

PELAYO ¡A, garçón de bel mirar!
¿quién te manda ser osado
por aquí, que es devedado,
de caçar
sin licencia demandar? 105

AMOR Modorro, bruto pastor,
labrador,
simple, de poco saber,
no me deves conoscer.

PELAYO ¿Tú quién sos?

AMOR Yo soy Amor. 110

PELAYO ¿Amor que muerdes, o qué?

---

93. *EAO:* quasi.
100. *EAO:* fasta.
101. *EAO:* del bel m.
102. *C1509, EAM, EAO:* mandó.
103. *EAM:* por esto; *EAO:* p. a. que está vedado.
110. *EAM, EAO:* ¿Y tú quién sos? Yo so a.

111-112 Son juegos paronímicos con la palabra a*mor*-*mor*der, a*mor*-*mor*taja, y su significado: el amor que muerde y corroe las entrañas (comp.,

¿O, soncas, eres mortaja?
¡No te deslindo migaja!
Juraré
que tú sos quien yo no sé. 115

AMOR Pues calla, que tú sabrás
y verás
en aqueste día de oy
enteramente quién soy
y aún que no te alabarás. 120

PELAYO ¿Amenázasme, zagal,
o qué es esso que departes?
Si presumes con tus artes,
juro a tal,
que quiçás que por tu mal. 125

AMOR Calla, rústico grossero,
ovejero.
No te quieras igualar,
que en la tierra y en el mar
fago todo quanto quiero. 130

PELAYO ¿Tomas, tómaste conmigo?
Medrarás, yo te seguro.

AMOR Eres un çafio maduro.

PELAYO Digo, digo,
soncas, que yo no soy higo. 135

AMOR Eres triste lazerado,
tan cuitado
que por tu poco valer
más te querría perder

---

118. *EAM, EAO:* en este.
125. *EAO:* que quiçá es por tu mal.
129. *EAM, EAO:* la mar.
130. *EAM, EAO:* hago tanto q. q.
131. *EAM, EAO:* Pues toma, tómate c.
135. *EAM, EAO:* soncas aun yo no soy (so) h.
139. *C1507:* quería; *todos los demás:* querría.

---

por ejemplo, la canción de Florencia Pinar: «Ell amor ha tales mañas... / Ell amor es un gusano, / bien mirada su figura: / es un cánçer de natura / que come todo lo sano») o que es causa de dolor y de muerte, como tantas veces repiten los poetas cancioneriles.

que tenerte a mi mandado. 140

PELAYO Harto mal y mal sería
el mayor que nunca hu,
quando me toviesses tú
sólo un día
a tu mandar y porfía. 145

AMOR Pues ten por cierto de mí
desde aquí,
si te acontesce otra tal,
yo haré que por tu mal
quede memoria de ti. 150

PELAYO ¿Tú qué me puedes hazer?
Haz todo lo que pudieres,
que según lo que dixeres,
a mi ver,
assí te [h]an de responder. 155

AMOR ¿Aún te quieres igualar
y parlar?
Cata que si más me ensañas
te enclavaré las entrañas
para más te lastimar. 160

PELAYO Pues si más yo me embotijo,
mal por ti, por Sant Domingo.
Guarte que si me descingo
mi hondijo,
fretirt'é en la cholla un guijo. 165
Veamos tú con tu frecha
muy perhecha,

---

151. *EAM, EAO:* y tú.
158. *EAM: om.* más.
165. *EAO:* fretarte he.
166. *EAM:* veremos; *EAO:* y veremos con tu f.
167. *EAO:* muy peltrecha.

---

142 *hu:* 'fue', ver *I,* 48.
161 *embotijo:* «vale enojarse, es de los que se enojan y con la cólera reprimida hinchan los carrillos a modo de botijos» *(Covarrubias).*
163 *guarte:* 'guárdate', véase *VI,* 66; *descingo:* ver *VIII,* 318.
167 *perhecha:* con el prefijo intensificador *per-*.

aunque vengas más perhecho,
si tiraras más derecho.
o por arte más derecha. 170

AMOR — Espera, espera, pastor,
que yo te daré el castigo,
porque te tomas comigo,
don traidor,
sabiendo que soy Amor. 175

PELAYO — No daré un maravedí,
juro a mí,
por ti, zagal, ni dos cravos.
Otros he visto más bravos,
no me espanto yo de ti. 180
Aballa toste, no vagues
si quieres ir de aquí sano.

AMOR — Pues toma agora, villano,
porque amagues,
pues que tal hazes, tal pagues. 185

PELAYO — ¡Ay, ay, ay, que muerto soy!
¡Ay, ay, ay!

AMOR — Assí, don villano vil,
porque castiguen cient mill,
en ti tal castigo doy. 190
Quédate agora, malvado,
en esse suelo tendido,
de mi mano mal herido,
señalado,
para siempre lastimado. 195
Yo haré que no fenezca,

---

168. *C1507, C1509, C1516: falta este verso; EAO:* muy p.; *Gallardo supone:* contra el más esento pecho.
173. *EAM, EAO:* pues que te t. c.
176-177. *EAM, EAO:* No daré juro a mí / un maravedí.
179. *EAM:* que otros.
180. *EAM:* y no; *EAO:* y no me e. de ti.
181. *EAO:* y a.
183. *EAM, EAO:* pues toma, toma, v.
187-190. *Faltan estos versos en EAM y EAO.*
191. *Así EAM, EAO; C1507:* q. a. villano.

mas que cresca
tu dolor, aunque reclames,
yo haré que feo ames
y hermoso te parezca. 200

BRAS ¡A, Pelayo! ¿Qué as avido?
Dime, dime, assí te gozes,
qu'el reclamo de tus vozes
me ha traído.
¿De qué estás amodorrido? 205
Di, di, di, Pelayo, ¿qué as?

PELAYO ¡Ay, ay, Bras!
Muy huerte mal es el mío.

BRAS ¿Si se te achacó de frío?

PELAYO De frío no, mas de más. 210

BRAS Pues dime, dime de qué,
que bien sabes que me dan
tus dolores gran afán.

PELAYO No podré.

BRAS Sí podrás.

PELAYO Yo te diré. 215
Un garçón muy repicado
y arrufado
vino por aquí a tirar,
yo quisiérale prendar
y él [h]ame muy mal tratado. 220

BRAS ¿Qué te fizo?

PELAYO ¡Dios te praga!
Diome con una saheta
y fízome dentro, secreta,

---

199. *EAM:* yo te haré.
202. *EAM:* assi tú g.
208. *EAM, EAO:* fuerte.
212. *EAM, EAO:* pues que sabes.
213. *EAM, EAO:* grande.
215. *EAM:* yo te lo d.; *EAO:* oyte lo d.
216-217. *EAM, EAO:* un g. muy arrufado / y repicado.
221. *EAO:* prega.
223. *EAM, EAO:* y dexóme dentro s.

---

217 *arrufado:* 'encrespado, encolerizado' (*Aut.*).

tan gran llaga
que, miafé, no sé qué haga. 225

BRAS ¿Tú no le podías dar
y matar?
¿Más pudo que tú un moçuelo?

PELAYO ¡Ha! Caí luego en el suelo,
ya que le iva yo a tirar. 230

BRAS ¿Y por dónde fue?

PELAYO No sé,
porque assí como me dio,
luego la pata aballó,
tal quedé
que no vi por donde fue; 235
presumía tanto, tanto
que era encanto.

BRAS Quisiera que le mataras
o que le despepitaras.
Sí, ¡para Sant Hedro santo! 240

PELAYO Paróse en quintas conmigo,
díxome que era el Amor
y dexóme tal dolor
que te digo
que mi mal es buen testigo. 245

225-226. *EAM, EAO:* que no sé triste qué h. / y tú no le podías tirar.
228. *EAO:* el m.
230. *EAO: om.* yo.
235. *EAO:* que no sé.
236. *EAM:* y presumía; *EAO:* mas presumía.
237. *EAM, EAO:* escanto.
238. *EAM, EAO:* que lo.
239. Tras este verso, *C1507, C1509, C1516* añaden este otro: con un canto, verso que no recogen los pliegos sueltos y que es superfluo para el sentido y la métrica de la estrofa.
241. *EAM, EAO:* ha pusose.
245. *EAO:* castigo.

---

239 *despepitaras:* 'descalabraras'.
240 *Sant Hedro:* véase *V*, 77.
241 *quintas:* «ponerse en quintas es hazer a otro punta y oposición. Trae origen de los que echan contrapunto sobre algún canto llano, que se van poniendo en quintas, una de las consonancias de la música» (*Covarrubias*).

BRAS	¿Con el Amor te tomavas?	
	¿Por qué davas	
	coces contra el aguijón?	
	¿Con tal valiente garçón	
	tú, Pelayo, peleavas?	250
	Muestra donde te firió.	
PELAYO	De dentro tengo mi mal,	
	que de fuera no ay señal,	
	que tiró	
	y en el coraçón me dio.	255
	¡Ay, ay, ay, que me desmayo!	
BRAS	¿Qué as, Pelayo?	
	Esfuerça, esfuerça, ¡Dios praga!,	
	Que tanbién yo dessa llaga	
	herido el coraçón trayo.	260
	¡Juanillo!	
JUANILLO	¿Qué?	
BRAS	Muestr'acá.	
	Tu barril acá me saca.	
	Daca toste, da, da, daca.	

---

246. *EAM, EAO:* y con.
249. *EAM:* contra tan.
253. *EAO:* no a s.
255. *EAO:* que en.
256. *EAM, EAO:* ay, ay, que.
258. *EAM:* te p.; *EAO:* esfuérçate D. te p.
260. *EAO:* traygo.
261-265. *EAM, EAO transcriben así estos versos:*

BRAS	A, Juanillo dónde estás.
JUANILLO	¿Qué, Bras?
BRAS	Muestra acá tu barril, daca;
	daca toste, daca.
JUANILLO	Toma allá.
BRAS	¿Tienes agua? Di.
JUANILLO	Soncas, ha.

263. *C1516:* d. t., daca, daca.

---

248 Es un conocido refrán, que tiene el sentido de «porfiar y repugnar en valde» (*Covarrubias*).

Juanillo	Toma allá.	
Bras	¿Tienes agua?	
Juanillo	Soncas, ha.	265
Bras	Échame una poca aquí.	
Juanillo	Para a[h]í.	
Bras	Muy poco galisto tienes,	
	Jesus autem entransienes,	
	¡O, mallogrado de ti!	270
	¡Malogrado, malogrado,	
	qué poco que te llograste,	
	con mal Amor te tomaste,	
	desdichado!	
	Yo te doy por perpassado,	275
	cuitado de ti, perdido,	
	dolorido.	
Juanillo	Otea, Bras.	
Bras	¿Qué me dizes?	
Juanillo	Trávale de las narizes,	
	veremos si tien sentido.	280
Bras	Pues aún el pulso le bate.	
Juanillo	¿Tú quieres que llame al crego	

265. *C1507, por errata:* sones a ha.
266. *C1507:* echeme.
268. *EAM:* gallisto; *EAO:* gallisco.
269. *EAM, EAO:* Jesús, éntrale en las sienes.
271. *EAM, EAO:* mallogrado.
272. *EAM:* quan poco te perllograste; *EAO:* quan poquillo te llograste.
275. *EAO:* yo te doy ya por passado.
278. *EAM, EAO:* mira Bras que dizes.
279. *EAM, EAO:* t. dessas n.
281. *EAM, EAO:* asmo quel pulso le llate.

268 *galisto:* véase *VIII,* 308.
269 Es una deformación del texto evangélico *Jesus autem transiens per medium illorum ibat,* que se leía como antífona. Estas prevaricaciones lingüísticas son muy frecuentes en el pastor de teatro, como ya vimos, por ejemplo, en *IX,* 72. El significado aquí es 'entra en sienes (en sentido)'.
282 *crego:* por *clérigo,* muy usado en el habla pastoril.

o traya al físico luego,
que lo cate
ante qu'este mal le mate? 285

BRAS — Todo esso es por demás.

JUANILLO — ¿Por qué, Bras?

BRAS — Porque los males de amor,
que crescen con disfavor,
nunca mejoran jamás. 290

JUANILLO — Doy a ravia tan gran mal
que tiene tan mal remedio.

BRAS — Tiene comienço y no medio
ni final,
qu'es un mal muy desigual, 295
y en aquestos males tales
tan mortales
más quellotra un palaciego
que no físico ni crego,
aunque saben de otros males. 300

ESCUDERO — Dezidme agora, pastores,
¿qué mal tiene este pastor?

BRAS — Tiene, a la mi fe, señor,
mal de amores,

---

283. *C1516:* traiga; *EAM:* o que trayga el f. l.; *EAO:* que trayga el fiesigo l.
284. *EAO:* le.
285. *EAM, EAO:* lo.
286. *EAM, EAO:* t. aquesso.
291. *EAM:* doy a r. tan huerte mal; *EAO:* do yo a r. tal mal.
293. *EAM, EAO:* a la fe te. c. y no m.
295. *EAO:* tan d.
296. *EAO: om.* tales.
298. *C1507:* quel otra; *EAN, EAO:* pelletra.
299. *EAM, EAO:* físicos.
300. *EAM, EAO:* sepan.
301. *EAO: om.* me.
303. *EAM:* mie fe.

---

298 *quellotra:* aquí con el significado de 'entender, entiende', véase *V*, 50.

	de muy chapados dolores.	305
ESCUDERO	¿Y burláis o departís?	
	¿Qué dezís?	
BRAS	Digo que no burlo, no,	
	qu'el Amor lo perhirió.	
ESCUDERO	¿Y amores acá sentís?	310
BRAS	Sentimos, mala ventura,	
	hartas vezes por zagalas;	
	los llatidos de sus galas	
	y fermosura	
	nos encovan en tristura.	315
ESCUDERO	Y este triste, sin sentido,	
	tan vencido,	
	tan preso, tan cativado,	
	¿por qué fue tan desdichado	
	y de tanto mal ferido?	320
BRAS	Miafé, porque se tomava	
	con el Amor en porfía.	
ESCUDERO	¿Pensava que vencería?	
BRAS	Sí pensava.	
ESCUDERO	¡Mirá quien con quién lidiava!	325
BRAS	A la fe, digo, señor,	
	salvo honor	
	de vuestra huerte nobleza,	
	fue gran locura y simpleza	

305. *EAM, EAO:* mortales d.
306-309. *EAM, EAO:* omiten estos cuatro versos.
311-312. *EAM, EAO:* toma si sentimos / sentimos mala ventura / que hartas vezes por zagalas.
314. *C1516, EAM, EAO:* y hermosura.
316. *EAM:* sin ventura.
323. *EAO:* y p. que vencía.
325. *EAM:* mirad quien con quien se tomava; *EAO:* mirad con quien se tomava.
329. *EAM:* es g.; *EAO: om.* fue.

305 *chapados:* véase *I,* 37.
309 *perhirió:* 'hirió profundamente', con prefijo el intensificador.
315 *encovan:* de *encovar* 'meter en una cueva'; *encovar en tristura* resulta así una imagen muy expresiva.

enfingir contra'l Amor. 330

ESCUDERO Pues aun si tú bien sopiesses
a quántos de gran valer
ha vencido su poder,
y lo oyesses,
yo juro que más dixesses. 335

BRAS Bien sé que al gran poderío
de amorío
nadie puede resistir,
aunque se passe a bivir
a tierra de señorío. 340

ESCUDERO ¡O, quántos grandes señores,
quántos sabios y discretos
vemos que fueron subjetos
por amores!

BRAS Pues no dezís de pastores. 345

ESCUDERO Dizen qu'el sabio varón
Salamón
de amores vencido fue,
y David por Bersabé,
y por Dalida Sansón. 350

---

330. *EAM:* presumir; *EAO:* es fengir.
334. *EAM:* falta este verso.
336. *EAM:* bien señor cal p.; *EAO:* bien se señor cal p.
341. *EAM:* ay y quantos s.; *EAO:* oy a quantos s.
346. *EAM:* d. cal.
350. *EAM y EAO añaden a continuación cuatro nuevas estrofas:*

Héctor a Pantasilea
con su fama en amores
y Jassón con sus primores
a Medea,
e a Menalcas Galatea
por amar quedó en historia
de gran gloria
Marco Placio y Oristilla
y el buen rey Minus y Cilla

---

350 Los aquí citados son tres famosos pastores y amantes bíblicos, con cuya mención el Escudero trata de probar a Bras el gran poder del Amor, que también alcanza a los pastores, incluso a los más nombrados y famosos.

BRAS Y aun a mí me [h]a rebolcado
el Amor malvado, ciego,
por la sobrina del crego,
y al jurado
Amor le trae acossado. 355

---

amor los dexó en historia.
Por amores Clitemestra
la muerte tractó al marido
y dio vida a su querido
Hipermestra
según su historia lo muestra,
Canaces a Macareo
según veo
y aun Oristes y Ormion
hovieron de amores prissión
y Danes y Alfesibeo.
Por Ester el rey Assuero
y por Argia Polinices
y por Ero Erinices
prisionero
y Leandro fue portero
y por Axa Otoniel,
por Rachel
Jacob sirvió catorze años,
a Narciso con engaños
Amor le fue muy cruel.
Con el fuerte del amor
nunca fuerças tomar oses,
que también venció a los dioses
su valor.

BRAS

Ya lo sé, miafé, señor.

ESCUDERO

Pues dentro en tu jurisdición
y prisión
Perión y Júpiter están,
Venus, Mars, Fringan y Pan
y Proserpina y Vulcán.

355. *EAM, EAO:* lo.

---

354 *jurado:* «oficio y dignidad en las repúblicas y concejos» (*Covarrubias*).

	Y a Pravos trae perdido	
	y aborrido	
	por la hija del herrero,	
	y Santos el meseguero	
	por Beneita anda transido.	360
ESCUDERO	Y aquéste de aqueste suelo,	
	qu'está más muerto que vivo,	
	di por quién está cativo,	
	sin consuelo,	
	que de su dolor me duelo,	365
	por quién sufre tanto mal	
	tan mortal.	
	Dígote que le he manzilla.	
BRAS	Asmo que por Marinilla,	
	la carilla de Pascual.	370
PELAYO	¡Ay, ay, ay, que aquéssa es ella!	
	Qu'el Amor quando me dio,	
	llugo, llugo me venció	
	a querella.	
	¡Quién pudiesse agora vella!	375
BRAS	Pues calla, que sí verás.	
PELAYO	Y tú, Bras,	
	¿llevarme [h]as allá contigo?	
BRAS	Yo te llevaré comigo	
	desque allá fuere d'oy más.	380
	Mas mal de tales cordojos	
	no sé por qué causa sea,	
	qu'es una bissodia fea.	

359. *EAM:* y a Sancto; *EAO:* y a S.
360. *EAM, EAO:* por Benita anda perdido.
369. *C1516:* maravilla.
371. *EAM:* ay, ay, que; *EAO;* ay, ay, que esa es e.
373. *EAM:* luego él me v.; *EAO:* a la ora me v.
376. *EAM:* descansa que v.; *EAO:* descansa que sí v.
380. *EAM, EAO:* quando allá f.

370 *carilla:* aquí parece que con el sentido de 'hermana', véase *I,* 111.
381 *cordojos:* véase *V,* 23.
383 *bissodia:* 'visión, estantigua'; «es palabra formada al sonsonete de las

PELAYO No con mis ojos.

BRAS Ora sigue tus antojos, 385
que affición es que te ciega.
Tú sosiega,
no desmayes con dolores,
que tanbién yo, por amores,
ando a rabo de borrega. 390

PELAYO ¿Quién es aquesse señor
qu'ende está?

BRAS No sé su nombre,
es un galán gentil hombre.

ESCUDERO ¡Ay, pastor,
he dolor de tu dolor! 395

PELAYO Dezí, señor nobre y bueno,
pues que peno,
y vos sabrés deste mal,
¿es mortal o no es mortal?,
¿soy de vida o soy ageno? 400

ESCUDERO Mira bien, pastor, y cata
qu'el Amor es de tal suerte
que de mil males de muerte
que nos trata,
el peor es que no mata. 405
¡Dios nos guarde de su ira!
Mira, mira
qu'es Amor tan ciego y fiero
que, como el mal ballestero,

384. *EAM, EAO:* no a mis o.
391. *EAM, EAO:* y quien es esse s.
396. *C1507:* nombre.
398. *C1516:* sabéis; *EAM:* sabés; *EAO:* si vos sabéis.
403. *C1516, EAM, EAO:* mil.
405. *EAO:* el peor el que nos m.

latinas del Padrenuestro: *panem nostrum quotidianum da nobis hodie»* (Lihani, págs. 382-83); véase también *IX,* n. 176.

390 *andar a rabo de borrega:* frase hecha que significa 'con pereza, a rastras'.

405 Compárese Ovidio, *Remedia amoris,* 26: «Sed tua mortifero sanguine tela carent.»

	dizen que a los suyos tira.	410
PELAYO	Tira más rezio que un rayo.	
ESCUDERO	¿Cómo te llaman a ti?	
PELAYO	Pelayo.	
ESCUDERO	¿Pelayo?	
PELAYO	Sí.	
ESCUDERO	Di, Pelayo,	
	¿cómo quedas del desmayo?	415
PELAYO	Quedo de sospiros ancho.	
	Tanto ensancho	
	que cuido de rebentar.	
BRAS	Dexa, déxalos votar,	
	no se te cuajen nel pancho.	420
ESCUDERO	Y nosotros, sospirando,	
	desvelamos nuestra pena	
	y tenémosla por buena,	
	deseando	
	servir y morir amando;	425
	que no puede ser más gloria	
	ni victoria,	
	por servicio de las damas,	
	que dexar vivas las famas	
	en la fe de su memoria.	430
BRAS	Miafé, nosotros acá	
	harto nos despepitamos,	
	mas no nos requebrajamos	
	como allá,	
	que la fe de dentro está.	435
ESCUDERO	Cierto, dentro está la fe,	
	bien lo sé,	

412-413. *Faltan estos dos versos en EAM y EAO.*
415. *EAM, EAO:* que tal quedas.
420. *EAM, EAO:* en el p.
421-430. *Falta esta estrofa en EAM y EAO.*
431-432. *EAM, EAO:* miafé, señor, / acá harto nos despepitemos.
433. *C1516, EAM, EAO:* resquebrajamos.
435. *EAM, EAO: om.* de.
436. *Falta este verso en EAM y EAO.*

---

420 *nel:* 'en el', forma aglutinada arcaica; *pancho:* 'panza', *VI,* 14.

mas nuestros requiebros son
las muestras del coraçón,
que no son a sin porqué. 440

Fin

BRAS Ahotas que yo cantasse
por tu prazer, con Juanillo,
de amores un cantarcillo
si hallase
otro que nos ayudasse. 445
PELAYO Canta, Bras, yo te lo ruego
por San Pego.
ESCUDERO Y cantad, cantad, pastores,
que para cantar de amores
ayudaros he yo luego. 450

---

448. *EAM, EAO: om.* y.
450. *C1507:* ayudaros; *EAM:* ayudar vos he; *EAO:* ayudar vos he l. *Los textos en EAM y EAO acaban con el siguiente «Villancico», ya recogido en C1496:*

Villancico

Ojos garços ha la niña,
¿quién gelos (e)namoraría?
Son tan bellos y tan vivos
que a todos tienen cativos,
mas muéstra(n)los tan esquivos
que roban el alegría.
Roban el plazer y gloria,
los sentidos y memoria,
de todos llevan vitoria
con su gentil galanía.
Con su gentil gentileza
ponen fe con más firmeza,
hazen vivir en tristeza
al que alegre ser solía.

Fin

No ay ninguno que los vea
que su cativo no sea,
todo el mundo los desea
contemplar [de] noche y día.

---

441 *ahotas:* 'cierto, en verdad', *I,* 31.
447 *San Pego:* véase *Ég. VII,* 237.

XI

Aucto del repelón

AUCTO DEL REPELÓN, en el qual se introduzen dos pastores, Piernicurto y Johanparamás, los quales estando vendiendo su mercadería en la plaça, llegaron ciertos estudiantes que los repelaron, faziéndoles otras burlas peores. Los aldeanos, partidos el uno del otro por escaparse dellos, el Johanparamás se fue a casa de un cavallero; y entrando en la sala, fallándose fuera del peligro, començó a contar lo que le acaesció. Sobreviene Piernicurto en la reçaga, que le dize cómo todo el hato se ha perdido. Y entró un estudiante, estando ellos fablando, a refazer la chaça, al qual, como le vieron solo, echaron de la sala. Sobrevienen otros dos pastores, y levanta Johanparamás un villancico.

JOHANPARAMÁS ¡Apartá y hazé llugar!
Dexá entrar, ¡cuerpo del cielo!,
que ño me han dexado pelo
ña cholla por repelar.
Mandá ora, señor, cerrar 5

Sigo el texto de *C1509*, fols. 101*v*-104*r*, donde únicamente fue editado el auto. No lo recogió ningún otro cancionero enciniano, ni tampoco parece que lo hiciera pliego suelto alguno, aparte la falsificación moderna de J. Sancho Rayón (véase el cap. de «fuentes textuales» en la introducción de la presente obra). No supuso una aportación decisiva la edición de Alfredo Alvarez de la Villa, París, Paul Ollendorf, 1912.

2 *cuerpo de:* especie de interjección o juramento.

3 *ño:* el auto intensifica considerablemente los rasgos rústicos y dialectales del habla pastoril, como, en este caso, la palatalización de *n-* en el adverbio de negación.

aquella puerta de huera,
que viene una milanera
tras mí por me carmenar.

No ha poder que ño esté el hombre
acá dentro más seguro. 10
¡Par Dios, par Dios, que lo juro,
porque es juramento dobre!
Que onque la burra ño cobre
ni el hato recaldasse,
a la praça ño tornasse, 15
ño, ¡en buena fe, juria dobre!

Ahuera, que andan por alto
ña praça los repelones;
si me estoviera en rezones
y ño veniera en un salto, 20
yo traxiera en chico rato
las llanas tan carmenadas
que aquellas gentes honradas
lo hezieran buen barato.

¡A, cuerpo de Sant Antón, 25
cómo está el hombre acossado!
On agora estó embaçado
donde hay tanto vellacón.
¡Doy al diabro tal montón
de gente tan endiabrada! 30
La huerça puse dobrada
por salir de un rebentón.

---

6 *huera:* 'fuera', con aspiración de *f-*, también característica del habla pastoril.

7 *milanera:* quizá 'bandada de milanos', aves rapaces y de mal agüero.

8 *carmenar:* «mesar y tirar de los cabellos a uno repetidamente, repelándole, maltratándole y riñendo con él» *(Aut.)*.

13 *onque:* variante rústica, por 'aunque'.

14 *recaldase:* 'recaudase, cobrase', del dialecto leonés.

16 *juria dobre:* véase *Ég. VIII,* n. 132.

26 En la inestable grafía del texto alternan las formas *est-/st-* (*estoviera/stá, estudiante/studie,* etc.); restituyo la *e-* con el fin de allanar la lectura; *el hombre:* con valor de indefinido, 'uno'.

27 *on:* por 'aún'.

Aosadas que voy honrado
de la villa desta hecha;
on algunos ño aprovecha 35
tanto lo que han estudiado.
Otros avrán más gastado,
ca mí, sin saber leer,
me han hecho acá bachiller,
que branca ño me ha costado. 40

¡A, ñunca medre la cencia
y on el puto que la quier!
Miafé, el que a mí me creyer
ño estudie tan ruin sabencia,
que vos juro en mi concencia, 45
que si mucho la estudiara,
que más cara me costara
quiçás que alguna correncia.

Quiera a Dios que ño bulrassen
con l'otro desta manera 50
porque darl'ían quisquiera
sin que mucho lo dudassen.
¿Quál haría si amontassen
las burras con sus gingrones?,
que ño marrarían ladrones 55
que en Dios valme las hurtassen.

PIERNICURTO ¡Alá va todo para'l diabro,
burras, arganas y puerros!
Ño ay más concencia que en perros
en ellos, ¡juria San Pabro! 60
On me espanto como habro

---

33 *asoadas* en el texto, por error.
48 *correncia:* 'diarrea' (véase José De Lamano, *Dialecto vulgar salmantino*, Salamanca, 1915, pág. 354).
54 *gingrones:* 'cinchas' (Lamano, pág. 473).
56 *hurtasses* en el texto, por error.
57 *alá:* por 'allá'.
58 *arganas:* «instrumento a modo de cestones o angarillas con la armadura de arcos, que se pone sobre las bestias para llevar la comida a los que trabajan en el campo» *(Aut.)*.

	según en lo que me he vido,	
	más preciaría ya ser ido	
	que la llabrancia que llabro.	
Johanparamás	¡O, pesar de San Botín!	65
	¿Y las burras son perdidas?	
Piernicurto	¡Par Dios, dalas tú por idas!	
Johanparamás	Yo te juria San Martín	
	quiçás c'algún hideruin	
	lle prazerá con su ida.	70
Piernicurto	¿La tuya estava parida?	
Johanparamás	¡Mas preñada de un rocín!	
	¡Dios, que desta garatusa	
	ternemos bien qué contar!	
Piernicurto	Y a tu amo que pagar,	75
	a segundo lo que él usa.	
Johanparamás	Ño, la paga ño se escusa.	
	¡Hideputa! ¿pues, quál otro?	
	Ora dévele un quellotro	
	y verás cómo te acusa.	80
Piernicurto	Avérsele has de pagar	
	bien hasta el peor pelo.	
Johanparamás	Esso júralo tú al cielo,	
	que me ha él de querer llevar	
	lo que ogaño he de ganar	85
	por la burra y lla preñez.	
Piernicurto	Ño, que está ya na vejez	
	y querráte perdonar.	
Johanparamás	Duelos tengo en essa guarda	
	si la burra ño he a la mano;	90
	si le he de dar lo que gano,	
	on agora ño se tarda.	
Piernicurto	Pues, ¿ño cuentas tú la alvarda	
	que era quasi ñovatina?	

64 *llabro:* con palatalización de *l-,* del habla pastoril.

73 *garatusa:* «un lance del juego que llaman del chilindrón o pechigonga, en que el que se descarta antes que otro juegue de las cartas que le tocaron, vence el juego, y esto llaman dar garatusa» *(Aut.).*

79 *quellotro:* véase *IX,* 14.

JOHANPARAMÁS	On essa es otra harina.	95
	Caro costará la parda.	
PIERNICURTO	Tornémolas a catar	
	donde estábamos denantes	
	entre aquellos estudiantes.	
JOHANPARAMÁS	¡Qué apero para medrar!	100
	Pues, más ños valdría pagar	
	las burras con las setenas.	
	Adobars'ían las melenas,	
	¡ruin sea yo si allá tornar!	
	¡Para ésta con que me signo	105
	que ñunca a la villa vaya!	
PIERNICURTO	¡Jura mala en piedra caya!,	
	que ternás ya mejor tino	
	y vernás otro camino	
	desque lo ayas olvidado,	110
	que ora estás amedrentado.	
JOHANPARAMÁS	Nunca más perro al molino.	
PIERNICURTO	Aína me querré reír	
	del miedo que has oy cobrado.	
JOHANPARAMÁS	Desque me vi acorrelado	115
	y que ño podía salir,	
	de que ño podía a huir	
	aquexávaseme esta alma,	
	que me tomó una tal calma	
	que me pensé de transir.	120
PIERNICURTO	Al que tú vías allegar	
	dos palos bien arrimados.	
JOHANPARAMÁS	Estavan tan apegados	
	que ño me podía mandar.	
	Comencéme a levantar	125
	y hízose un remolino,	

102 *setenas:* «pagarlo con las setenas: frase alusiva con que se explica el daño o castigo que alguno ha padecido desigual o excesivo a la culpa que cometió» *(Aut.)*.

112 *ñunca más perro al molino:* refrán que alude a los escarmentados de algún mal que les sucedió; el perro que fue a lamer al molino y salió apaleado.

	que ño pude hazer camino	
	por do oviesse de appeldar.	
PIERNICURTO	¡Hideputa y qué zagal!	
	Noramala acá veniste.	130
JOHANPARAMÁS	Y a ti, ¡do al diabro triste!,	
	¿ño te hizon otro tal?	
PIERNICURTO	Yo te juro a San Doval	
	que si ellos me repelaran	
	que quiçás que recaldaran	135
	para sí harto de mal.	
JOHANPARAMÁS	Vera que, ¡cuerpo de mí!,	
	con lo que estás ý diziendo,	
	pues, ¿por qué venías corriendo	
	quando entraste por allí?	140
PIERNICURTO	Porque pensaba que aquí	
	te estavan on repelando.	
JOHANPARAMÁS	¿Y veníaste recatando	
	si venía alguien tras ti?	
	Y que tú aquí los hallaras	145
	y me vieras repelar,	
	¿hiziérasme tú dexar	
	por mucho que trabajaras?	
PIERNICURTO	Tú vieras, si lo miraras,	
	con lo que les dixiera	150
	qué provecho te viniera.	
JOHANPARAMÁS	Y tú mucho bien libraras.	
	Yo juro a San Salvador	
	que si ellos habrar te oyeran,	
	que en buen prazer se lo ovieran	155
	de tomarte por fiador.	
	Truxiérante al derredor	
	por aquessos guedejones,	
	ni te valieran rezones	
	ni habrar como dutor.	160

128 *appeldar:* 'huir' (Lamano, pág. 234).

132 *hizon:* por 'hizieron', formación analógica del pretérito en *-n,* bastante frecuente en este auto.

160 *dutor:* por 'doctor', forma vulgar y dialectal.

	El palo bien arrimado	
	zimbrado ñaquella tiesta,	
	ño te hueras sin respuesta	
	onque hueras ahotado.	
PIERNICURTO	En otras me he yo hallado	165
	donde harta priessa havía,	
	mas desque más ño podía,	
	huía por lo escampado.	
JOHANPARAMÁS	¡A la he!, ansí hize yo	
	por amor de los cabellos,	170
	y desque salí de entrellos,	
	maldito aquel que curó	
	de echar tras mí ni corrió.	
PIERNICURTO	Y aun, ahotas, que después	
	ño se dormiessen los pies.	175
JOHANPARAMÁS	En buena fe, ¿por qué ño?	
PIERNICURTO	Ora, sus, daca, aliñemos.	
	Aballa, si quieres, di.	
JOHANPARAMÁS	Mas, por tu vida, que aquí	
	dambos y dos nos posemos.	180
PIERNICURTO	¡Dal al diabro!, ño engorremos	
	aquí agora en nos posar.	
JOHANPARAMÁS	Ñunca vi tal porfiar;	
	rellánate ora, holguemos.	
PIERNICURTO	Toma por ende, ¡qué apero	185
	para haver mucho provecho!	
JOHANPARAMÁS	Siéntate, ño estés erguecho.	
PIERNICURTO	¡Anda, vate! Que ño quiero.	
JOHANPARAMÁS	¿Por qué sos tan tesonero?	
	¡Pósate, ansí Dios te valga!	190
PIERNICURTO	Ño puedo con una nalga.	
JOHANPARAMÁS	¿Cómo? ¿Hay algo nel trasero?	
PIERNICURTO	Al fin me ovon de caber	
	daquellas barraganadas	

---

164 *ahotado:* de *ahotas,* véase *I,* 31.
181 *engorremos:* 'entretengamos, divirtamos' (Lamano, pág. 419).
187 *erguecho:* 'erguido', formado analógicamente con *erecho* (*DCECH*).
193-96 *ovon, pudon:* véase n. 132.

	en las nalgas dos picadas,	195
	que más ño pudon hazer.	
JOHANPARAMÁS	¡Hideputa, y qué prazer!	
	¡Con el rabo te justavan!	
PIERNICURTO	Sabe que se le apegavan.	
JOHANPARAMÁS	Sí, sí, que ansí havía de ser.	200
PIERNICURTO	Calla, c'aún se vengará,	
	¡yo te lo juro par Dios!,	
	porque irán de dos en dos	
	al agosto por allá,	
	y por lo que hizon acá	205
	yo te les daré la paga.	
JOHANPARAMÁS	Diga la barba qué haga.	
PIERNICURTO	Juro al cielo se hará.	
JOHANPARAMÁS	¡Hideputa, quién te viesse	
	embuelto con un par dellos!	210
PIERNICURTO	Ño habría hilas en ellos	
	si en el campo los tuviesse.	
	Y ruin sea yo, si huyesse	
	dellos, aunque fuessen ocho.	
JOHANPARAMÁS	Pues ño avrían en ti esgamocho	215
	si como tú dizes fuesse.	
PIERNICURTO	¿Soncas que ño era mal año	
	que m'avían de sopear?	
JOHANPARAMÁS	Bien los podrás esperar,	
	mas al menos con tu daño.	220
PIERNICURTO	Huzia en Dios, que ya me amaño	
	a tirar bien con la honda	
	la puta piedra redonda	
	que juña como picaño.	
JOHANPARAMÁS	Sí chapadamente huyen	225
	si tras ellos va algún canto.	
PIERNICURTO	Y acá puestos d'un manto	
	parece que ño se bullen.	
JOHANPARAMÁS	¡Ha, ño hay diabro que ño bulren!	

---

215 *esgamocho:* 'desmoche, corte' (Lamano, pág. 435).
221 *huzia:* véase *V*, 6.
224 *juña:* quizá 'vuele, se deslice'.

PIERNICURTO	Ora déxalos gingrar,	230
	que si ellos van al llugar,	
	yo les haré que ño cuquen.	
JOHANPARAMÁS	¡Digo, hao! ¡Y quál haría	
	si los oviesses de ver	
	embueltos con tu muger!	235
PIERNICURTO	¡Ox, ahuera! Si los vía,	
	maldito el que quedaría	
	ca a palos ño derrengasse.	
JOHANPARAMÁS	Tan aína se le antojasse.	
PIERNICURTO	Ño, ninguno ño osaría.	240
JOHANPARAMÁS	Uno ño, mas todos sí.	
PIERNICURTO	Ora ya que ño harán.	
JOHANPARAMÁS	Sí, bien sé que ño osarán,	
	que se espantarán de ti.	
PIERNICURTO	A la he, si yo estó allí,	245
	ño serán tan ahotados;	
	que aunque sean bien rebessados	
	habrán buen miedo de mí.	
JOHANPARAMÁS	Juro a Sant Pego que traen	
	la vergüença ya tan rasa,	250
	que se chapen llugo en casa	
	primero que ñada habren.	
	Ño hayas tú miedo que llamen	
	son dan una palmadina,	
	y si ellos hallan rapina,	255
	ño estarán que ño la rapen.	
PIERNICURTO	Ora llevántate ya,	
	aballemos ya de aquí.	
JOHANPARAMÁS	Anda, que bien t'estás ý;	
	ño salgamos or'allá.	260
PIERNICURTO	Quiçás que peor será	

---

230 *gingrar:* véase n. 54; «emplea este término Juan del Encina, indudablemente que en acepción traslaticia de burlarse del prójimo en forma extremada» (Lamano, pág. 473).

232 *cuquen:* véase *I,* 171.

239 El original repite *se,* por error.

254 *son:* 'si no'.

	si t'estás ende posado.	
	Vendrá algún descadarrado	
	a ver si estamos acá.	
JOHANPARAMÁS	Calla ya, que ño vernán,	265
	c'allí quedan todos yuntos.	
	Si nos caen nos berruntos,	
	a buena he, sí harán.	
PIERNICURTO	Yérguete ora ende, Joan,	
	ño estés ende reñaziendo.	270
JOHANPARAMÁS	Anda, ño estés empuxando,	
	que nunca acá aportarán.	

Entra el Estudiante

PIERNICURTO	¡Digo, hao! ¿Crees en Diose?	
	¿Ves? Acá ven la llangosta.	
	Estaos por hí de recosta.	275
	Ño hay quien con ellos repose.	
JOHANPARAMÁS	Pues agora veréis vose	
	cómo bulle el repelón.	
PIERNICURTO	Buena será essa rezón,	
	pues entiendo que ñon ose.	280
JOHANPARAMÁS	¡O pesar de San Contigo!	
ESTUDIANTE	Pastores, ¿por qué reñéis?	
PIERNICURTO	Quita allá, n'os apeguéis.	
ESTUDIANTE	¿Y en esto qué mal os digo?	
PIERNICURTO	Pues mirá, don Papaigo,	285
	ño bulres con la persona.	
JOHANPARAMÁS	Sí, sí, para mi corona	
	qu'es el embuelto contigo.	
ESTUDIANTE	Veamos por qué teméis,	
	pastores, qu'esté yo aquí.	290

263 *descadarrado:* 'descarriado'.

267 *nos:* 'en los'; *berruntos:* 'barruntos, conjeturas, indicios' (en el original, *beruntos*).

270 *reñaziando:* de *reñaciar,* 'descansar, holgar sosegadamente' *(DCECH).*

273 *Diose:* con *-e* paragógica, como *vose* del v. 277.

281 *San Contigo:* otro nombre del santoral burlesco a que tantas veces recurre el auto.

PIERNICURTO	Mejor será que os vais d'í,	
	par Dios, que ño que os estéis.	
	Dend'ahuera habraréis,	
	ño tengáis estos quellotros.	
ESTUDIANTE	¿De qué lugar sois vosotros?	295
JOHANPARAMÁS	¿Y por qué bueno lo havéis?	
ESTUDIANTE	Suélese assí preguntar.	
PIERNICURTO	Pues sabé qu'es muy ruin uso.	
ESTUDIANTE	Dezid ya.	
JOHANPARAMÁS	Que d'allá yuso.	
ESTUDIANTE	¿De qué parte?	
PIERNICURTO	D'un llugar.	300
ESTUDIANTE	Dezid si havéis de acertar.	
PIERNICURTO	Que d'allá, d'azia Lledesma.	
ESTUDIANTE	Dime tú la aldea mesma.	
JOHANPARAMÁS	¿Vos queréisnos empraziar?	
ESTUDIANTE	Dezid, que no haré, por cierto.	305
PIERNICURTO	Pues ¿por qué lo pesquisáis?	
ESTUDIANTE	No, por nada, no temáis.	
PIERNICURTO	Ño trahéis vos buen concierto;	
	pues ño me pondréis naprieto	
	onque me veis mal pendado.	310
JOHANPARAMÁS	¡Con el diabro havéis topado	
	para que ño esté despierto!	
ESTUDIANTE	De discretos es aviso	
	en las cosas do hay temor.	
PIERNICURTO	¿Y si vos sois bulrador?	315
ESTUDIANTE	Dime tú lo que pesquiso,	
	pues él de miedo no quiso.	
JOHANPARAMÁS	Este ño trahe rundade,	
	que el que emprazia en la cibdade	
	diz que trahe un palo lliso.	320
	Di, ¿quiés que lle lo digamos?	

302 *Lledesma:* con palatalización de *l-;* comp. *Ég. I,* 166.
304 *empraziar:* 'emplazar'.
309 *naprieto:* 'en aprieto'.
310 *pendado:* 'peinado', comp. *VII,* 76.
318 *rundade:* 'ruindad', con *-e* paragógica y contracción del diptongo.

PIERNICURTO ¡Par Dios! ¿Dezírllelo quieres?
JOHANPARAMÁS Sí, si tú por bien tovieres.
PIERNICURTO ¡Par Dios, bonicos estamos!
Pues de la otra ya escapamos, 325
ño será ora maravilla
que éste traya otra tranquila.
JOHANPARAMÁS Llugo callemos entramos.
ESTUDIANTE Según el miedo tenéis,
alguna rebuelta ovistes. 330
PIERNICURTO Bien sé que vos algo vistes.
ESTUDIANTE Cierto, no sé lo que havéis.
Dezídmelo, si queréis.
PIERNICURTO ¡Par Dios, digo que ño quiero!
ESTUDIANTE ¡Por tu vida, compañero! 335
JOHANPARAMÁS ¡Sí, para que os empiquéis!
ESTUDIANTE Pues acaba, dilo ya.
PIERNICURTO Que ño quiero, ni me pago
ESTUDIANTE ¿Ni por mal ni por halago?
PIERNICURTO Pues yo os do la fe, mirá 340
que on el diabro os traxo acá
a sacar por punticones.
JOHANPARAMÁS Ño curés dessas rezones.
PIERNICURTO Otra boba está cullá.
Dexa, déxame tú a mí, 345
yo lle atestaré el fardel.
JOHANPARAMÁS Ño porfíes más con él.
Díllelo, váyase d'í.
PIERNICURTO Pues yo por amor de ti
ño te hiziesse otro tal, 350
quisera dezir tu mal.
JOHANPARAMÁS ¡A la he, tórnate por ý!
ESTUDIANTE Pues que ya te lo he jurado,
van acá, dímelo tú.
JOHANPARAMÁS ¿Querés saber lo que hu? 355
Engañonos, ¡mal pecado!

---

342 *punticones:* lo mismo que *puntillones,* 'empujones' (Lamano, pág. 590).

355 *hu:* 'fue', véase *I,* 48.

	Qu'estávamos nel mercado	
	ña aquella praça denantes,	
	un rebaño d'estudiantes	
	nos hizon un mal recado.	360
	¡Aquéste yo os do la fe	
	que bonico lo paroren!	
PIERNICURTO	Y a mí ño me repeloren.	
JOHANPARAMÁS	Assí hizonte ño sé qué.	
PIERNICURTO	Ño, que yo bien me guardé.	365
JOHANPARAMÁS	Bien qu'el rabo lo pagó,	
	¿cuidas que ño lo sé yo?	
PIERNICURTO	¡Cocorrón que te daré!	

Repela el Estudiante a Piernicurto

PIERNICURTO	¡No llegués vos a la morra!	
	Si ño, yo juria a San Joan,	370
	quiçás si ahorro el gabán	
	y a las manos he la porra,	
	que por bien que alguno corra	
	lo alcance tras el cogote,	
	aunque sea hidalgote,	375
	que le paresca modorra.	
ESTUDIANTE	¡Hideputa, bobarón!	
	¿Vos osais amenaçar?	
PIERNICURTO	¡O, doy al diabro llazar!	
ESTUDIANTE	Aparta allá, modorrón,	380
	grande y malo baharón	
	n'os hago yo ir noramala.	
JOHANPARAMÁS	¡Par Dios, assí Dios me vala,	
	que vos tenéis gran rezón!	
PIERNICURTO	¿A vos, quién manda llegar	385
	a repelar la persona?	
JOHANPARAMÁS	Porque sea de corona,	

362-63 *paroren, repeloren:* terminación verbal característica del auto para la tercera persona del pretérito de los verbos en *-ar*.

371 *ahorro:* 'quito'.

381 *baharón:* 'maharón, desdichado' *(DCECH)*.

¿cuida que ño l'an d'abrar?

ESTUDIANTE En burla se ha de tomar.

PIERNICURTO ¡Allá, allá, cuerpo de Dios! 390
D'otros ruines como vos
presumí vos de burlar.
Pues yo's do la fe que entiendo
que ha de venir a más mal.
¡Doy al diabro el ciguñal! 395
¿Por qué anda agora cutiendo?
Vos mucho andáis presumiendo,
repelando a hurtadillas.
¡Mullámosle las costillas,
qu'esso es lo qu'él anda hurdiendo! 400

JOHANPARAMÁS ¡O, cuerpo de Santillena!
Pues que somos dos a uno,
antes que venga otro alguno,
frisémosle la melena.

PIERNICURTO Mas si quieres buena y buena, 405
pues qu'ellos nos paran malos,
botémosle d'aquí a palos.

JOHANPARAMÁS ¡San Julián y buena estrena!
Dun Quartos de Maquillón,
¿por qué m'avéis repelado? 410
¿(H)on tornáis manisalgado
a darme otro repelón?

PIERNICURTO ¡Dale, dale, rodión!
Ño le estés assí amagando
por qu'esté refunfuñando. 415

JOHANPARAMÁS ¡A! ¿Huís, dun llamparón?

PIERNICURTO ¡O, qué palo le froqué
en aquellos rabaziles!

JOHANPARAMÁS Otro le di en los quadriles

---

408 *¡San Julián y buena estrena!:* véase *Ég. VIII,* n. 39 y 40.
409 *dun:* por *don,* tratamiento despectivo, variante rústica y dialectal con cierre extremo de la vocal.
417 *froqué:* 'sacudí, descargué'.
418 *rabaziles:* 'nalgas' *(DCECH).*
419 *quadriles:* 'caderas'.

	que quasi lo derengué.	420
[PIERNICURTO]	Allí viene Juan Rabé.	
	Muy bien estaría a nos	
	cantássemos dos por dos.	
JOHANPARAMÁS	Pues yo lo llevantaré.	

Villancico

Hago, cuenta que oy ñascí. 425
¡Bendito Dios y lloado,
pues ño me hizon licenciado!
Norabuena acá venimos
pues que tan sabiondos vamos
espantarse han nuestros amos 430
desta cencia c'aprendimos.
Ya todo que lo perdimos
y las burras he olvidado,
pues ño me hizon licenciado.
El que llega a bachiller 435
llugo quiere más pujar,
mas quien ño quisiere entrar
a estudio ni deprender,
¡mirá si lo abrá en prazer
después de bien repelado, 440
destojar en licenciado!

---

421 *Juan Rabé:* D. Becker, «De l'usage de la musique...», art. cit., pág. 42, sugiere que puede tratarse de Juan de Madrid, ministril de la corte del príncipe don Juan.

441 *destojar: estojar,* 'crecer, desarrollarse, convertirse en' (Lamano, pág. 453).

Cristino.
Justino.
Febea. Amor.

XII

Égloga de Cristino y Febea

ÉGLOGA NUEVAMENTE TROBADA POR JUAN DEL ENZINA, adonde se introduze un pastor que con otro se aconseja, queriendo dexar este mundo y sus vanidades por servir a Dios; el qual, después d'averse retraído a ser hermitaño, el dio d'Amor, muy enojado porque sin su licencia lo avía fecho, una ninpha embía a le tentar, de tal suerte que forçado del Amor dexa los ábitos y la religión.

INTERLOCUTORES

CRISTINO. JUSTINO. FEBEA. AMOR.

CRISTINO — En buena hora estés, Justino.
JUSTINO — ¡O Cristino!
Tú vengas tanbién en tal,
amigo mío leal.
¿Fasta dó llevas camino? 5
CRISTINO — Fasta aquí vengo no más.
JUSTINO — ¿Y no vas
adelante más de aquí?
CRISTINO — Que no vengo sino a ti

Transcribo el texto de *ECFS,* único testimonio conservado de esta égloga.

ver qué consejo me das. 10

JUSTINO — Deves de buscar consejo
de hombre viejo.

CRISTINO — Soncas, por el tuyo vengo.

JUSTINO — Pues para mí no lo tengo,
hallarás mal aparejo. 15

[CRISTINO] — En concejo, aunque eres moço,
yo conoço
que más crédito te dan
que al crego ni al sacristán.

JUSTINO — Sábete que los destroço. 20
Bien sabes, Cristino amigo,
que les digo
sin tranquilla y sin ruindad
la punta de la verdad:
tú sos dello buen testigo. 25
Siempre les digo lo cierto,
muy despierto,
que en esta lengua maldita
no se me para pepita,
y si miras, siempre acierto. 30

CRISTINO — Y aun por esso vengo acá,
¡mifé, ha!,
para que con tu saber
me digas tu parecer
en lo que mucho me va. 35

JUSTINO — Ora di, Cristino, di.
Juro a mí,
que te diga lo que siento.

CRISTINO — Quiero dezirte el intento.
Apartémonos aquí. 40

---

13 *soncas:* 'cierto', véase *Ég. I,* 2.

16-19 En el original, estos versos van atribuidos erróneamente a Justino.

19 *crego:* por *clérigo,* véase *X,* 282.

23 *tranquilla:* 'engaño, trampa'.

25 *sos:* 'eres', ver *V,* 83; es la forma que emplea repetidamente Justino para dirigirse a Cristino, pero cuando se dirige a Amor, emplea 'eres'.

32 *ha:* 'sí', ver *I,* 142.

Ya sabes, Justino hermano,
quán liviano
y quán breve es este mundo,
y esto por razón me fundo:
que es como flor de verano, 45
que si sale a la mañana
fresca y sana,
a la noche está ya seca,
que muy presto se trastueca
y más pierde quien más gana. 50
Tanbién sabes los ventiscos,
los pedriscos,
los tormentos, los nublados,
que por mí son ya passados,
los peligros, los arriscos. 55

JUSTINO En esso, cierto, no mientes:
mil crecientes
arroyos, mares y ríos,
nieves, aguas, vientos, fríos
has passado y mil corrientes. 60

CRISTINO Pues si digo enamorado,
mal pecado,
tanpoco no mentiré:
bien puedo dezir que fue
venturoso y desdichado. 65

JUSTINO Que fuesses y que lo sos,
juro a nos,
el más huerte del lugar.

CRISTINO Todo lo quiero dexar
y darme a servir a Dios. 70
Quiero buscar una hermita
benedita,
do penitencia hazer
y en ella permanecer

45 La comparación de la brevedad de la vida con la caducidad de las flores en primavera es un bello tópico de larga tradición literaria.
55 *arriscos:* 'riesgos, peligros'.
64 *fue:* 'fui'.

para secula infinita. 75
Si quanto mal y cuidado
he passado
por amores y señores
sufriera por Dios dolores,
ya fuera canonizado. 80
Qualquiera cosa fenesce
y perece,
salvo el bien hazer no más.
Di, ¿qué consejo me das?
Quiero ver qué te parece. 85

JUSTINO Seguir las santas pisadas
y sagradas
es muy bueno quando tura,
mas, cierto, cosa es muy dura
dexar las cosas usadas. 90
¿Cómo podrás olvidar
y dexar
nada destas cosas todas,
de bailar, dançar en bodas,
correr, luchar y saltar? 95
Yo lo tengo por muy duro,
te lo juro,
dexar çurrón y cayado,
y de silvar el ganado
no podrás, yo te seguro. 100
¡O qué gasajo y plazer
es de ver
topetarse los carneros
y retoçar los corderos

---

75 Es característico en la obra el empleo de algunos latinismos en boca de Cristino.

80 Es un encarecimiento hiperbólico en el que los motivos profanos, amorosos, se mezclan con otros sagrados. Estas hipérboles sacroprofanas fueron muy usadas por los poetas cancioneriles.

88 *tura:* 'dura'.

95 Son las aquí enumeradas las actividades más propias y características de la vida pastoril: bailar, danzar, correr, saltar (comp. *Égs. VII y VIII*).

101 *gasajo:* véase *Ég. II,* 79.

y estar a verlos nacer! 105
Gran placer es sorver leche
que aproveche
y ordeñar la cabra mocha,
y comer la miga cocha
yo no sé quien lo deseche. 110
Pues si digo el gasajar
del cantar
y el tañer de caramillos
y el sonido de los grillos,
es para nunca acabar. 115

CRISTINO Dexar todo determino
ya, Justino,
porque el alma esté sin quexa:
más merece quien más dexa,
no me estorves el camino. 120

JUSTINO De estorvarte no ayas miedo,
que no puedo;
mas, cierto, mucho me pesa
que tomas muy grande empresa
y sin ti muy solo quedo. 125

CRISTINO Yo me parto ya de ti
desde aquí.

JUSTINO Hora vete ya, pues quieres;
plega a Dios que perseveres
y ruegues a Dios por mí. 130

Habla consigo Justino

¡Quién dixera que Cristino,
mi vezino,
viniera a ser hermitaño!
No creo que cumpla el año,
a según que dél magino. 135
Ahotas, según quien es,

---

109 *cocha:* 'cocida'.
135 *magino:* aféresis, ver *V*, 87.

que a un mes
pongo en duda que él ature.
Nunca más mal año dure,
que amor le dará revés. 140

AMOR ¡Ha, pastor; verás, pastor!
JUSTINO ¿Qué, señor?
AMOR Escucha.
JUSTINO Digo, ¿qué hu?
AMOR Ven acá.
JUSTINO ¿Quién eres tú?
AMOR Yo soy el dios del amor. 145
JUSTINO ¿Del amor dizes que eres?
¿Y qué quieres?
AMOR Yo te diré lo que quiero.
¿Qué es de tu compañero?
JUSTINO Despidióse de plazeres. 150
Fuesse por essa montaña
tan estraña,
por huir de tu potencia.
AMOR Pues se fue sin mi licencia,
yo le mostraré mi saña. 155
Yo haré su triste vida
dolorida
ser más áspera y más fuerte,
desseosa de la muerte,
que es peor la recaída. 160
JUSTINO Más pareces, a mi ver
y entender,
lechuza que no Cupido:
eres ciego y buscar ruido,
poco mal puedes hazer. 165
Traes arco con saetas
muy perfetas
y tú no vees a tirar,
tienes alas sin bolar,

---

138 *ature:* de *aturar,* 'durar'.
143 *hu:* 'fue'.

	tus virtudes son secretas.	170
Amor	Yo soy ciego porque ciego	
	con mi fuego;	
	saetas con arco trayo	
	y alas, porque como un rayo	
	hiero en el coraçón luego.	175
	A Cristino, aquel traidor	
	de pastor,	
	por tomar fuerças comigo,	
	yo le daré tal castigo	
	que en otros ponga temor.	180
Justino	Haz lo que por bien tovieres	
	y quisieres,	
	que, cierto, plazer avré,	
	pues me dexó y se fue	
	huyendo de mil plazeres.	185
	A meterse fue hermitaño.	
Amor	Por su daño	
	yo haré que mal fin aya	
	y que cierta nimpha vaya	
	a tentarle con engaño.	190
Justino	Allá te ve con tu tiento	
	y tormento,	
	déxame estar aquí solo.	
	Vete a Cristino.	
Amor	¿Y adólo?	
Justino	Allá está en su convento.	195
	Tanbién yo quiero tentar	
	y provar	
	mi rabé qué tal está.	
Amor	Comiença, tiéntale ya,	
	que ya te quiero dexar.	200
	¡O nimpha, mi Febea!	
	Porque vea	
	la fe que tienes a mí,	
	me quiero servir de ti	
	en lo que mi fe dessea.	205
Febea	¡O Cupido muy amado,	

desseado
de los hombres y mugeres!
Manda tú lo que quisieres,
no saldré de tu mandado. 210

AMOR Pues si quieres contentarme
y agradarme,
pon luego pies en camino;
vete adonde está Cristino,
porque dél quiero vengarme. 215
Y dale tal tentación
que affición
le ponga tal pensamiento
que desampare el convento
y dexe la religión. 220
Mas en viéndole encencido
sin sentido,
no te pares más allá,
torna luego para acá,
que él verá quién es Cupido. 225
Yo le daré tanto males
tan mortales
que se muera de despecho,
meteré dentro en su pecho
los más de mis officiales. 230
Luego le visitaré
con la fe,
con el desseo amoroso,
con la pena sin reposo
mil congoxas le daré. 235
El tormento y el cuidado
muy penado
entrará por otra parte,
el amor con maña y arte
le dará por otro lado. 240
Robaréle la memoria

---

230 *officiales:* son los oficiales o capitanes de Amor que, como observa R. Gimeno, ed. cit., aparecen enumerados también en el *Triunfo de Amor* (véase *C1496,* fol. 68*v*).

de la gloria
que piensa aver en el cielo,
no le dexaré consuelo
ni esperança de victoria. 245
Por justicia se destierra
quien me yerra
le destierro con mil quexos,
la esperança desde lexos
le dará muy cruda guerra. 250
Yo haré gran fortaleza
con tristeza
dentro de su coraçón,
alçarán por mí pendón
la lealtad y firmeza. 255
Pondréle con grande enojo
tal antojo
que quiera desesperar;
él se pensó santiguar,
yo haré que se quiebre el ojo. 260
¡Sus, Febea! No te tardes,
más no aguardes,
cumple que allá te arremetas;
toma el arco y las saetas,
mas cata que me lo guardes. 265
Con esta saeta aguda
yo, sin duda,
venço todo lo que quiero,
porque a quien con ella hiero
de mi mando no se muda. 270

FEBEA Yo te tengo ya entendido
bien, Cupido.

AMOR Déxame, que tú verás,
No te pares aquí más.

FEBEA Con tu gracia me despido. 275

AMOR Todo mi poder te doy;
y aun yo voy

---

260 *quebrar el ojo:* 'ejecutar alguna acción que se sabe que otro ha de sentir mucho' (*Aut.*).

a verme después con él,
dándole pena cruel
porque sepa quién yo soy. 280

FEBEA — Deo gracias, mi Cristino.
¿Dó te vino
tan gran desesperación
que dexasses tu nación
por seguir otro camino? 285

CRISTINO — Febea, Dios te perdone,
que me pone
tu vista gran sobresalto;
quien acá no fuere falto
para el cielo se traspone. 290

FEBEA — Bivir bien es gran consuelo
con buen zelo
como santos gloriosos.
No todos los religiosos
son los que suben al cielo. 295
También servirás a Dios
entre nos,
que más de buenos pastores
ay que frailes, y mejores
y en tu tierra más de dos. 300

CRISTINO — Uno tan solo no más
di, verás.

FEBEA — El hijo del messeguero
y el cuñado del herrero
y el padre de Martín Bras. 305

CRISTINO — Adiós te queda, Febea,
no me vean
por te ver perder el alma;
a quien vence dan la palma,
triunfa quien bien pelea. 310

FEBEA — Ven acá, padre bendito,
muy contrito.

---

305 Comp. *Ég. IX,* vv. 355-360.

	Aquí soy por ti venida	
	quiérote más que a mi vida	
	y párlasme tan poquito.	315
CRISTINO	Señora mía, ¿qué quieres?	
	Con mugeres	
	no devo tener razones:	
	a la estopa los tizones	
	presto muestran sus poderes.	320
FEBEA	Por estas manos benditas	
	que me quitas	
	desseo del mallogrado.	
CRISTINO	¿De quién?	
FEBEA	De mi desposado,	
	que se andava por hermitas.	325
CRISTINO	¡Ay Febea, que de verte	
	ya la muerte	
	me amenaza del amor!	
FEBEA	Torna, tórnate pastor,	
	si quiés que quiera quererte.	330
	Assí no te puedo ver,	
	¡ay querer!,	
	aunque quiera serte amiga.	
CRISTINO	¡Ay triste! No sé qué diga,	
	ya no soy en mi poder.	335
	No puedo dexar amores	
	ni dolores;	
	pues que no quieres dexarme,	
	forçado será tornarme	
	a la vida de pastores.	340
	Mi Febea se me es ida,	
	ya no ay vida	
	en mi vida ni se halla;	
	forçado será buscalla	

319 *estopa:* «La estopa cabe el mancebo, dígole fuego. No está bien el fuego cabe las estopas. Refranes que advierten que se debe evitar y excusar la demasiada familiaridad con las mugeres, por el conocido riesgo y peligro que hay en su comunicación» *(Aut.)*.

pues qu'el amor no me olvida. 345
¿Qué digo, qué digo yo?
Dios me dio
razón y libre alvedrío.
¡O, qué mal seso es el mío,
que tan presto se bolvió! 350

Si agora yo renunciasse
o dexasse
la religión que escogí,
yo soy cierto que de mí
todo el pueblo blasfemasse. 355
Aquel es fuerte llamado
y esforçado
que sufre las tentaciones:
quien vence tales passiones
es de gloria coronado. 360

¡Ay, que todo aquesto siento,
y consiento
yo mesmo mi perdición!
Ya ni quiero religión
ni quiero estar en convento. 365
Falso amor, si me dexasses
y olvidasses,
yo biviría seguro
metido tras este muro
si tú no me perturbasses. 370

No sé por qué me maltratas
y me matas,
me atormentas y persigues:
otros tienes que castigues
que te yerran si bien catas. 375
Yo nunca jamás erré
ni falté
de te ser muy servidor
en tiempo que fue pastor,
que siempre seguí tu fe. 380

Ya del mundo estoy muy quito

381 *quito:* 'separado, alejado'.

soy hermito.
No sé para qué me quieres;
tus pesares, tus plazeres
son de dolor infinito. 385

AMOR ¿De qué te quexas de mí?
Heme aquí,
Cristino, bien t'é escuchado;
pues sin causa me has dexado,
quéxate sólo de ti, 390
ingrato, desconocido.

CRISTINO ¡O Cupido,
desmesurado garçón!
¿Aún en esta religión
me quieres tener vencido? 395

AMOR Hete dado mil favores
en amores
y agora tú me dexavas:
creo que ya te pensavas
ser libre de mis dolores. 400
Si los hábitos no dexas,
dos mil quexas
me darás sin ser oído
y serás más perseguido
quanto más de mí te alexas. 405

CRISTINO A mí me plaze dexar
y mudar
aquestos hábitos luego,
mas una merced te ruego
que me quieras otorgar. 410

AMOR ¿Qué merced quieres de mí
hora, di?
Que yo te quiero otorgalla,
aunque era razón negalla
mirando, Cristino, a ti. 415

CRISTINO Pues me muero por Febea,
haz que sea

382 *hermito:* por *ermitaño.*

su querer igual al mío,
que en tu esperança confío
ver lo que mi fe dessea. 420

AMOR Plázeme, la fe te doy
de quien soy
de daros buena igualança,
por que cumplas tu esperança
y mira que yo me voy. 425
No te acontezca jamás
desde oy más
retraerte a religión,
si no, sin ningún perdón
bien castigado serás. 430

CRISTINO Yo te seré buen subjecto,
te prometo.

¡O, si fuesse aquél Justino,
que viene por el camino
allí junto cabe el seto! 435

JUSTINO ¡A, Cristino, Deo gracias!
Bien te espacias,
yo no sé cómo te ha ido.

CRISTINO Después que aquí soy venido
me han venido mil desgracias. 440

JUSTINO ¿Desgracias te son venidas
desmedidas?

CRISTINO ¿Y cómo en duda lo pones?
He passado tentaciones
que nunca fueron oídas. 445

JUSTINO ¿Tentaciones has passado?
¡O, cuitado!
Bien te dixe yo primero
que ser pastor o vaquero
era muy gran gasajado. 450
Las vidas de las hermitas
son benditas,

---

437 *espacias:* 'recreas, diviertes'.
450 *gasajado:* véase *VI,* 123.

mas nunca son hermitaños
sino viejos de cient años,
personas que son prescritas, 455
que no sienten poderío
ni amorío,
ni les viene cachondez,
porque, miafé, la vejez
es de terruño muy frío. 460
Y es la vida del pastor
muy mejor,
de más gozo y alegría;
la tuya de día en día
irá de mal en peor. 465

CRISTINO Ahotas, Justino, que es
sin revés
la verdad esso que habras,
más huelgo una hora entre cabras
que en hermita todo un mes. 470

JUSTINO Bien lo creo, juro a nos,
según sos,
Cristino, regozijado,
aun quiçás con el ganado
servirás mejor a Dios. 475

CRISTINO Y más hora que Cupido
me es venido
con una nimpha a tentar
y muy mal amenazar
porque le puse en olvido. 480

JUSTINO ¿Cupido dizes no más?
Ve, verás
contra lo que te amonesta,
su vengança está tan presta
que no se tarda jamás. 485

---

458 *cachondez:* «el apetito desordenado y venéreo» *(Aut.)*.

460 Comp. Santillana, *Proverbios,* vv. 749-52: «¡O modesta vejedad / que resfría / los viçios de mançebía / e moçedad.» La imposibilidad del amor de viejo es un tópico de la literatura de la época, que aparece en obras dramáticas como el *Diálogo del Amor y un viejo,* de Rodrigo Cota, o el anónimo *Diálogo del Viejo, el Amor y la Hermosa.*

De mi consejo, Cristino,
que me inclino
siempre a remediar tu daño;
antes que cumplas el año
tórnate por tu camino. 490
Vámonos para el lugar
sin tardar,
dexa los ábitos ende,
dalos por Dios o los vende,
no los cures de llevar. 495

CRISTINO De los ábitos, te juro,
no me curo.
Tú, Justino, me los quita;
allí dentro en el hermita
quedarán, yo te seguro. 500

JUSTINO Dusna, dusna el balandrán,
que es afán;
quítate el escapulario,
las cuentas y el breviario,
no semejes sacristán. 505

CRISTINO Amigo mío, Justino,
¡ay, mezquino!
¿qué dirán en el aldea?
Que tornar es cosa fea,
mil pensamientos magino. 510

JUSTINO Ni cures de más pensar
ni dudar;
amuestra plazer pues vienes,
fíngelo pues no lo tienes,
trabaja por te alegrar. 515

CRISTINO ¿Dónde está tan gran tristura
y amargura,
Justino, como la mía?
Mal se finge el alegría,
sobre negro no ay tintura. 520

---

501 *dusna:* de *dusnar,* 'desnudar, quitar': *balandrán:* 'vestidura talar, especie de hábito'.

520 *sobre negro no ay tintura:* «frase que, además del sentido recto, da a en-

Mira quán deshecho estoy
que me voy
a la muerte por amores,
con estos y otros dolores
ya no semejo quién soy. 525

JUSTINO Ora, sus, caminemos,
no tardemos;
vamos al lugar, carillo,
que nuestro poco a poquillo
todo lo remediaremos. 530
¿El bailar has olvidado?
¡Dios loado!

CRISTINO Cuido que no, compañón;
hazme, por provar, un son.

JUSTINO Que me praze muy de grado. 535
¿Qué son quieres que te haga?

CRISTINO Haz, Dios praga,
qual quisieres, compañero.

JUSTINO ¿Quieres uno vigillero
de los de Jesú de Braga? 540

CRISTINO Tienta, tiéntalo, Justino.

JUSTINO ¡Sus, Cristino!
Ponte en corro como en lucha,
otea, mira, escucha,
que yo creo que es muy fino. 545

CRISTINO No le puedo bien entrar
ni tomar,
que es un poco palanciano.
Hazme un otro más villano,
que sea de mi manjar. 550

JUSTINO Di quál quieres, noramala,
que te haga.
¿No dizes lo que querrías?

---

tender que llegan las cosas algunas veces a estado en que no tienen remedio o composición» *(Aut.)*. «Sobre negro no ai tintura, sino amar i buen querer» (Correas, *Vocabulario de refranes*).

539 *vigillero:* 'de vigilia, nocturno'.

548 *palanciano;* 'palaciego', *VIII*, 498.

CRISTINO Uno de los que tañías
a la boda de Pascuala. 555
Aquesse, aquesse es galán,
juro a san;
mira cómo lo repico,
yo te juro y certifico
que los pies tras él se van. 560

JUSTINO Pega, pégale, moçuelo,
muy sin duelo.
No ay quien en medio se meta,
alto y baxo y çapateta,
y el grito puesto en el cielo. 565
A ello, no te desmayes,
que bien caes
punto por punto en el son
Dale, dale, compañón,
esfuerça que te descaes. 570
Nómbrate hi de cornudo,
que estás mudo.
Suene, suene tu lugar.

CRISTINO ¡La Venta del Cagalar,
el hijo de Pezteñudo! 575

JUSTINO Assí, pésete Sant Pego
con el juego
y al cuerpo dé sus poderes.
Sepan, Cristino, quién eres.

CRISTINO Ya no más, yo te lo ruego. 580

JUSTINO Mira tú si quieres más.
Di, verás

CRISTINO Ya me traes muy cansado.

JUSTINO No tienes nada olvidado.

CRISTINO Ni lo olvidaré jamás. 585

JUSTINO Estavas allí atordido
y aborrido,
metido en aquella hermita.

CRISTINO Aun ora no se me quita
la turbación que he sentido. 590

---

564 *çapateta:* véase *Ég. VII,* n. 152.

Fin

Perturbéme tanto, tanto,
que es espanto
de aquella nimpha que vi.
Por tu fe, Justino, di
en su nombre algún buen canto. 595

JUSTINO No sé qué cantar me diga.

CRISTINO Por amiga,
que quiero mucho querella.

JUSTINO Sobre saber quién es ella
será bueno que se diga. 600

Villancico

Torna ya, pastor, en ti,
dime, ¿quién te perturbó?
¡No me lo preguntes, no!
Torna, torna en tu sentido,
que vienes embelezado 605
Tan linda zagala he vido
que es por fuerça estar asmado.
Parte comigo el cuidado.
Dime, ¿quién te perturbó?
¡No me lo preguntes, no! 610
Pues que saber no te mengua,
da razón de tu razón.
Al más sabio falta lengua
viendo tanta perfeción.
Cobra, cobra coraçón. 615
Dime, ¿quién te perturbó?
¡No me lo preguntes, no!
¿Es quiçás, soncas, Pascuala?
Cuido que deve ser ella.
A la fe, es otra zagala 620

---

607 *asmado:* de *asmar*, «es quedarse un hombre suspenso y pensativo, traspuesto en la consideración de alguna cosa» *(Covarrubias)*.

que relumbra más que estrella.
Asmado vienes de vella.
Dime, ¿quién te perturbó?
¡No me lo preguntes, no!

Fin

Essa tal, según que veo, 625
vayan al cielo a buscalla.
Es tan alta que el desseo
no se atreve a dessealla.
Porque te ayude alaballa,
Dime, ¿quién te perturbó? 630
¡No me lo preguntes, no!

XIII

Égloga de Fileno, Zambardo y Cardonio

ÉGLOGA TROBADA POR JUAN DEL ENZINA, EN LA QUAL SE INTRODUZEN TRES PASTORES: Fileno, Zambardo y Cardonio. Donde se recuenta cómo este Fileno, preso de amor d'una muger llamada Zefira, de cuyos amores viéndose muy desfavorecido, cuenta sus penas a Zambardo y Cardonio. El qual, no fallando en ellos remedio, por sus propias manos se mató.

FIL. Ya pues consiente mi mala ventura

Se imprimió por primera vez en *C1509*, fols. 94*r*-102*v*, con el encabezamiento que reproducimos. Son conocidas también dos ediciones sueltas: *EZP* («Égloga de tres pastores nuevamente trobada por Juan del Enzina», en la portada, y el encabezamiento como *C1509;* puede que sea ésta la que figura en el *Registrum* de Colón como adquirida en Alcalá de Henares en 1511) y *EZM* (el mismo encabezamiento, sin portada). No hubo, en cambio y frente lo que a veces han supuesto editores modernos, edición suelta de 1509. Lo que ha pasado por tal es, como en el caso del *Auto del repelón*, ya citado, una de las falsas reproducciones realizadas por J. Sancho Rayón en el siglo pasado, en este caso, también a partir de *C1509*, cuyo tamaño reduce y cuyo texto dispone a una sola columna (curiosamente cuando Zarco del Valle y Sancho Rayón editan la obra en el *Ensayo* de Gallardo, II, Madrid, 1866, 825-836, el texto que transcriben no es otro que el de *C1509*).

Sigo el texto de *C1509* como base.

1. *EZM inicia la obra con dos coplas, puestas en boca de Zambardo, que no aparecen en ninguno de los demás testimonios textuales y que de seguro son ajenas a Encina:*

ZAMBARDO Descansar yo quiero en aqueste prado,
que, miafé, vengo de cansancio lleno;
quiçá que verná en tanto Fileno,

que mis males vayan sin cabo ni medio,
y quanto más pienso en darles remedio
entonces se abiva muy más la tristura.
Buscar me conviene agena cordura 5
con que mitigue la pena que siento;
provado he las fuerças de mi pensamiento,
mas no pueden darme vida segura.

Ya no sé qué haga ni sé qué me diga.
Zambardo, si tú remedio no pones, 10
tanto m'acossan mis fieras passiones,
verás de mí mesmo mi vida enemiga.
Sé que en ti solo tal gracia se abriga
que puedes a vida tornar lo que es muerto,
sé que tú eres muy seguro puerto 15
do mi pensamiento sus áncoras liga.

ZAM. Fileno, tú sabes que mientra la vida
las fuerças del cuerpo querrá sostentar,

---

que suel' por aquí repastar su ganado;
que ha mucho tiempo que nol é habrado
y esme, por cierto, muy leal amigo,
muestra que toma gran prazer comigo,
avremos gasajo más que dobrado.

Y mientras que no viene yo quiero dormir
y dar esta yerva a este borrego,
que cierto me hallo de cansancio lleno.
¡Ea, pues, vía, sus, a estendir!
Tú, sueño, no tardes, comiença a venir,
porque si viniere Fileno me halle
chapado, ligero, que pueda luchalle,
que siempre me suele a mí escometir.

8. *EZM:* la vida s.
9. *EZM:* qué me haga; *C1509, EZP, al frente de esta copla:* «Prosigue.»
12. *EZM:* que verás.
14. *EZM:* al que es m.
15. *EZM:* y sé que.
17. *Todos al frente de la copla:* «Responde Zambardo.»

---

9 Comp. Juan de Mena, *Claroescuro,* vv. 128 y ss.: «Ya no sé yo qué me diga, / qué me diga ni qué haga/ ni qué piense.»

15-16 Encierran estos versos una sugestiva variación de la tópica metáfora náutica: la confidencia del amigo es seguro puerto para el pensamiento inquieto del poeta, para su travesía amorosa.

Fileno. zambardo. Cardonio. zefira.

Egloga de tres pa-
stores nueua mente
trobada por Juan
del enzina.

no me podrás en cosa mandar
do tu voluntad no sea obedescida. 20
Tu mucha virtud, de todos sabida,
a esto me obliga y estrecha amistad,
y ver que te pone necessidad
la pena que en ti creí ser fingida.

Mas claras señales conozco en tu gesto 25
que de tus males me hazen seguro:
flaco, amarillo, cuidoso y escuro;
a lloros, sospiros, conforme dispuesto.
En tus vestiduras no nada compuesto
te veo, y solías andar muy polido. 30

FIL. Sí, do está el coraçón, Zambardo, afligido,
en hábito y cara se muestra muy presto.

Mis crudas passiones son de tal suerte
que, si procuro tenerlas cubierto,
muestran defuera señales muy cierto 35
del corto camino que liev'a la muerte.
Mas cresce la pena en grado más fuerte
en comunicarlas con quien no las siente;
pues quise escogerte porque eres prudente
y porque mis males tu seso concierte. 40

ZAM. Si quiere el enfermo remedio esperar
de médico alguno, es cosa forçada
señale la parte que está inficionada,
porque se pueda mirando curar.
De aquí, si te plaze, te puedes juzgar 45
que es necessario, si quiés guarescer,
muestres la causa de tu padescer

---

20. *EZP, por errata:* de tu v.
23. *EZM:* a ver que te p. en n.
25. *C1509, EZP, al frente:* «Prosigue.»
31. *EZM: om.* sí.
33. *C1509, EZP, al frente:* «Prosigue Fileno»; *EZM:* «Prosigue.»
36. *EZM:* que lleva la m.
45. *EZM:* tú puedes j.
47. *EZM:* y muestres.

---

33 *crudas:* 'crueles'.
46 *guarescer:* 'sanar'.

y entonce verás si sé bien obrar.

FIL. Aunque en la ley que ha dado Cupido
se escriva y predique por primo precepto 50
que nadie descubra jamás su secreto,
a ti no se deve tener ascondido.
Assí porque eres en todo sabido,
como por ser amigo tan cierto,
y más porque espero tu sabio concierto 55
concierte el reposo que en mí está perdido.
Pues oye si quieres ser certificado.

ZAM. Espera, Fileno, que, juro a la fe,
del mucho camino que he hecho oy a pie
apenas me sufren los pies de cansado, 60
que un lobo hambriento entró en mi ganado
aquesta mañana y tal daño hizo
que el Tusadillo, el Bragado, el Mestizo,
el Cornibovillo amontó, y el Bezado.
Quedé sin aliento del mucho seguillos 65
y aún no me es tornada entera holgura,
por do, si te plaze, en aquesta frescura
nos assentaremos sendos poquillos.

FIL. Miafé, sentemos, que aun mis omezillos
quieren reposo para ser contados. 70

ZAM. Agora que estamos, Fileno, assentados,
quando quisieres, comiença a dezillos.

FIL. ¡O montes, o valles, o sierras, o llanos,
o bosques, o prados, o fuentes, o ríos,

---

48. *EZM:* entonces.
52. *EZM:* escondido
54. *EZM:* amigo de c.
59. *C1509:* pe.
65. *EZM:* de mucho.
66. *EZM:* *om.* y.
73. *Todos, al frente:* «Exclamación»; *C1509:* sieras.

---

50 *primo:* 'primero'; el secreto es el primer precepto de amor en toda la tradición cortés.

63-64 Son los nombres con que el pastor distingue a sus corderos, aludiendo a alguna condición de su pelaje o de su cría.

69 *omezillos:* 'contiendas, aflicciones'.

o yervas, o flores, o frescos rocíos, 75
o casas, o cuevas, o ninfas, o faunos,
o fieras raviosas, o cuerpos humanos,
o moradores del cielo superno,
o ánimas tristes que estáis nel infierno,
oid mis dolores si son soberanos! 80
Estad aora atentos si en vosotros mora
alguna piedad del mísero amante.

ZAM. Comiença, Fileno, prosigue adelante,
que por invocar tu mal no mejora.

FIL. Fortuna, mudable governadora, 85
y Amor, de quien es piedad enemiga,
hambrientos de darme perpetua fatiga,
me dieron por vida morir cada hora.
Mandáronme amar y amando seguir
una figura formada en el viento 90
que, quando a los ojos más cerca la siento,
mis propios sospiros la hazen huir.
Y como en beldad excede al dezir,
assí de crueza ninguna la iguala.

ZAM. Topaste con ella mucho en hora mala: 95
si tal es qual dizes, despide el vivir.

FIL. Es lo que oyes, y aun mira qué digo:
que tuvo en los ojos fuerças tamañas
que me robó el alma y las entrañas,

---

79. *EZP:* en infierno; *EZM:* en el i.
81. *EZM:* ora.
90. *EZM:* a una f.
96. *EZP, errata:* despdie.
97. *C1509, EZP, errata:* E lo q.
99. *EZP:* ell alma; *EZM: om.* las.

---

78 *superno:* 'alto, elevado', latinismo ya utilizado por Juan de Mena en su *Laberinto,* v. 1999: «faré que demuestres al cielo superno».

79 *nel:* 'en el', forma arcaica inducida por el ritmo y la medida del verso.

80 Nótese en toda esta invocación la perfecta gradación enumerativa, que recorre escalonadamente todo lo creado: la tierra y sus accidentes, la vegetación, las aguas y ríos, las casas y habitáculos, los fabulosos seres de las selvas y bosques, los animales y fieras, los humanos, y los moradores del cielo y del infierno.

y allá se lo tiene gran tiempo ha consigo. 100
Y aunque lo trata como a enemigo,
esle subjeto con fe tan leal
que quiere la muerte sufrir en su mal
más que la vida que tiene conmigo.

Sin alma la sigo, que avrás maravilla; 105
sin verla me yelo y en viéndola ardo.
¡O, Dios te duela! ¡Zambardo, Zambardo,
despierta, despierta y ave manzilla!

ZAM. A fe que soñava que allá en Compasquilla
con otros pastores jugava al cayado, 110
y mientras que estava assí trasportado
passé por las mientes esta tu hablilla.

FIL. ¡O, pese mal grado! ¿Y estoyte contanto
de aquella hambrienta que mis años traga,
y duérmeste tú?

ZAM. ¿Qué quieres que haga? 115

FIL. ¡Que me oyas!

ZAM. El sueño no está a nuestro mando;
los ojos me está tan huerte cerrando
que de la luz del todo me priva.

FIL. ¡O bobo! ¿Y no sabes con la saliva
fregallos, e irás la vista cobrando? 120

---

100. *EZM:* y ella.
113. *EZM: om.* y.
116. *EZM:* oigas.
117. *EZM:* están.

---

106 Cobra cierta frecuencia en la égloga este juego de opósitos para expresar el contradictorio sentir amoroso; comp. también v. 142, vv. 255-56.

107 Con este comportamiento zafio e indolente, Zambardo se nos revela como un pastor bobo y grosero, enteramente contrapuesto a Fileno, pastor arcádico experimentado en todas las sutilezas y matices del sentimiento amoroso.

108 *ave:* 'ten', forma imperativa.

109 *Compasquilla:* posiblemente sea un nombre burlesco, derivado de 'esquila' ('donde esquilan a compás'?).

116 *oyas:* 'oigas', forma antigua del verbo *oír*.

117 *huerte:* con la aspiración de *f-*, característica del habla del pastor de teatro.

ZAM. Prosigue, prosigue, que ya estoy despierto.
FIL. Pues guarda, no duermas al tiempo mejor,
que no menos cresce tu sueño el dolor
que [el] mal que te quiero hazer descubierto.
Con falsa esperança me muestran el puerto 125
do pienso valerme, mas luego al entrar
fortuna m'arroja tan dentro en el mar
que pierde el piloto del todo el concierto.
¡Zambardo!
ZAM. ¿Qué quieres?
FIL. ¡Que me oyas!
ZAM. Bien te oyo.
FIL. ¿Qué digo?
ZAM. Que vino tan fuerte ventisco 130
que cabras, ovejas, burra y aprisco
llevó hasta dar con ello en un hoyo.
FIL. No hablo en ganado, ni casa o percoyo,
mas sólo te cuento mis ásperos daños.
ZAM. Podrán sin contarse entrambos rebaños 135
pacer todo el día ribera el arroyo.
FIL. ¡O sorda Fortuna, o ciego Cupido,
adúltera Venus, Vulcano cornudo!
¿Por qué contra un pobre, estando desnudo,
armáis vuestras furias, si no os ha offendido? 140
¿No os basta tenerme en fuego metido,
donde en un punto me abraso y me yelo,
sino que el hombre do espero consuelo
oyendo mis males, se me aya dormido?
Oye, Zambardo, que gozes el sayo 145

124. *Así en EZM: C1509 omite el artículo.*
129. *Todos los textos:* «Prosigue.»
130. *EZM:* huerte.
131. *EZM:* c. y ovejas.
132. *EZM:* en el hoyo.
140. *EZM: om.* os.
145. *C1509, EZM:* «Prosigue.»

127 *fortuna:* 'tormenta en el mar', metáfora náutica semejante a la ya vista en los vv. 15-16.
133 *percoyo:* 'ajuar, peculio'.

ametalado que ayer te vestiste,
que gozes la flauta que antaño heziste
quando a Zefira pusimos el mayo;
que gozes las mangas del tu jubón vayo,
que gozes el cinto que tiene tachones, 150
que escuches despierto mis muchas passiones,
y toma de mí, si quiés, quanto trayo.

ZAM. Fileno, no cale que más me perjures,
que hablando contigo tal sueño m'acude
que si en tus males querrás que te ayude 155
es nẹcessario que alquanto m'endures.
Por mucho que digas, por más que procures,
no me ternás despierto un momento.

FIL. Durmiendo recibas tan grande tormento
que quando despiertes una hora no dures. 160

Fileno contra el dios de Amor

Huélgate agora, Amor engañoso,
cierto trabajo, dudosa esperança,
pesar verdadero, mintrosa balança,
clara congoxa y oscuro reposo.
Prometedor franco, dador perezoso, 165
plazer fugitivo, constante dolor,
harta tu hambre en un pobre pastor
y muestra después ser Dios poderoso.

Contento devrían los males hazerte
que por seguirte me siguen contino 170
sin que buscando remedio o camino

152. *EZM:* traigo.
156. *EZM:* que al tanto.
159. *EZM:* tan grave t.

148 *el mayo:* «mayo suelen llamar en las aldeas un olmo desmochado con sola la cima, que los moços çagales suelen el primer día de mayo poner en la plaça o en otra parte» *(Covarrubias).*

153 *cale:* 'conviene, importa', del ant. *caler, incaler;* comp. Mena, *Laberinto,* v. 735: 'mas al presente fablar non me cale'.

156 *alquanto:* 'algo'; *endures:* 'sufras, toleres'.

para huillos hallase la muerte.
¿Qué te costava, pues por mi suerte
ser no podía que tuyo no fuesse,
contara mis males a hombre que hiziesse 175
doliéndose dellos mi mal menos huerte?

¿Por qué me topaste con este animal,
marmota o lirón, que vive en el sueño,
disforme figura formada en un leño
de paja o de heno relleno costal? 180
Pues tú me persigues con furia infernal,
yo me delibro o darme al demonio
o andar noche y día llamando a Cardonio,
que sé que es amigo conforme a mi mal.

¡Cardonio, Cardonio! ¿Do estás que no [sientes? 185
Aquí es tu majada ¿si mi desventura
no te ha emboscado en qualque espessura,
por que mi voz no llegue a tus mientes?
¡Cardonio, Cardonio! ¿Por qué me consientes
gridar si me oyes sintiendo que peno, 190
Cardonio?

CAR. ¿Quién llama?

FIL. El triste Fileno.

CAR. ¿Qué quieres?

FIL. Que oyas mis inconvenientes.

CAR. Ca deves, Fileno, aver esmarrido
cabrito o cordero o res madrigada;
si desto me pides, yo no he visto nada. 195

---

178. *EZM: om.* o.
182. *EZM:* de darme.
190. *EZM:* gritar.
192. *EZM:* oigas.
193. *EZM:* tú deves, F.

---

182 *delibro:* 'decido, determino'.
187 *emboscado:* 'ocultado, escondido'; *qualque:* 'alguna, cualquiera'.
193 *esmarrido:* 'perdido, extraviado'.
194 *madrigada:* «se dize el toro [o la res, en general] padre, que por cubrir las vacas, que haze madres, se dixo madrigado» *(Covarrubias)*.

FIL. ¡Aosadas, Cardonio, bien me has entendido!
En cosas mayores ocupé el sentido,
que no mudaría un pie por el manso.
CAR. Pues, ¿qué es lo que buscas?
FIL. Busco el descanso,
que empós de Zefira ando perdido. 200
CAR. Tampoco la he visto por estas montañas,
ni de Zefira sabré nueva darte.
FIL. Paresce que burlas, Cardonio, pues guarte
de verte en el fuego do están mis entrañas.
CAR. Diréte, Fileno, si mucho m'ensañas, 205
que tengo más parte que tú deste fuego.
FIL. No me lo muestra tu mucho sossiego.
CAR. Amor en el ocio abiva sus sañas.
Si piensas, Fileno, que, porque tú vayas
quexando, tus males se muestran mayores 210
y yo, porque calle, los sienta menores,
en falsa razón tus sesos ensayas.
Ni mengua el dolor ni passa las rayas
por ser encubierto ni mucho quexarse,
antes yo creo quexando menguarse 215
y crescer quanto más cubierto lo trayas.
FIL. Pues dime, Cardonio, ¿cómo no quieres
oír mis dolores siendo enamorado?
CAR. Porque en el tiempo que estoy trasportado
me dan grave pena agenos aferes. 220

---

197. *EZM:* ocupo.
201. *EZM:* lo he v.
202. *EZM:* nuevas.
206. *EZM:* desse f.
208. *Todos los textos, a continuación:* «Prosigue.»
209. vagas *en C1509, error gráfico.*
220 *C1509:* me den.

---

204 *guarte:* 'guárdate'.
208 Como ya advertía Ovidio, *Remedia amoris,* 136-40, el huir de la ociosidad es el primer consejo del arte amoroso: «Fac monitis fugias otia prima meis: / haec, ut ames, faciunt; haec, ut fecere, tuentur; / haec sunt iucundi causa cibusque mali; / otia si tollas, perire Cupidinis arcus, / contemptaeque iacent et sine luce faces.»
220 *aferes:* 'preocupaciones, cosas por hacer, asuntos', del ant. *a fer* 'por

FIL. Y óyeme agora.
CAR. A buena fe, que eres
mudado al revés de aquel que solías.
FIL. ¿Cómo no sabes que nascen porfías
donde se siembra amor de mugeres?
De aquesta mudança que en mí as conocido 225
si quieres, Cardonio, saber las razones,
mitiga tu seso, tus propias passiones
y escucha las mías, pues que te lo pido.
Porné con tu vista mi mal en olvido
comunicando la pena que siento. 230
CAR. Forçado será hazerte contento.
Vesme, aquí vengo.
FIL. Bien seas venido.
CAR. ¿Qué quieres?
FIL. Contarte mis graves enojos,
los quales contava a aquel babión,
y el descoraznado sin alma y razón 235
jamás pudo el sueño partir de sus ojos,
dobló su descuido mis graves cordojos.
CAR. ¡Lobos le coman! ¿Y quién es?
FIL. Zambardo.
CAR. Quiero le ver.
FIL. Cardonio, que ardo
estando cercado de espinas y abrojos. 240
CAR. Pues di, di, Fileno, quiçás podrá ser
que se amortigüe aqueste tu fuego.
FIL. De ti solo espero me venga sossiego.

221. *EZM: om.* y.
223. *EZM:* y cómo.
224. *EZM:* adonde.
235. *EZM:* descoraçonado.
239. *EZM:* lo ver.

hacer', ya anticuado en la época; «afferes, negocios inútiles» (Nebrija, *Vocabulario*).

234 *babión:* 'necio, bobo', perteneciente a una amplia familia de palabras romances; dada su antigüedad en castellano y su difusión dialectal, no es probable que proceda del it. *babbione (DCECH)*.

237 *cordojos:* 'angustias, duelos', véase *Ég. V,* n. 23.

CAR. Tenlo por cierto si está en mi poder.
FIL. Cardonio, no cale hazerte saber 245
que el ciego de Amor me rige y adiestra,
porque en mi frente tan claro se muestra
que a nadie lo puedo secreto tener.
La causa por quien mi alma sospira
no te la quiero tener ascondida. 250
Sábete que es aquella omecida,
ingrata, cruel, mudable Zefira,
la qual con los ojos me roba y me tira,
mas con las obras despide y alexa;
y quando la sigo, entonces me dexa, 255
quando la huyo, entonces me mira.
Jamás tuvo hembra igual condición,
aunque de todas muy mala se lea,
que en lo secreto amar se dessea
y fuera desprecia la fe y affición. 260
CAR. Yo vine, Fileno, a oír tu passión,
que cierto me pesa por ser tú quien eres,
mas no a consentir que mal de mugeres
dixesses, que nasce del mal coraçón.
FIL. La ravia, Cardonio, que mi pecho encierra 265
de ver olvidados mi muchos servicios
haze salir la lengua de quicios
contra la ingrata que mi vida atierra.
¡Yo no sé por qué no hunde la tierra
a todas las otras por la culpa désta! 270
CAR. Oyes, Fileno, tus dichos onesta
si quieres en paz salir desta guerra.
Quiçás que te fuera muy mucho mejor
fablar con Zambardo durmiendo, y aun muerto,

247. *EZM:* amuestra.
255. *C1509, EZP:* siguo.
256. *EZM:* y quando.
264. *EZM, EZP:* de mal c.
265. *C1509:* Cordonio, *errata evidente.*
267. *C1509, EZP:* hazer, *por error.*
274. *EZM:* hablar.

que fablar a Cardonio atento y despierto 275
si entiendes seguir aqueste tenor.
Ni porque Zefira te causa dolor,
que no sé si viene por tu merescido,
no deven las otras entrar en partido
do pierdan por ella el devido honor. 280

FIL. ¡O, pese no a Dios! ¿Luego tú entiendes
poner contra mí tus fuerças por ellas?

CAR. Entiendo a la fe y aun favorecellas,
pues que sin justa razón las offendes.

FIL. Pues no harás poco si bien las defiendes. 285

CAR. Ni tú provarás tu mala opinión,
porque, ayudado de su perfeción,
espero hazer que presto te enmiendes.

FIL. Pues oyes, Cardonio, tus sesos abiva,
que yo oteando mis muchas passiones, 290
espero hallar tan buenas razones
que no me confunda persona que viva.

CAR. Si assí lo hizieres, daránte la oliva
en premio de aquesta triunfante victoria,
y pues que tú offendes, comiença la historia 295
sin más esperar notario que escriva.

FIL. Desde el comienço de su creación
torció la muger del vero camino,
que menospreciando el mando divino
a sí y a nosotros causó perdición. 300
De aquélla en las otras passó sucessión,
sobervia, codicia y desobediencia,
y el vicio do halla mayor resistencia
aquel más seguir su loca opinión.
De su nascimiento son todas dispuestas 305
a ira, embidia, y aquélla es más buena

---

275. *Así EZP; EZM:* hallar; *C1509:* fablar, *que repite el verso anterior y parece clara errata.*
277. *EZM:* cause.
286. *EZM:* ni tú si provares.
289. *EZM:* oye.
304. *EZM:* passión.

que sabe mejor causar mayor pena
a los que siguen sus crudas requestas.
Y aunque de fuera se muestran honestas,
lo verdadero te diga el Corvacho, 310
que yo en tal lugar dezirlo me empacho,
que son cosas ciertas mas muy desonestas.

Discretas son todas a su parecer,
si yerran o no sus obras lo digan;
dime si viste en cosa que sigan 315
mudanças y antojos jamás fallecer.
Si aborresciéndonos muestran querer
y si penándonos muestran folgança,
yo y los que en ellas han puesta esperança
te pueden de aquesto bien cierto hazer. 320

No penan mucho por ser bien queridas,
tanto que hagan sobre buena prenda,
y si vergüença soltasse la rienda,
no esperarían a ser requeridas.
Vindicativas y desgradecidas 325
nunca perdonan a quien las offende,
y el galardón de quien las defiende
es que por ellas se pierden las vidas.

---

311. *EZM: om.* me.
315. *C1509:* siguan; *EZM:* pues dime si viste cosas que s.
317. *EZM:* y si.
318. *EZM:* holgança.
319. *EZM:* puesto.
325. *EZM:* desagradescidas.
327. *EZM:* gualardón.
328. *EZM:* se pierdan.

---

310 *Corvacho:* alude a la famosa obra de Giovanni Boccaccio, titulada *Corbaccio,* escrita hacia 1355, que es uno de los tratados de sátira misógina que gozaron de mayor difusión en la Edad Media. Con frecuencia es invocado como autoridad en este género difamatorio por los poetas españoles, entre los que también cobró prestigio semejante el catalán Pere Torroella; comp. Hernán Mexía, *Otras suyas en que descubre los defectos de las condiciones de las mugeres,* vv. 81 y ss.: «Poder del padre *Corvacho,* / saber del hijo Torrellas, / dad a mi lengua despacho / por que diga sin empacho / aquel mal que siento dellas» (Véase M. A. Pérez Priego, *Poesía femenina en los cancioneros,* Madrid, Castalia, 1990, págs. 171-185).

328 El extenso discurso de Fileno, como se va apreciando, está plagado

El tiempo no sufre que en esto me estienda,
el qual faltaría, mas no qué dezir; 330
sus artes cubiertas, su claro mentir
huir se devía, mas no lieva emienda.
Y aunque de todas aquesto se entienda,
sola Zefira a todas excede,
cuya crueza no sé ni se puede 335
pensar, ni ella mesma, creo, la comprenda.

¿En quál coraçón de muy cruda fiera
pudiera caber tan gran crueldad
que siendo señora de mi libertad
por otra no suya trocarla quisiera? 340
¡O condición mudable, ligera!
¡O triste Fileno! ¿A qué eres venido,
que ni aprovecha llamarte vencido
ni para vencer remedio se espera?

La sierpe y el tigre, el osso, león, 345
a quien la natura produxo feroces,
por curso de tiempo conoscen las vozes
de quien los govierna, y humildes le son.
Mas ésta, do nunca moró compassión,
y aunque la sigo después que soy hombre, 350
y soy hecho ronco llamando su nombre,
ni me oye ni muestra sentir mi passión.

Por ésta de todas entiendo quexarme:
ellas se quexen sólo de aquésta.
A mí no me culpen, que cosa es honesta 355
dezir mal de aquella que quiere matarme.

---

331. *EZM:* medir.
332. *EZM:* h. se devría m. no lleva enmienda.
335. *EZM: om.* se.
336. *EZM:* comprehenda.
345. *EZM:* la s., el t., el o., el león.
350. *EZM: om.* y.
352. *EZM:* no me o.

---

de los habituales tópicos de la sátira antifemenina de la época: la mujer es causa del primer pecado, son envidiosas y dispuestas a ira, mudables y antojadizas, vindicativas y desagradecidas, etc.

Si tú desto quieres, Cardonio, acusarme,
ni tienes razón ni eres amigo,
antes devrías firmar lo que digo,
pues yo te llamé para consolarme. 360

CAR. Mira, Fileno, si hay más que digas,
échalo fuera, que yo estaré atento.

FIL. No por agora.

CAR. Pues mira que siento
que tú mesmo causas tus propias fatigas.
¿Quién te compele que sirvas y digas 365
esta muger que sin intervalo
dizes ser mala? Si sigues lo malo,
¿qué razón hay que de otras mal digas?

¿Qué armas, qué fuerças pudo tener
con que ella prendiesse tu libertad? 370
¿Qué dizes? Responde.

FIL. Sola beldad.

CAR. ¡O, pobre de seso! Más que de plazer,
de sola pintura te dexas vencer
sin que otra virtud cubierta detenga.
Y si la tiene, ¿por qué tienes lengua 375
maligna contra una virtuosa muger?

Mas digo que crezcan en ésta los males,
como tú dizes, por contentarte,
y que te mata deviendo sanarte,
¿por esso se sigue que todas sean tales? 380
Si miras, Fileno, quántas y quáles
fueron entr'éstas y son excelentes,
tú mesmo quiero que digas que mientes
sin que te muestre más claras señales.

Marcia, Lucrecia, Penélope, Dido, 385

---

358. *EZM:* no t.
362. *EZM:* a fuera.
382. *EZM:* que son.
383. *EZP:* q. te digas.

---

385 El catálogo de mujeres virtuosas es otra de las referencias obligadas en el debate profeminista de la época. También tiene como precedente ilustre la obra de G. Boccaccio *De claris mulieribus* o los *Trionfi* de Petrarca, y de

Claudia, Veturia, Porcia, Cecilia,
Julia, Cornelia, Argia, Atrisilia,
Livia, Artemisa, y otras que olvido,
y tantos millares de santas que ha avido,
que unas por castas y otras por fuertes 390
sufrieron afrentas, tormentos y muertes,
¿cabe en aquéstas el mal que has fingido?
E si de otras enxemplo faltasse,
¿Oriana no sabes que vive en el mundo,
que quando virtud se fuesse al profundo, 395
sola ella haría que resucitasse?
¿En quién viste nunca tal gracia morasse,
tal hermosura, constancia y prudencia,
tal desemboltura, tan grave presencia,
y con amor honestad se ayuntasse? 400
Si bien la contamplas, podrás claro ver
que en ella consiste tan gran perfeción
que las mejores que fueron y son
quedan detrás de su merescer.
Y es tan subido su mucho valer 405
que puede divino llamarse aquel hombre
que tiene en el alma escrito su nombre,
y más si se siente de aquélla querer.
Oriana me esfuerça, Oriana me obliga,
Oriana me manda culpar tu intención; 410
por sola Oriana, con mucha razón,
deves de todas perder la enemiga.
Huya, por Dios, de ti tal fatiga
que el alma dezir enciende tal llama
que abiva tus males y mata tu fama, 415

---

387. *EZM:* Artisia.
388. *C1509:* y otra, *errata.*
400. *EZM:* y con a. honestidad se juntasse.

---

manera más próxima, en la literatura española, el *Libro de las virtuosas y claras mujeres* de don Álvaro de Luna.

394 *Oriana,* la pastora por quien suspira Cardonio, es nombre de resonancia caballeresca, pues, como es bien sabido, tal era el nombre de la hermosa enamorada de Amadís de Gaula.

y no verás bueno que tal cosa diga.

FIL. Cardonio, podría muy bien replicarte
porque Zefira me da bien que hable,
mas manda que calle Oriana loable
y es justo que venças, pues tienes su parte. 420
Sola una cosa quiero rogarte:
que pues me puso Fortuna diversa
debaxo el imperio de aquella perversa,
no te desplega de mí desviarte.

Déxame solo buscar mi consuelo, 425
vete, Cardonio, por Dios te lo ruego,
que si en la vida faltare sosiego,
buscarl'é en la muerte sin otro recelo.

CAR. Yo soy contento pues quieres dexarte
solo contigo quexar tu passión, 430
con solo primero, Fileno, rogarte
que nunca rehuyas jamás la razón.

También porque me es, Fileno, forçado
que vaya esta noche dormir al lugar
y, con mi ida, poner el ganado 435
do lobo ninguno lo pueda tocar.

FIL. Hermano Cardonio, a Dios t'encomiendo.

CAR. A él ruego yo te aparte de enojos
haziendo que olvides aquello que entiendo
avrá de cerrar muy presto tus ojos. 440

FIL. Quiçá qu'el diablo te haze adevino
porqu'este dolor me ahínca tan fuerte

---

421. *EZM:* yo q.
422. *EZM:* *om.* pues.
429. *EZM:* quiero.
433. *EZM:* y también.
442. *EZP:* huerte.

---

423 *desplega:* 'desplaga, desagrade'.

436 A partir de este momento en que se separan los dos pastores, es cuando se hace más patente, como veíamos en la introducción, el influjo de la égloga de *Tirsi e Damone* de Antonio Tebaldeo. Nótese en estos versos la misma alusión a la vuelta al ganado ante la posible amenaza del lobo: «Rimanti in pace, ch'io me ne vo via: / tornar vol' al gregge, che il lupo rapace / facilmente assalire ora il potria» (*Tirsi,* vv. 46-48).

que bien me paresce ser vero camino
para huille el darme la muerte.
Por ser sola ella quien tengo por cierto, 445
puede librarme de tanta fortuna
y ser en quien hallan passiones el puerto
más reposado que en parte ninguna.

CAR. A buena fe salva, que tengo temor,
hermano Fileno, de solo dexarte. 450

FIL. Por essa fe mesma que hazes mayor
la gana que tengo.

CAR. ¿De qué? ¿De matarte?

FIL. Y vete con Dios.

CAR. Si me escuchas un poco
dart'é un consejo qu'es propio de amigo.

FIL. No quiero consejo.

CAR. Respuesta de loco. 455

FIL. De loco o de cuerdo, assí te lo digo.

CAR. Óyeme agora, por Dios te lo ruego,
y dicho que avré, sin punto tardar,
verásme huir qual rayo de fuego.

FIL. Si assí lo prometes, te quiero escuchar. 460

CAR. Assí lo prometo.

FIL. Pues di lo que quieres.

CAR. Escucha, Fileno, muy bien por tu fe
porque verás, si bien lo entendieres,
tu propia salud en lo que diré.
Dime, Fileno, si desta muger 465
muy claro sin duda supiesses quererte,
por no le causar tan gran desplazer,
¿no estudiarías huir de la muerte?
Y si te odiasse tanbién por tal vía
que claro lo viesses escrito en su fruente, 470
porque tu muerte no le diesse alegría,
¿no estudiarías vivir luengamente?
¿No sabes que desto tanto se alcança

465. *EZM:* si esta m.
469. *EZM:* te olvidasse.
470. *EZP:* frente; *EZM:* *om.* escrito.

quanto hombre dessea teniendo la vida,
y que si se mata, no ay esperança — 475
salvo de ver el alma perdida?
Y aún tu dicho mesmo también te condena,
que llamas mudable qualquiera muger,
el qual sólo basta a librarte de pena
creyendo Zefira se puede bolver. — 480

FIL. Ya siento, Cardonio, do vas a parar,
con razones ligeras, por Dios, al dezir,
mas tanto pesadas después al obrar
que más duras son qu'el amor de seguir.

CAR. ¿Quiés que te diga? Yo sé qu'es possible — 485
ponellas quiriendo en execución.

FIL. ¿Quiés que responda? A mí es impossible
por no recebillas ya el coraçón.

CAR. Pues ¿qué es lo que piensas, Fileno, hazer?

FIL. ¿Qué es lo que pienso? Yo me lo sé. — 490

CAR. ¿Yo no lo puedo, Fileno, saber?

FIL. Sí, sólo aquesto, y tenlo por fe.
Que sola una cosa tan congoxado
me tiene y me pone el cuchillo en la mano:
en averme Zefira por otro trocado — 495
y aver tanto tiempo servídola en vano.
Que puedes, Cardonio, de cierto creer
que, aunque Zefira jamás me mirara,
si claro no viera mudar el querer,
sobre otra persona jamás me quexara. — 500
Mas vete, Cardonio, como has prometido,
que yo te prometo que yo haga de suerte
que este trocarme no quede en olvido,
si bien por memoria quedasse mi muerte.

---

476. *EZP:* ell alma.
477. *EZM: om.* mesmo.
479. *EZM: om.* a.
480. *EZM:* pueda.
485. *C1509:* ques que te d.
502. *EZP, EZM: omiten el segundo* que.

Ido Cardonio, dize Fileno:

Muy claro conozco jamás reposar 505
mientra le fuere subjeto a Cupido.
Muerte, no cures de más engorrar,
ven prestamente, que alegre te pido.
No hagas que siempre te llame yo en vano,
hazme, pues puedes, tan gran beneficio, 510
mas guarda no tardes porque mi mano
delibra de hazer muy presto el officio.

Alegre te espero, ¿cómo no vienes?
Tan justa demanda, ¿por qué me la niegas?
Muda comigo la usança que tienes 515
de entristecer doquier que tú llegas.
Mas, ¡ay!, que he temor de tu condición,
do siempre se vio crueldad conoscida,
que a quien te demanda con grave passión.
le aluengas y doblas su mísera vida. 520

Por donde delibro, sin más reposar,
ni menos pensar, a bien o mal hecho,
el ánima triste del cuerpo arrancar
con este cuchillo hiriendo mi pecho.
¡O ciego traidor!, que tú me has traído 525
a tan cruda muerte en joven edad.
¡O malo perverso, desagradescido,
do nunca jamás se vio piedad!

Mas siempre te plugo a tus enemigos,
porque te huyen, dar mil favores 530
y duros tormentos aquellos amigos
que más te procuran de ser servidores.
Y aquellos prometes dar buen galardón
porque soporten tu pena tan huerte
dasles después tan cruda passión 535

---

507. *EZM:* tú muerte.
522. *EZM: om.* a.
523. *EZP:* ell a.
530. *EZM:* huyen.

---

507 *engorrar:* 'detenerte, suspender'.

que siempre dan vozes llamando la muerte.
Maldigo aquel día, el mes y aun el año
que a mí fue principio de tantos enojos.
Maldigo aquel ciego, el qual con engaño
me ha sido guía a quebrarme los ojos. 540
Maldigo a mí mesmo, pues mi juventud
sirviendo a una hembra he toda expendida.
Maldigo a Zefira y su ingratitud,
pues ella es la causa que pierdo la vida.
Haz presto, mano, el último officio, 545
saca aquesta alma de tanta fatiga
y harás que reciba aqueste servicio
aquella que siempre te ha sido enemiga.
Tú, alma, no pienses ni tengas temor,
que andando al infierno ternás mayor pena; 550
mas piensa, sin duda, tenerla menor
doquier que te halles sin esta cadena.
Y tú, mi rabé, pues nunca podiste
un punto mover aquella enemiga
ni menos jamás tan dulce tañiste 555
que el alma aliviasses de alguna fatiga,
en treinta pedaços aquí quedarás
por sola memoria de mi mala suerte
y quizá que rompido a Zefira podrás
mover a piedad de mi cruda muerte. 560
¿Qué es lo que queda en aqueste çurrón
No me ha de quedar salvo el cuchillo,
pedernal terrena, yesca, eslavón,
que vos en dos partes iréis, caramillo.

---

543. *EZM:* y a su i.
553. *EZM:* rabel.
556. *EZP:* ell a.
559. *EZM:* *om.* que.
563. *EZM:* terreña.

---

537 Se trata de una inversión, poco afortunada ciertamente, del famoso verso de Petrarca, *Rerum vulgarium fragmenta,* LXI: «Benedetto sia 'l giorno e 'l mese e l'anno (...) / da' duo begli occhi che legato m'anno.»
553 *rabé:* 'rabel', es la forma que predomina en la Edad Media.

¿Queda otra cosa, si bien la cuchar? 565
Çaticos de pan ten tú, venturado,
pues el çurrón no me ha de quedar,
ni vos en mal ora tanpoco, cayado.

Sólo el partir de tu compañía
me causa passión, ¡o pobre ganado!, 570
mas plaze a Cupido que quedes sin guía,
al qual obedezco a mal de mi grado.
Sé que los lobos hambrientos contino
por ver si me parto están assechando.
¡Ay, triste de mí, que fuera de tino 575
la lumbre a mis ojos se va ya quitando!

Siendo la hora que a muerte me tira,
do de lloros y penas espero salir,
llegada es la hora en la qual Zefira
contenta haré con crudo morir. 580
Por ende, vos, braço, el boto cuchillo
con tanta destreza, por Dios, governad,
que nada no yerre por medio de abrillo
el vil coraçón sin ninguna piedad.

El qual so los miembros procura asconderse 585
tremando atordido con tanto temor,
pensando del golpe poder defenderse,
que al mísero cuerpo ha doblado el dolor.
¡O Júpiter magno! ¡O eterno poder!,
pues claro conosces que muero viviendo, 590
la inocente alma no dexes perder,
la qual en tus manos desde agora encomiendo.

---

579. *EZM:* a Z.
583. *EZM:* hierre.
586. *EZM:* tremiendo.

---

565 *cuchar:* véase *V,* 134.

566 *çaticos:* 'pedazo pequeño, pizca', diminutivo de *zato,* 'pedazo, mendrugo de pan'.

574 De nuevo, se deja sentir en estos versos el influjo del modelo italiano: «*Povero armento mio!* chi fia tua guida, / da poi che il tuo pastor da te si parte? / Quando più troverai scorta si fida? / Già parmi di veder tutto straziarte / *da' lupi ch'ognor stanno intenti e pronti* / aspettando ch'io vada in altra parte» (vv. 176-81).

¿Qué hazes, mano? No tengas temor.
¡O débil braço, o fuerças perdidas,
sacadme, por Dios, de tanto dolor! 595
¿Y dó sois agora del todo huidas?
Mas, pues que llamaros es pena perdida,
según claro muestra vuestra pereza,
quiero yo, triste, por darme la vida,
sacar esta fuerça de vuestra flaqueza. 600

Muerto Fileno, torna Cardonio y dize:

CAR. ¡O Dios, quánto se es Fileno mudado
de aquello que era desde agora dos años,
y cómo le ha Zefira trocado
con sus palabrillas, burletas y engaños!
Quiero tornar por oírle siquiera 605
quexar de Cupido y su poca fe,
y porque cierto jamás no deviera
dexarle del son que yo le dexé.
Que si tanto a Fileno soledad le plazía,
pudiera muy bien quedar ascondido 610
dentro del bosque por ver qué hazía.
¿Veslo do yaze en la yerva tendido?
¡Ay, que he tenido contino temor
que solo algún lobo no aya hallado!
Mas quiçá, durmiendo, su pena y dolor 615
mitiga, dexándole el lloro cansado.

---

601. *EZM:* trocado, *que adelanta por error el v. 603.*
608. *EZM:* dexalle.
612. *EZM:* veyslo.
614. *EZM:* lo aya.

---

601 Toda esta escena del regreso de Cardonio y el descubrimiento del cuerpo muerto de Fileno sigue muy de cerca la égloga de *Tirsi e Damone,* algunos de cuyos versos repite de manera casi literal; compárense los de esta estrofa: «*Quanto è Damon mutato* da quel ch'era! / Già viver senza me non sapea un giorno; / or fugge com'io fussi un'aspra fiera: / Ma *fermo io nel pensier di far ritorno...*» (vv. 194-97).

608 *son:* 'manera, estado'.

612 Comp. estos versos: «*Ecco che giace là disteso in erba: /* veggo disperso andar tutto il suo armento: / *forse il dolor dormendo disacerba*» (vv. 204-205).

Mejor es salir de tanto dudar
y ver bien si duerme o qu'es lo que haze;
la boca cerrada por no resollar.
¡Y es sangre aquella que en su pecho yaze! 620
Sin duda él es muerto de algún animal,
del modo que siempre yo, triste, he temido.
¡O Vénere sancta, y aquel es puñal
que tiene en el lado siniestro metido!
¡O triste Fileno! ¿Y quál fantasía 625
te ha conduzido a tan áspera suerte?
Agora conozco que mi compañía
tú la huías por darte la muerte.
Pues dime, enemigo, ¿por qué me negaste
el último abraço, siéndote hermano, 630
o quál es la causa que no me tocaste,
como era razón, al menos la mano?
No puedo creer que fuesses amigo
a hombre del mundo, y aun es la verdad,
pues has a ti mismo como a enemigo 635
dada la muerte con tanta crueldad.
Y peor es que siendo por sabio estimado,
luego que sea tu muerte sabida,
de todos serás por loco juzgado,
porque el fin es aquel que honra la vida. 640
¿Quál es aquel que pudiera pensar
que el amar de Fileno con tanta afición

---

623. *EZM:* Venera.
624. *C1509:* en el lano, *errata evidente.*
636. *EZM:* dado.
642. *EZM:* quel amor de F. con tal a.

---

617 Toda esta copla rehace con bastante fidelidad los versos de la égloga italiana: «Anderò a lui col piede tacito e lento: / *tener bisogna ben chiuse le labbia.* / Oimè! *parmi il terren sanguinolento.* / *Temo che morto qualche animal l'abbia,* / trovandol qui dormir soletto e stanco, / che molti vengon per gran fame in rabbia. / *Che ferro è quel ch'ha nel sinistro fianco?* / Ahi *misero Damon,* come t'hai morto?...» (vv. 206-13).

632 Comp. «Deh *perchè almen la man non mi toccasti,* / dicendo: resta in pace, Tirsi fido? / *Perchè l'ultimo bacio a me negasti?*» (vv. 224-26).

640 Comp. «Tu *sarai da ciascun chiamato insano,* / *ch'eri fra noi tenuto il più prudente:* / *il fine è quel che loda il corso umano*» (vv. 230-33).

causa le fuera de assí se matar?
Conozco que amor no va por razón.
Por donde me acuerdo yo, triste, mezquino, 645
de un viejo refrán que dobla mi enojo:
que viendo pelar la barva al vezino,
comiences a echar la tuya en remojo.

Que si por ventura pluguiesse al demonio
que aquella que adoro assí me tratasse, 650
forçado sería que el pobre Cardonio
más cruda muerte que aquesta buscasse.
Mas vaya en los aires tal pensamiento,
que a mí no me espanta ni puede Fortuna,
porque han mis servicios tan fuerte cimiento 655
que al mundo no temen de cosa ninguna.

Assí que no cale en tal caso pensar,
mas antes perder del todo el temor
y llamando a Zambardo los dos enterrar
a éste que quiso ser mártir de amor. 660
¿Oyes, Zambardo? ¿Eres tuyo o ageno?
Reniega de sueño que tanto te dura,
pues por dormir no oíste a Fileno,
despierta agora a le dar sepultura.

ZAM. ¿Qué es lo que dizes? ¿Tú lo compones? 665
¿Burlas, Cardonio?

CAR. ¡O, qué desconcierto!
Si lo que digo en duda lo pones,
levántate y veráslo cómo se es muerto.

ZAM. ¡O pobre Fileno! No quiero vivir
sola una hora, pues quiso mi suerte 670
que yo fuesse causa, y el negro dormir,

---

652. *EZM:* tomasse.
662. *EZP, EZM:* reniego.
667. *EZM:* te digo.

---

648 La consecuencia que extrae Cardonio de la trágica muerte de Fileno, recordando únicamente el viejo refrán «viendo pelar la barva al vezino, / comiences a echar la tuya en remojo», es francamente decepcionante. El refrán produce un corte tajante en la solemnidad del dicurso e introduce una no muy fina ironía en el desenlace de la acción.

de tu crudelíssima y áspera muerte.
¡Quánto me fuera, Fileno, mejor
en consumar la vida durmiendo
que despertando sentir el dolor 675
que siento yo, triste, muerto te viendo.

ZAM. Dexa, Zambardo, por Dios, el llorar,
pues no le aprovecha de cosa ninguna,
y sólo entendamos en su sepultar
a dónde será, pues plaze a Fortuna. 680
Su sepultura, pues Fortuna quiere,
será en la hermita sobre esta montaña,
adonde, Cardonio, si a ti paresciere,
porné ciertos versos hechos con saña.
Puesto que sea ageno pastor, 685
la mucha passión me ayuda y me tira
a dezir de aquel falso, perverso de Amor.

CAR. Bien dizes, Zambardo, y aun toca a Zefira.

ZAM. Escucha, Cardonio, que veslos aquí;
si no te pluguieren, podrás emendar. 690
¡Olvidado se me han, o cuerpo de mí!

CAR. Torna, torna, Zambardo, torna a pensar.

ZAM. «¡O tú que passas por la sepultura
del mísero amante!...» Ya soy de fuera.

CAR. El coraçón, Zambardo, assegura. 695

ZAM. ¡O, mala muerte, Cardonio, yo muera!
«¡O tú que passas por la sepultura

---

674. *EZP:* el c.; *EZM:* el consumir.
677. *EZP:* dexe.
679. *EZM:* sepoltura.
683. *EZM:* te pluguiere.
685. *EZM:* a pastor.
689. *EZM:* veslo.

---

697 El motivo del epitafio —muy del gusto renacentista— que un pastor compone sobre su amigo muerto, se encontraba ya en la égloga de A. Tebaldeo. La lección misógina que extrae Encina («y leyendo verás quien sirve a mugeres / quál es el fin que a su vida procura») es también mucho menos poética y elevada que la del italiano: «Damon qui giace primo in tocchar cetra. / Tirse morto trovolo e per suo onore / gli dè sepulchro de sua morte tetra. / *La cagion non si sa se non fu Amore.*»

del triste Fileno! Espera, si quieres,
y leyendo verás quien sirve a mugeres
quál es el fin que a su vida procura. 700
Verás como en premio de fiel servidor
Amor y Zefira, por mi mala suerte,
me dieron trabajos, desdeños, dolor,
lloros, sospiros y, al fin, cruda muerte.»

---

698. *EZM:* del mísero amante mira bien si quisieres.
699. *EZM: om.* y.
702. *EZM:* amor de Z.
704. *Aquí termina la obra en C1509 y EZP:* «Deo gracias»; *EZM añade aún otras dos estrofas que, como las añadidas al comienzo, no parece que sean de Encina:*

CARDONIO Coxgamos sus ropas, Zambardo, porque
con ellas hagamos sus honras y canto.
ZAMBARDO No rueguen por él, Cardonio, que es sancto
y assí lo devemos nos de tener,
pues vamos llamar los dos sin carcoma
al muy sancto crego, que lo canonize
aquel que en vulgar romance se dize
allá entre grosseros el Papa de Roma.
CARDONIO Pues vamos llamar a Gil y a Llorente
y a Bras, que nos vengan aquí ayudar,
que veo que vienen y sé bien que es gente
que saben las silvas muy bien canticar.
¡Andá, que parece venís de vagar!
GIL ¿Qu'es lo que queréis, nobres pastores?
ZAMBARDO Queremos rogaros queráis entonar
un triste requiem que diga de amores.

Deo gracias

Egloga nueuamēte trobada por
juan dl enzina. Enla qual se intro
duzen dos enamorados llamada
ella Placida y el Vitoriano. Ago
ra nueuamēte emēdada y añadido
vn argumento siquier introduciō
de toda la obra en coplas: y mas o-
tras doze coplas q̄ faltauan enlas
otras que de antes erā impressas.
conel Nunc dimittis trobado por
el bachiller Fernādo de yanguas.

XIV
Égloga de Plácida y Vitoriano

ÉGLOGA NUEVAMENTE TROBADA POR JUAN DEL ENZINA, EN LA QUAL SE INTRODUZEN DOS ENAMORADOS, LLAMADA ELLA PLÁCIDA Y ÉL VITORIANO. Agora nuevamente emendada y añadido un argumento siquier introdución de toda la obra en coplas.

ARGUMENTO

Égloga trobada por Juan del Enzina, en la qual se introduzen dos enamorados, llamada ella Plácida y él Vitoriano. Los quales, amándose igualmente de verdaderos amores, aviendo entre sí cierta discordia, como suele acontescer, Vitoriano se va y dexa a su amiga Plácida, jurando de nunca más la ver. Plácida, creyendo que Vitoriano assí lo haría y no quebrantaría sus juramentos, ella, como deses-

---

Se ha transmitido únicamente en dos ediciones sueltas: *EPVP* («Égloga de los dos enamorados Plácida y Victoriano...»), que ofrece la versión más breve, falta de los primeros 89 versos, y tal vez también la más primitiva, y *EPVM* («Égloga nuevamente trobada por Juan del Enzina, en la qual se introduzen dos enamorados llamada ella Plácida y él Vitoriano»), que presenta el texto más extenso y definitivo.

Sigo como texto de base *EPVM,* que corrijo en los errores evidentes.

* *EPVP: presenta idéntico argumento y relación de interlocutores, aunque varía ligeramente algún nombre:* Victoriano, Fulgencia.

perada, se va por los montes con determinación de dar fin a su vida penosa. Vitoriano, queriendo poner en obra su propósito, tanto se le faze grave que, no hallando medio para ello, acuerda de buscar con quién aconsejarse y, entre otros amigos suyos, escoje a Suplicio; el qual, después de ser informado de todo el caso, le aconseja que procure de olvidar a Plácida, para lo qual le da por medio que tome otros nuevos amores, dándole muchas razones de enxemplos por donde le atrahe a rescebir y provar su parescer. El qual assí tomando, Vitoriano finge pendencia de nuevos amores con una señora llamada Flugencia, la qual assimismo le responde fingidamente. Vitoriano, descontento de tal manera de negociación, cresciéndole cada hora el deseo de Plácida y acrescentándosele el cuidado de verse desacordado della, determina de bolver a buscalla; y no la hallando, informado de ciertos pastores de su penoso camino y lastimeras palabras que iva diziendo, él y Suplicio se dan a buscalla. Y a cabo de largo espacio de tiempo, la van a hallar a par de una fuente, muerta de una cruel herida por su misma mano dada con un puñal que Vitoriano por olvido dexó en su poder al tiempo que della se partió, partiendo tan desesperado. E lastimado de tan gran desastre, con el mismo puñal procuró de darse la muerte, lo qual no podiendo hazer por el estorvo de Suplicio su amigo, entrambos acuerdan de enterrar el cuerpo de Plácida. Y porque para ello no tienen el aparejo necessario, Suplicio va a buscar algunos pastores para que les ayuden y dexando solo a Vitoriano, el enamorado de la muerta, con ella solo, tomándole primero la fe de no hazer ningún desconcierto de su persona. Vitoriano, viéndose solo, después de haver rezado una vigilia sobre el cuerpo desta señora Plácida, determina de matarse, quebrantando la fe por él dada a su amigo Suplicio. Y estando ya a punto de meterse un cuchillo por los pechos, Venus le aparesció y le detiene que no desespere, reprehendiéndole su propósito y mostrándole su locura cómo todo lo passado aya seído permissión suya y de su hijo Cupido para experimentar su fe. La qual le promete de resuscitar a Plácida y, poniéndolo luego en efecto, invoca a Mercurio que venga del cielo, el qual la resuscita y la buelve a esta vida como de antes era, por donde los amores entre estos dos amantes quedan reintegrados y confirmados por muy verdaderos.

INTERLOCUTORES

Plácida	Eritea	Gil
Vitoriano	Pascual	Venus
Suplicio	Flugencia	Mercurio

Aquí entra Gil Cestero y dize:

GIL ¡Dios salve, compaña nobre!
¡Nora buena estáis, nuestro amo:
merescéis doble y redoble!
Palma, lauro, yedra y roble
os den por corona y ramo. 5
Ya acá estoy,
mas ¿vos no sabéis quién soy?
Pues Gil Cestero me llamo.
Porque labro cestería,

1 Este monólogo a cargo del pastor Gil —papel que seguramente era interpretado por el propio Encina— viene a ser una especie de *introito,* tal y como será utilizado sistemáticamente por Torres Naharro en sus comedias y se generalizará en el teatro del siglo XVI. Gil se expresa, como pastor, en el habla rústica habitual de esta figura teatral.

2 El introito se abre con el obligado saludo al auditorio y, en particular, al personaje principal mantenedor de la fiesta, quizá el cardenal de Arborea, «nuestro amo», si, como quedó dicho, fue ésta la *comedia* que se representó en su palacio en 1513 (véase introducción).

4 *palma, lauro, yedra y roble:* se trata de diferentes atributos honoríficos de carácter simbólico, todos los cuales son emblemas de victoria. Véase, por ejemplo, Juan de Mena, *Tratado sobre el título de duque:* «El serto era otra manera de corona fecha de ramas e fojas de árboles, el qual segund por diversos meresçimientos así era dado de diversos árboles por los misterios e signficaçiones que consigo traían. Los fuertes ganarían este serto de fojas e ramas de robres porque por la dureza de aqueste árbol se denotase su constancia e fortaleza (...) Los grandes príncipes traían este serto de fojas de palma e aun otras vezes de fojas de laurel (...)»; Virgilio, *Ecl.,* VIII, 13: «inter victrices hederam tibi serpere lauros».

este nombre, miafé, tengo. 10
Soy hijo de Juan García
y carillo de Mencía,
la muger de Pero Luengo.
¿Vos miráis?
Yo magino que dudáis 15
que no sabés a qué vengo.
Por daros algún solacio
y gasajo y alegría,
aora que estoy despacio,
me vengo acá por palacio 20
y aún verná más compañía.
¿Sabéis quién?
Gente que sabrá muy bien
mostraros su fantasía.
Verná primero una dama 25
desesperada de amor,
la qual Plácida se llama,
encendida en viva llama,
que se va con gran dolor
y querella 30
viendo que se aparta della
un galán su servidor.
Entrará luego un galán,
el qual es Vitoriano,
lleno de pena y afán 35
que sus amores le dan
sin poder jamás ser sano,
porque halla
que l'es forçado y dexalla
no es possible ni en su mano. 40
Y él mismo lidia consigo

12 *carillo:* véase *I,* 111; aquí quizá 'hermano', más que 'amigo'.
17 *solacio:* 'solaz'; Juan de Valdés lo considera italianismo.
18 *gasajo:* véase *II,* 79.
20 *palacio:* la representación hubo de tener lugar en un ambiente cortesano, en el «palacio» de aquel «nuestro amo» y ante «compaña nobre» (v. 1).

y con él su pensamiento
sin sentir ningún abrigo,
mas con Suplicio, su amigo,
eslinda su pensamiento 45
por hallar
remedio para aplacar
el dolor de su tormento.

Y aconséjale Suplicio
que siga nuevos amores 50
de Flugencia y su servicio,
porque con tal exercicio
se quitan viejos dolores,
mas aquéste
hirióle de mortal peste, 55
que las curas son peores.

Y no se puede çufrir
sin a Plácida tornarse.
Aunque s'esfuerça a partir,
tornando por la servir, 60
halla que fue a enboscarse.
Un pastor
le da nuevas de dolor
diziendo que fue a matarse.

Y con él en busca della 65
va Suplicio juntamente.
Yendo razonando della,
hallan qu'esta dama bella
se mató cabe una fuente,
y él así 70
se quiere matar allí,
y Venus no lo consiente.

Mas antes haze venir
a Mercurio desd'el cielo,
que la venga a resurgir 75
y le dé nuevo vivir,

---

45 *eslinda:* 'deslinda, aclara'.
57 *çufrir:* por 'sufrir'.

de modo que su gran duelo
se remedia.
Y así acaba esta comedia
con gran plazer y consuelo. 80

Yo me quiero aquí quedar,
que seremos dos pastores,
y con ellos razonar.
Mandad callar y escuchar,
estad atentos, señores, 85
que ya vienen
si al entrar no los detienen.
¡Venid, venid, amadores!

Síguese la comedia. Habla Plácida primero:

PLÁCIDA Lastimado coraçón,
manzilla tengo de ti. 90
¡O gran mal, cruel presión!
No ternía compassión
Vitoriano de mí
si se va.
Triste de mí, ¿qué será? 95

---

89. *Hasta aquí no comienza el texto en EPVP; falta, por tanto, todo el monólogo inicial de Gil y también la acotación escénica.*

91. *EPVP:* passión.

---

80 *comedia:* nótese que el autor califica su obra de *comedia* porque, según advierte, conforme a la teoría medieval de los géneros, «acaba con gran plazer y consuelo»; la rúbrica que va a continuación también insiste en esa condición de *comedia.* Sobre la teoría medieval, puede verse M. A. Pérez Priego, «De Dante a Juan de Mena: sobre el género literario de *comedia*», *1616, Anuario de la Sociedad de Literatura General y Comparada,* 1 (1978), págs. 151-58.

89 Se inicia propiamente la obra con este otro monólogo de Plácida, un largo lamento amoroso (168 versos) en el que se han invertido los papeles ordinarios de la poesía cortés de la época, siendo la dama quien asume ahora el papel de amante dolorida y desesperada, que solía interpretar el galán. Pierre Heugas, «Un personnage nouveau dans la dramaturgie d'Encina: Plácida dans *Plácida y Vitoriano*», en *La fête et l'écriture...*, págs. 151-61, ha notado, en este sentido, la novedad del personaje, que habría que poner más bien en relación con la novelística sentimental y obras como la *Fiammeta* o la *Historia de duobus amantibus.*

¡Ay, que por mi mal le vi!
No lo tuve yo por mal,
ni lo tengo, si quisiesse
no ser tan esquivo y tal.
Esta mi llaga mortal 100
sanaría si le viesse.
¿Ver o qué?
Pues que no me tuvo fe,
más valdría que se fuesse.
¿Qué se vaya? ¡Yo estoy loca, 105
que digo tal heregía!
Lástima que tanto toca,
¿cómo salió por mi boca?
¡O, qué loca fantasía!
¡Fuera, fuera! 110
Nunca Dios tal cosa quiera,
que en su vida está la mía.
Mi vida, mi cuerpo y alma
en su poder se trasportan,
toda me tiene en su palma. 115
En mi mal jamás ay calma
y las fuerças se me acortan,
y se alargan
penas que en mí tanto tardan,
que con muerte se conortan. 120
Conórtase con morir
la que pena como yo,
mas sólo por le servir
querría, triste, bivir.
¡O traidor! Si se partió, 125
no lo creo.
Mas sí creo, que mi desseo
tarde o nunca se cumplió.
Cúmplase lo que Dios quiera,

98. *EPVP:* si él q.
127. *EPVP: om.* mas.

120 *conortan:* 'consuelan'.

venga ya la muerte mía, 130
si le plaze que yo muera.
¡O, quién le viera y oyera
los juramentos que hazía
por me haver!
¡O, maldita la muger 135
que en juras de hombre confía!

Confiará mis entrañas
de su mínima palabra;
con sus falagueras mañas,
mama las suyas y estrañas 140
como el hijo de la cabra.
Y a sabiendas
y aun con todas sus contiendas,
no vendrá vez que no le abra.

Do está el coraçón abierto, 145
las puertas se abren de suyo.
No verná, yo lo sé cierto:
con otra tiene concierto.
¡Cuitada! ¿Por qué no huyo
donde estoy? 150
No sé por qué no me voy,
que esperando me destruyo.

Quien espera desespera
y una hora se le haze un año.
Yo creo, si se partiera, 155
primero me lo dixera,
salvo si rescibo engaño.
¡O traidor!
¡O maldito dios de amor,
que me tratas tanto daño! 160

---

133. *EPVP: om.* los.
154. *EPVP:* y un h.

---

139 *falagueras:* 'halagadoras, halagüeñas'.
153 Partiendo de este refrán, analiza la condición neoplatónica del amor y las actitudes de Plácida (desesperanza, suicidio) Ann E. Wiltrout, «Quien espera desespera: el suicidio en el teatro de Juan del Encina», *Hf,* 72 (1981), págs. 1-11.

Tráyote puesto en retablo
y adórote como a Dios.
Tú eres dios y eres diablo,
perdóname si mal hablo,
que esto para aquí entre nos 165
te lo digo:
que eres diablo enemigo,
pues apartas tales dos.

Contra tal apartamiento
no prestan hechizerías 170
ni aprovecha encantamiento.
Echo palabras al viento
penando noches y días.
¿Dónde estás?
Di, Vitoriano, ¿dó vas? 175
Di, ¿no son tus penas mías?

Di, mi dulce enamorado,
¿no me escuchas ni me sientes?
¿Dónde estás, desamorado?
¿No te duele mi cuidado 180
ni me traes a tus mientes?
¿Dó la fe?
Di, Vitoriano, ¿por qué
me dexas y te arrepientes?

Yo no sé por qué me dexa 185
si no tiene quexa alguna
ni siento de qué se quexa.
Yo me temo que se alexa;
cierto, sin duda ninguna
ya me olvida. 190
Nunca espero su venida
según me acorre fortuna.

¡O fortuna dolorosa!

---

164. *Así EPVP; EPVM:* y p., *hipermétrico.*

---

169 Ovidio, *Remedia amoris,* 249-50, tampoco creía que fueran útiles en amor, frente a lo que otros entendían, la hechicería ni las artes mágicas.
192 *acorre:* 'ayuda, ampara'.

¡O triste desfortunada,
que no tengo dicha en cosa 195
siendo rica y poderosa
y de tal emparentada!
Fados son:
en el Viernes de Passión
creo que fui baptizada. 200

Ora yo quiero tomar
algún modo de olvidallo.
Bien será determinar
de poblado me apartar,
mas no podré soportallo. 205
Sí podré
pensando en su poca fe.
Yo determino tentallo.

Quiero, sin duda ninguna,
procurar de aborrecello, 210
mas niña desde la cuna
creo que Dios o fortuna
me predestinó en querello.
¡Qué lindeza,
qué saber y qué firmeza, 215
qué gentil hombre y qué bello!

No lo puedo querer mal,
aunque a mí peor me trate;
no veo ninguno tal
ni a sus gracias nadie igual, 220
porque entre mill lo cate.
Mas con todo,
bivir quiero deste modo
por más que siempre me mate.

Por las ásperas montañas 225
y los bosques más sombríos

---

194. *EPVP:* desaforada.

203-207 Ovidio también presentaba como medios para olvidar a la persona amada el apartarse y marchar lejos (*Remedia,* 213-14) y el pensar en los daños ocasionados por aquélla (*Remedia,* 299-300).

mostrar quiero mis entrañas
a las fieras alimañas
y a las fuentes y a los ríos,
que aunque crudos, 230
aunque sin razón y mudos,
sentirán los males míos.

Sin remedio son mis males,
sólo Dios curarlos puede
porque son tantos y tales 235
que de crudos y mortales
no ay remedio que les quede,
ni ventura,
sino sólo sepultura
que en partir se me concede. 240

Partirme quiero sin duda,
faga mi vida mundaça,
que dizen que quien se muda
a las vezes Dios le ayuda.
Mas yo no espero bonança, 245
mi tormenta
cada día se acrecienta,
va perdida mi esperança.

Yo me vo. Quedaos a Dios,
palacios de mi consuelo; 250
de aquel amor de los dos
dad testimonio entre nos,
no tengáis ningún recelo.
Los clamores
de mis penas y dolores 255
suenen tierra, mar y cielo.

Plácida se va

VITORIANO ¡O desdichado de mí!
¿Qué es de ti, Vitoriano?
Coraçón, ¿estás aquí?
Yo me acuerdo que te vi 260
preso, libre, enfermo y sano,
mas agora,

captivo de tal señora,
¿cómo saldrás de su mano?

Nunca espero libertarme 265
de tan dichosa prisión,
ni de aquesta fe apartarme;
es ya impossible mudarme,
que allá queda el coraçón.
Mi desseo 270
crece quando no la veo
y acrescienta mi passión.

Pues es forçado dexalla,
coraçón, mira qué hazes:
sin dexar la fe de amalla, 275
enciendes mayor batalla
en lugar de poner pazes.
Si no puedes,
porque según son las redes,
necessario es que te enlazes. 280

Mas hombres deve mirar
el mal que podrá venir
y los peligros pensar,
y qu'el verdadero amar
todo se pone a sufrir. 285
Yo navego
por un mar de amor tan ciego
que no sé por dó seguir.

Bien sería aconsejarme
si a dezillo me atreviesse, 290
mas ¿de quién podría fiarme
que sepa consejo darme
y que muy secreto fuesse?
Polidoro

---

268. *EPVP: om.* ya.
291. *EPVP:* podré.

---

281 *hombre:* 'uno', usado como indefinido.
288 Metáfora náutica aplicada al sentimiento amoroso, como en la *Ég. de Fileno, Zambardo y Cardonio,* n. 127.
294 *Polidoro:* sería el nombre de otro pastor amigo, lo mismo que *Cornelio* (v. 297), *Combelio* (v. 299) y *Gelio* (v. 300).

no tiene más fe que un moro, 295
sobre buscar su interesse.
¿Que me descubra a Cornelio?
Luego me contradirá.
Y es muy parlero Combelio.
Y el negligente Gelio 300
mi dolor no sentirá.
¿Qué haré?
A Suplicio tomaré,
que éste no me faltará.
¡O Plácida, mi señora, 305
que no sientes tal qual ando
buscando remedio agora,
y mi mal siempre empeora!
¿Tú dormiendo y yo velando?
No lo creo. 310
Paréceme que te veo
o mi fe te está soñando.
Ora yo me determino
a Suplicio ir a llamar,
y éste es el mejor camino. 315
Siempre me fue buen vezino,
dél me quiero consejar,
que es discreto,
amigo leal, secreto,
que él me puede consolar. 320
Tan desatinado voy
que no sé su casa ya.
Santo Dios, ¿adónde estoy?
¿Yo Vitoriano soy?
Mi sentido ¿dónde está? 325

306. *EPVP:* que tal a.
315. *EPVP: om.* el.
325. *EPVP:* adónde.

296 *sobre:* 'además de'; *interesse:* con *-e* paragógica.
322 Estas referencias al desplazamiento de Vitoriano a la «casa» de Suplicio son índice de un apreciable movimiento escénico y sugieren un decorado urbano para la representación de la obra.

¿Si es aquí?
Allí deve ser, allí.
Mas, ¿quién le despertará?
A bozes lo acordaré.
¿Estás acá? Di, Suplicio. 330
¡Suplicio!

SUPLICIO ¿Qué quieres, qué?

VITORIANO Párate aquí, por tu fe.

SUPLICIO Plázeme por tu servicio.
¿Qué me quieres?
¿Vitoriano tú eres? 335

VITORIANO Hablar contigo codicio.
Quiero de mi gran cuidado
darte cuenta muy entera.

SUPLICIO Muchas vezes te he rogado
y pedido y suplicado 340
que de noche no andes fuera.
Ten reposo
y en tiempo tan peligroso
no salgas desta manera.

VITORIANO ¿Tú piensas que es en mi mano 345
reposar solo un momento?

SUPLICIO ¿Por qué no, Vitoriano?

VITORIANO Sábete que no es liviano,
mas muy grave mi tormento.

SUPLICIO ¿Y por quién? 350

VITORIANO Suplicio, yo sé muy bien
que estás en mi pensamiento.

SUPLICIO Plácida, según te plaze,
ella cierto deve ser
la qual tanto mal te haze. 355

VITORIANO Ningún medio satisfaze
que me aparte de querer.

SUPLICIO Yo pensava
que tu fe ya la olvidava.

VITORIANO Esso no es en mi poder. 360

---

329 *acordaré:* 'despertaré'; Nebrija, *Vocabulario: «acordar,* despertar a otro».

Verdad es que lo quisiera
por averlo prometido
si remedio alguno hoviera.

SUPLICIO Pues yo te daré manera
para ponella en olvido. 365

VITORIANO Dime cómo;
siempre tu consejo tomo
y aun por esso a ti he venido.

SUPLICIO Un león muy fuerte y bravo
por modo y arte se aplaca 370
y consiente ser esclavo;
un muy atorado clavo
con otro clavo se saca.
Con passión
la muy rezia complissión 375
tiempo viene que se aflaca.

Y lo que tiñe la mora,
ya madura y con color,
la verde lo descolora;
y el amor de una señora 380
se quita con nuevo amor.
Si queremos,
mill enxemplos hallaremos,
como tú sabes mejor.

A Hisífile, Jasón 385
olvidóla por Medea
y mudóse su affición;
por Caliro, Almeón
se partió de Alfesibea;

---

370. *Es la lección de EPVP, más ajustada al metro; EPVM:* por manera.
372. *EPVP:* y un.
387. *EPVP: om.* se.

---

372 *atorado:* 'apretado con mucha fuerza'.
376 *aflaca:* 'enflaquece'.
385 Jasón, paradigma de los amantes olvidadizos y desleales, había abandonado a Hipsípila por Medea, de la que igualmente luego se alejaría (Ovidio, *Metamf.*, VI y XII).
389 Alcmeón, hijo de Anfiarao, fue uno de los héroes de las guerras contra Tebas; reclamó los presentes que había dado a su primera esposa Alfesi-

y el rey Minos, 390
de sus amores continuos,
por amor de Datribea.

Enone fue desamada
de su Paris por Elena;
y Prones es apartada 395
de Tereo y olvidada
por amor de Filomena,
y mil cuentos
afloxaron sus tormentos
por mudar nueva cadena. 400

VITORIANO Aunque más los amadores
que son y serán y fueron
ayan cabo sus dolores,
los míos son muy mayores
que quantos ellos sufrieron; 405
ni su fe
qual la mía nunca fue,
ni tal amiga tuvieron.

Contra razón creo yo
que es impossible soltarse 410
la fe que una vez prendió,
y el que tal consejo dio
no supo bien emplearse.

---

393. *EPVP:* Oenone.
395. *Es preferible la lección de EPVP; EPVM: om.* y, *hipométrico.*

---

bea, hija de Fegeo, para entregárselos a su nueva amante Calírroe, hija del dios río Aqueloo.

390 Minos, legendario rey de Creta, a quien se atribuyen múltiples y distintas relaciones amorosas; una de éstas fue con Peribea (luego madre de Ayax Telamón), a quien había recibido como tributo del rey Egeo.

394 Paris abandonó a su primera esposa, la ninfa Enone, atraído por el amor de Elena, esposa de Menelao.

396 Tereo olvidó a su esposa Progne y violó a Filomena, hermana de ésta (Ovidio, *Metamf.*, VI).

Como se advierte, son todos amantes inconstantes que olvidaron a sus esposas y amigas por otras. Según observa Rosalie Gimeno, ed. cit., el catálogo de estos personajes es prácticamente el mismo que el que cita Ovidio, *Remedia amoris,* 451 y ss.

Suplicio Prueva, prueva,
que aplaze la cosa nueva 415
y a vezes es bien mudarse.

Vitoriano Suplicio, porque no digas
que desprecio tu consejo,
tú dispone en mis fatigas,
porque en las cosas de amigas 420
ya tú eres perro viejo.

Suplicio Sigue agora
amores de otra señora,
pues tienes buen aparejo.

Vitoriano Dime, ¿quién te parece 425
que devo seguir amando?

Suplicio A Flugencia, que florece
y más que todas merece,
la tu Plácida dexando,
que es la flor 430
y una sola en gran primor.

Vitoriano ¡Ay, que en ella estoy pensando!

Suplicio Donoso camino es ésse
para avella de olvidar.

Vitoriano ¡O Suplicio, quién pudiesse! 435

Suplicio ¿No dezías que te diesse
medio para te apartar?

Vitoriano Sí dezía,
y muy mucho me complía
si a otra pudiesse amar. 440
Mas ay tanta differencia
como del sol a la luna
entre Plácida y Flugencia,
aunque es de gran excelencia
Flugencia más que ninguna. 445

Suplicio Tu querer
fuérçalo que vaya a ver
de amores nueva fortuna.

Vitoriano Forçar, Suplicio, me quiero

---

435. *EPVM:* pudiese, *que corrijo conforme a EPVP.*

a seguir nuevos amores, 450
aunque por Plácida muero.
En tu discreción espero
que remedies mis dolores.

SUPLICIO Si tú quieres
forçarte quanto pudieres, 455
yo sé que tú mal mejores.

VITORIANO Bien sé que Flugencia es tal
que basta su hermosura
para quitar qualquier mal
y qualquier pena mortal, 460
que el remedio está en ventura.

SUPLICIO Con Flugencia
deves de tomar pendencia,
que es muy linda criatura.

VITORIANO Pues dígote sin dudar 465
que creo que bien me quiere
según me suele mirar.

SUPLICIO Déveste de requebrar
con ella quando te viere
y seguir 470
tras su gala tu servir
quando tu poder pudiere.

VITORIANO Yo quiero seguir tras ella
por te dar a ti plazer
y porque es muger tan bella; 475
mas, para más presto avella,
¿qué remedio puede haver?

SUPLICIO El servicio.

VITORIANO Pues dime, dime, Suplicio,
¿quándo la podemos ver? 480
A mí me plaze servilla,
hallando tiempo y lugar.

SUPLICIO No será gran maravilla
que por una ventanilla
la puedas ver y hablar, 485
que acaece,
quando nadie no parece,
allí estarse a refrescar.

VITORIANO Pues yo te diré que sea
si no recibes fatiga. 490
Porque tu consejo crea,
procura que yo la .vea.
¡Assí gozes de tu amiga!

SUPLICIO ¡Anda allá!

VITORIANO Yo te juro, si allá está, 495
que mill requiebros le diga.

SUPLICIO ¿Quieres que lleguemos juntos
o tú solo por tu parte
con sospiros muy defuntos?

VITORIANO Vaya todo por sus puntos, 500
por orden, concierto y arte.

SUPLICIO Sea assí.

VITORIANO Ve tú, mira si está allí,
que yo quedo aquí aguardarte.
Haz que mucho no te espere, 505
torna luego.

SUPLICIO Sí haré
si a Flugencia allí no viere;
mas si ella allí estuviere,
escucha que tosseré;
y tú llega 510
y en los sospiros te entrega.
Yo de largo passaré.
Esperart'é allí adelante,
allí tras aquel cantón.
Tú, como penado amante, 515
jurando de ser constante,
finge tormento y passión.

VITORIANO Es por fuerça,
mas no que mi fe se tuerça
ni se mude mi affición. 520

---

514 *cantón:* 'esquina'.

Habla consigo mismo

Por demás es todo aquesto
si del coraçón no sale.
¡O, qué gracia, cuerpo y gesto
tan perfecto y tan honesto:
no ay quien con Plácida iguale! 525
Anda, atiende,
Suplicio: do la fe prende,
ninguna soltura vale.

Pues que Suplicio ha tossido,
allí deve estar Flugencia. 530
Quiero ir, mas mi sentido
¿qué dirá sin ser vencido?
No se turbe en su presencia,
mas dirá
que quien muy penado está 535
se le turba la eloquencia.

¡Ay, ay, ay, Flugencia mía
mi señora y mi desseo,
Dios os dé tanta alegría,
tanta buena noche y día 540
quanta para mí desseo!

FLUGENCIA ¡Qué plazer!
¡No tenemos más que hazer!
¿Creído tenéis que os creo?

VITORIANO Señora, ¿por qué cerráis? 545
¡Ha, señora!

FLUGENCIA ¡Qué nobleza!
Cavallero, ¿qué mandáis,
o qu'es lo que aquí buscáis?

VITORIANO Escuchad, por gentileza.

FLUGENCIA ¿Quién sois vos? 550
¡Descortés venís, par Dios!

VITORIANO Siervo de vuestra belleza.

FLUGENCIA ¿Siervo mío?

VITORIANO Sí, por cierto.

---

531. *EPVP:* con más sentido.

	De vuestra merced captivo,	
	penado, vencido y muerto,	555
	el morir trayo encubierto	
	en esta vida que bivo.	
FLUGENCIA	¿Qué queréis?	
VITORIANO	¿Tan presto desconoscéis	
	con vuestro querer esquivo?	560
FLUGENCIA	¡O, señor Vitoriano!	
VITORIANO	¿Todos van, señora, assí	
	tratados de vuestra mano?	
FLUGENCIA	A vos tengo por hermano,	
	siempre os quise más que a mí,	565
	mas los otros	
	assí como a bravos potros	
	los suelen domar aquí.	
VITORIANO	Brava oveja sois, señora.	
FLUGENCIA	¿Motejáisme mi razón	570
	¿Quién os traxo aquí a tal ora?	
VITORIANO	La beldad que me enamora	
	de vuestra gran perfición.	
FLUGENCIA	¡Bueno es esso!	
	Aún yo soy de carne y huesso,	575
	allá a las que piedras son.	
	Espejo tengo muy claro	
	que me dize la verdad	
	quando a remirarme paro.	
	A muchos cuesta muy caro	580
	creerse de liviandad.	
VITORIANO	Bien sabéis	
	que captivo me tenéis,	
	preso de vuestra beldad.	
FLUGENCIA	Vos, señor, tenéis amores	585
	con quien yo ni nadie iguala:	
	los mayores, los mejores,	
	los de más altos primores,	
	de más fermosura y gala.	

580. *EPVP:* muchas.
589. *EPVP:* hermosura.

Podéis ver 590
cómo puedo yo creer
vuestro mal de vida mala.

VITORIANO Esso fue, passó, solía,
tiempos fueron que passaron.
Ya, Flugencia, vida mía, 595
los plazeres que tenía
en pesares se tornaron;
mas agora
amores de vos, señora,
son los que me cativaron. 600

FLUGENCIA ¡Bueno, bueno, por mi vida!
¿A burlar venís aquí?

VITORIANO Señora, sois tan querida
de mi firme fe crecida
que el burlar sería de mí 605
por perderme.
¿Por qué no queréis creerme?

FLUGENCIA ¡Pluguiesse a Dios fuesse assí!

VITORIANO Assí nos junte a los dos.
Vuestra crueldad me espanta. 610
Juramento hago a Dios
y pleito omenaje a vos,
y boto a la casa santa
que es mi fe
tal con vos qual nunca fue 615
ni con nadie tuve tanta.
Por esso suplic'os yo
que por vuestro me tengáis,
pues vuestro amor me prendió.

FLUGENCIA Y a mí el vuestro me venció. 620

VITORIANO Pues por merced que me abráis.

FLUGENCIA ¡Dios me guarde

---

617. *EPVP:* suplico yo.
621. *EPVP:* abreys, *erróneo.*

---

612 *pleito omenaje:* 'compromiso, obligación'.
613 *casa santa:* «por excelencia se entiende la de Gerusalem, tan venerada de los christianos por estar en ella el Santo Sepulcro de Christo» *(Aut.).*

de abrir a nadie tan tarde!
Antes os ruego que os vais.

VITORIANO ¿Y quándo mandáis que venga 625
para ser del todo vuestro?

FLUGENCIA Quando tiempo y lugar tenga.
No temáis que no mantenga
esta voluntad que os muestro.

VITORIANO Por serviros 630
ya no quiero más deziros,
pues un querer es el nuestro.

FLUGENCIA Ora, pues, vamos de aquí.
Dadme licencia, señor,
que no sé quién viene allí. 635

VITORIANO Mas dádmela vos a mí,
que vos sois mi dios de amor.

FLUGENCIA Quiérome ir.

VITORIANO ¿Quién podrá sin vos vivir
viendo en vos tanto primor? 640

FLUGENCIA Démonos, señor, licencia.
Quitad, señor, y poned,
toda es vuesta la potencia.

VITORIANO ¡O, mi señora Flugencia,
quánto estorva una pared! 645

FLUGENCIA No más ora.

VITORIANO Con vuestra merced, señora.

FLUGENCIA Señor, con vuestra merced.

ERITEA Buenas noche os dé Dios.
Flugencia, cómo estáis fea, 650
tal venga siempre por vos.

FLUGENCIA En buen ora vengáis vos,
comadre mía Eritea.
¿Qué buscáis?
¿A tal ora dónde andáis? 655

ERITEA Voy a casa de Febea.

FLUGENCIA ¿A qué vais allá? Veamos.

ERITEA A barbullar cierta trampa,

---

658 *barbullar:* «hablar vana y atropelladamente, a borbotones y metiendo mucha bulla» *(Aut.)*.

su preñez embarbullamos.
Días ha que procuramos 660
hazer un hijo de estampa
o d'esparto.
Ya está con dolor de parto,
milagro será si escampa.

FLUGENCIA Bien lo demuestra su gesto, 665
de parto está la mezquina.

ERITEA Ya le tienen nombre puesto.

FLUGENCIA Vos le avréis un niño presto.

ERITEA Oy parió la su vezina
y se lo vende. 670

FLUGENCIA Otro havréis cerca dende.

ERITEA Voy, que Febea se fina.

FLUGENCIA Nunca más dolor passemos.

ERITEA Ni passe quien bien nos quiere.

FLUGENCIA ¡Aún el hijo no tenemos, 675
ya el nombre le ponemos,
venga por donde viniere!

ERITEA Yo le avré
de una donzella que sé
en el punto que pariere. 680

FLUGENCIA Que me maten si no acierto
quién es aquella donzella:
la que el domingo en el huerto
desposaron con el tuerto.
¡Por mi vida que es aquélla! 685
Dezid, comadre,
¿es ella?

ERITEA Chite, comadre,
que ella es.

---

664. *Es la lección de EPVP; EPVM:* escapa.
668. *EPVP:* puesto.
674. *EPVP:* y passe.
675. *EPVP:* nos t.
680. *EPVM:* parire, *por error.*

---

687 *chite:* 'chitón'.

FLUGENCIA ¡A fe que es bella!
Cuitado del desposado
que es ante cuquo y cornudo. 690
ERITEA Pues por virgen se la han dado.
FLUGENCIA Yo lo creo, mal pecado,
Eritea, y no lo dudo.
Vos con sirgo
le surzirés luego el virgo, 695
que sea más que talludo.
ERITEA Si quantos virgos he fecho
tantos tuviesse ducados,
no cabrían hasta el techo.
Hago el virgo tan estrecho 700
que van bien descalabrados
más de dos.
Esto bien lo sabéis vos.
FLUGENCIA Ya lo sé, por mis pecados.
ERITEA Pues si digo de Febea, 705
sus virgos no tienen cuento:
no ay quien tanto virgos crea.
FLUGENCIA ¿Quántos serán, Eritea?
ERITEA Ya son, par Dios, más de ciento,
sin mentir; 710
mas agora en el parir
ha puesto su fundamento.
FLUGENCIA Pues, ¿a quién echáis el fijo?
ERITEA A cierto protonotario.
Ya comiença el regozijo, 715

690. *EPVP:* c. que cornudo.
695. *EPVP:* surzistes.
703. *EPVM:* la; *EPVP:* esto ya lo.
713. *EPVP:* hijo.

690 *cuquo:* 'engañado, cornudo', 'cuclillo', «ave conocida y de mal agüero para los casados celosos (...) es engaño común pensar que al marido de la adúltera le conviene este nombre de cuclillo» *(Covarrubias)*.
694 *sirgo:* Nebrija, *Vocabulario: «sirgo,* seda».
695 *surzirés:* «surzir o zurzir es coser una pieça de paño con otra, de manera que se dissimule la costura» *(Covarrubias)*.

y aun sobre él traen letijo
él y un fraile y un notario,
y yo callo.
Todos piensan de llevallo,
y aun creo que un boticario. 720

FLUGENCIA Dios la alumbre a tal preñez,
que ya passa de quarenta.
Bien dizen que a la vejez
los aladares de pez.

ERITEA Más ha ya de los cincuenta 725
que no mama.

FLUGENCIA Pues aún donzella se llama,
ella por joven se cuenta.
¡O, qué gracioso donaire!
Nunca vi tan buen ensayo 730
como empreñarse del aire.
Jamás ay boda sin fraile,
que penetran como rayo.

ERITEA No sé nada,
mas de su mano fue dada 735
esta saya que yo trayo.
Sea fraile o sacristán,
vale más tener amores
con estos tales que dan
que con peinado galán, 740
que son todos burladores
sin dinero
y presumen que de fuero

---

741. *EPVP:* que son unos b.
742. *EPVP:* y sin d.
743. *EPVP:* ya p.

---

716 *letijo:* forma vulgar por *litigio.*

724 *aladares:* 'cabellos de los lados de la cabeza'; *a la vejez los aladares de pez:* refrán «que reprehende a los viejos que quieren parecer mozos, tiñéndose las canas para dissimular los años» *(Aut.);* se recoge ya en los *Refranes* atribuidos al marqués de Santillana.

740 El cabello bien peinado es signo caracterizador de los galanes y gentes de villa, que los diferencia de los pastores desgreñados (comp. *Ég. VII,* 76 y *VIII,* 18).

743 *de fuero;* 'por ley, por obligación'.

se lo deven por señores.

FLUGENCIA Pues, por mi vida, Eritea, 745
que aun agora va de aquí
uno de aquessa ralea;
mas, por más galán que sea,
él no burlará de mí:
¡venga paga 750
si quiere que por él haga!

ERITEA Hazeldo, comadre, assí.
¿Y cómo os va con aquél
a quien dimos los hechizos?

FLUGENCIA Eritea, burlo dél, 755
muéstromele muy cruel.

ERITEA Obraron los bevedizos.
Yo seguro
que donde entra mi conjuro
no son amores postizos. 760
Hija, quando yo era moça,
bien pelava y repelava
de aquesta gente que es boça,
que con el verde retoça,
que pelo no les dexava 765
¡Moçalvillos!
Ya les torno los cuchillos
que otro tiempo les tomava.

FLUGENCIA Eritea, andad con Dios,
que yo quiero ya encerrarme, 770
que vienen allí unos dos.

---

765. *EPVP:* que pelones los d.

---

763 *boça:* es decir, la gente a la que apunta el bozo, el vello, los jóvenes, «moçalvillos», como dirá en v. 766.

764 *verde:* «metafóricamente se llama el mozo que está en el vigor y fuerza de su edad, y lo da a entender en las acciones» (*Aut.*).

767 *cuchillos:* no parece muy convincente la interpretación de Donald McGrady, «An unperceived popular story in Encina's *Plácida y Vitoriano*», *BCom,* 32 (1980), págs. 139-141, quien piensa que alude al pago de los servicios amorosos de Eritea, quien ahora, perdido su atractivo, pagaría a su vez por el servicio que pudieran prestarle los jóvenes.

ERITEA — Entraos, Flugencia, vos,
que yo tanbién quiero aviarme.
FLUGENCIA — Dios os guarde.
ERITEA — Adiós, Flugencia, que es tarde. 775
Febea deve esperarme.

VITORIANO — ¿Piensas ora tú, Suplicio,
que todo está remediado?
Verdad es que tu servicio
me fuera gran beneficio 780
no siendo tal mi cuidado,
mas mis males
han cobrado fuerças tales
que son de fuerça y de grado.
SUPLICIO — Pues Flugencia ¿qué te dize? 785
VITORIANO — Por Dios, que es muger de pro.
Yo de muy penado hize
y muy bien la satisfize,
y ella bien me respondió;
mas no creas 790
que jamás salir tú veas
la fe que una vez entró.
SUPLICIO — Sábete, Vitoriano,
que es Flugencia bien hermosa.
VITORIANO — Suplicio, daca la mano, 795
la fe te do como a hermano,
que a mí no me agrada cosa;
y bien sé
que lo haze que mi fe
sin Plácida no reposa. 800
En mirar sus perfeciones

777. *EPVP:* piensa.
788. *EPVP:* satisfaze.

773 *aviarme:* 'ponerme en camino'.
776 Toda esta escena (vv. 649-776), como vimos en la introducción, está construida a imitación y homenaje de *La Celestina*. De ella toma su caracterización la tercera Eritea y de ella procede este nuevo aire más fresco y realista que ahora recorre y vivifica la égloga.

se despiden mis enojos,
he por buenas mis passiones.
¡O, qué rostro y qué faciones,
qué garganta, boca y ojos! 805
¡Y qué pechos
tan perfetos, tan bien hechos
que me ponen mill antojos!
¡O, qué glorioso mirar,
qué lindeza en el reír, 810
qué gentil aire en andar,
qué discreta en el hablar!
¡Y quán prima en el vestir,
quán humana,
quán generosa y quán llana, 815
no ay quien lo pueda dezir!

Dentro en mí contemplo en ella,
siempre con ella me sueño,
no puedo partirme della.
Si en plazer está muy bella, 820
tan hermosa está con ceño.
¡Qué franqueza!
Para según su grandeza
todo el mundo es muy pequeño.

SUPLICIO Desde agora me despido 825
de te dar consejo más,
estás della tan vencido
que jamás pornás olvido
ni otra nunca bien querrás.

VITORIANO Esso tenlo por muy cierto, 830
que mill vezes seré muerto
sin morir la fe jamás.

SUPLICIO Que bien sabes, Vitoriano,
que estoy a tu mandar.

---

808. *EPVP:* para quitar mil passiones, *pero rompe la rima de las anteriores estrofas.*
831. *EPVP:* que mil v. sería m.
833. *EPVP:* *om.* que.
834. *EPVP:* que yo soy.

VITORIANO	Bien lo sé, Suplicio, hermano,	835
	tú me tienes en tu mano,	
	que no te puedo faltar.	
	Pues, ¿qué quieres?	
SUPLICIO	Haz lo que por bien tuvieres,	
	que no te quiero estorvar.	840
VITORIANO	Hablas como buen amigo	
	y muy cierto y verdadero.	
	Pues tu consejo no sigo	
	porque no puedo comigo,	
	sigue tú lo que yo quiero.	845
SUPLICIO	Que me plaze.	
	Lo que a ti te satisfaze	
	sigamos muy por entero.	
VITORIANO	Pues, ¿qué te paresce a ti	
	que devríamos hazer,	850
	mi passión cresciendo assí?	
SUPLICIO	¿Lo que me paresce a mí?	
	Deves morir o vencer.	
VITORIANO	Pues me abraso,	
	gran plazer es en tal caso	855
	poder a Plácida ver.	
SUPLICIO	Vamos allá si quisieres	
	que yo me vaya contigo.	
VITORIANO	Ante quiero que me esperes,	
	que con trato de mugeres	860
	nunca deve haver testigo.	
SUPLICIO	Anda, ve.	
	Por aquí te esperaré.	
VITORIANO	¡O, vívame tal amigo!	

Habla entre sí Suplicio

SUPLICIO	¡Infernal furia de fuego,	865
	o traidor, falso Cupido,	
	bien das porrada de ciego;	

859. *EPVP:* antes.
865. *EPVP:* del f.

donde hieres dexas luego
el dolor muy encendido!
¡Quién dixera 870
que Vitoriano saliera
tan fuera de su sentido!

Ni come, duerme ni vela,
ni sossiega ni reposa
sin que tal dolor le duela. 875
Tiene amor tan mala espuela
que la rienda es peligrosa.
Todo, todo
lo daña por qualquier modo,
vive vida muy penosa. 880

¡O passión de maravilla,
qu'es morir bivir en ella!
Yo padezco de manzilla
más passión de ver sufrilla
que no él en padecella. 885
¡O cuitado
de aquel triste desdichado
encendido en tal centella!

En todas las otras cosas
fue siempre muy virtuoso, 890
dino de famas famosas,
en hazañas hazañosas
vencedor muy poderoso.
En amores
le siguen tantos dolores 895
que nunca le dan reposo.

Siempre le siguen pesares,
desdichas, desaventuras,
por las tierras, por los mares,
en los alegres lugares 900
le saltean mill tristuras,
mill tormentos,
mill penados pensamientos,
mill congoxas y amarguras.

---

871. *EPVP:* que V. fuera.

VITORIANO ¡O Suplicio, muerto soy! 905
No ay remedio ya en mi vida,
del todo perdido voy,
en muy gran tormenta estoy,
que es mi Plácida partida.
No sé dónde 910
mi desdicha me la esconde.

SUPLICIO ¿No te dizen dónde es ida?

VITORIANO No ay quien lo sepa dezir,
mas de un pastor solamente
que la vio llorando ir 915
y de poblado huir
por alexarse de gente,
con tristura
maldiziendo su ventura
y aun el dios de amor potente. 920

SUPLICIO ¿No te dixo otra cosa
de sus nuevas el pastor?

VITORIANO Dixo que iva tan hermosa
que le pareciera diosa,
según su gran resplandor 925
soberano,
y diziendo: «Vitoriano,
¿por qué trocaste el amor?

¿Por qué trocaste la fe,
el querer y el afición? 930
¡O Vitoriano! ¿Por qué
a la que tan tuya fue
le diste tal galardón?
Siendo tal,
sin poderte querer mal, 935
¿consientes mi perdición?»

Mas si bien ella supiera
el amor que la tenía,
bien creo que no se fuera

---

924. *EPVP:* parecía.
927. *EPVP:* *om.* y.
938. *EPVP:* le t.

ni tales cosas dixera 940
dexando mi compañía.
¡Ay de mí,
que tanta gloria perdí
que morir más me valiera!

SUPLICIO Pues, ¿qué determinas agora? 945
Dime lo que te parece.

VITORIANO De morir por tal señora,
pues que mi mal empeora
y con mucha razón crece,
y en montañas 950
padecer penas estrañas,
pues ella por mí padece.
Y allí vida quiero hazer
que peor sea que muerte,
muy agena de plazer, 955
por mejor satisfazer
a mi desastrada suerte.

SUPLICIO No sé quál
es el que da mal por mal.

VITORIANO Yo, que siento mal tan fuerte 960
soy contento de morir
por los yermos despoblados,
pues que no supe seguir,
amar, querer y servir
amores tan acabados. 965
Desde aquí
castigo tomen en mí
todos los enamorados.
El que buen amor tuviere,
por la vida no le dexe, 970
porque si bolver quisiere
y cobrar no le pudiere,
de sí mismo no se quexe
como yo,
que tal bien mi fe perdió 975

---

971. *EPVP:* p. si lo b. q.
972. *EPVP:* lo, *también en el v. 970.*

qu'es razón de mí se alexe.
Suplicio, mi buen amigo,
ora vete ya a dormir.

SUPLICIO Sábete que he de ir contigo.

VITORIANO Yo te juro que comigo 980
persona no tiene de ir.

SUPLICIO ¿Dónde vas?

VITORIANO Do nunca más me verás.

SUPLICIO De ti no me he de partir.
Por esso ve do quisieres, 985
que no tengo de dexarte.
Yo tengo de ir do tú fueres,
y del mal que tú sufrieres
yo quiero tanbién mi parte.
Y anda allá 990
al pastor, que él nos dirá
todo el caso muy sin arte.

VITORIANO Mas llámalo acá, Suplicio,
que dentro allí lo verás
con su ganado a su vicio, 995
y por fazerme servicio
que tú le preguntes más.

SUPLICIO ¿Quieres?

VITORIANO Sí.

SUPLICIO Pastorcillo, llega aquí,
que luego te bolverás. 1000

PASCUAL Miafé, ¿cuidas que ha?
Sé que no sois vos mi amo.
Par Dios, venid vos acá,
que no puedo ir yo allá.

---

976. *EPVP: om.* es.
994. *EPVP:* le.
996. *EPVP:* hazerme.
1004. *EPVP:* yo ir.

---

992 *muy sin arte:* 'a su manera rústica'.
995 *vicio:* 'hábito, costumbre'.

SUPLICIO Ven, que por tu bien te llamo. 1005

PASCUAL ¿Por mi bien?

SUPLICIO Sí, pastor, por esso; ven,
corre, corre como gamo.

PASCUAL Ya no puedo yo aballar,
que en la lucha del domingo 1010
que sallimos a luchar
hubiera de rebentar
de un baque que me dio Mingo
allá en villa,
que me armó la çancadilla; 1015
ya no salto ni respingo.

Tal dolor tengo y passión
que ya no juego al cayado
ni a la chueca ni al mojón,
ni aun a cobra compañón, 1020
ni corro tras el ganado,
que no puedo
sino estar aquí a pie quedo
jugando al puto del dado.

SUPLICIO Vente assí como pudieres. 1025
Si mucho jugar cobdicias,
yo te jugaré, si quieres,
y unas nuevas me dixieres,

1009. *Es la lección de EPVP, más ajustada al metro; EPVM: om.* yo.
1011. *EPVP:* salimos.
1012. *EPVP:* no me pudo menear.
1019. *EPVP:* ni a la lucha, *lectio facilior.*
1028. *EPVP:* dixeres.

1009 *aballar:* 'caminar, moverse', véase *I,* 35; Pascual se expresará obviamente en el habla rústica característica del pastor.

1013 *baque: VI,* 34.

1016 *respingo: II,* 178.

1019 *chueca:* juego rústico y de labradores (*Covarrubias*), lo mismo que los demás juegos aquí citados: el del cayado, el mojón o el de «cobra compañón»; todos serían juegos de cierta violencia física y no de reposo y quietud como el del dado (v. 1024).

1024 *puto:* 'maldito'.

darte he yo buenas albricias.

PASCUAL Soy contento 1030
sin más me parar momento,
aunque sabes mill malicias.
¿Qué nuevas quieres saber?,
que yo diré si las sé.

SUPLICIO Una muy gentil muger 1035
de muy lindo parecer,
si sabes por dónde fue.

PASCUAL Por aquí
vino y nunca más la vi,
días ha, por buena fe. 1040
Iva con ansias tamañas
y con pena tan esquiva
por tan ásperas montañas
y por sierras tan estrañas
que es impossible ser viva; 1045
y aunque sea,
que jamás hombre la vea
según yo la vi qual iva.
Porque fui presente yo,
quiero daros estas cuentas. 1050
Y aun allí se desmayó,
que quasi muerta cayó
traspassada de tormentas.

SUPLICIO ¡Ay cuitado,
triste de mí, desdichado! 1055
Mira, pastor, que no mientas.

Sálese Vitoriano

PASCUAL ¡Llóbado malo me acuda
si la verdad yo n'os digo!
En eso no pongáis duda,

1029 *albricias:* «recompensa, regalo que se da por las buenas noticias recibidas».

1057 *llóbado:* 'tumor de lobo, tumor en los riñones' (Lihani, página 481).

	mi lengua se torna muda	1060
	pensando en su desabrigo.	
Suplicio	¡O, qué nuevas	
	de tan lastimosas pruevas!	
Pascual	Cierto, yo soy buen testigo.	
	Y nombrava sus amores	1065
	con afición muy estraña	
	sospirando con dolores,	
	recontando sus primores	
	de franqueza, fuerça y maña	
	y osadía.	1070
Gil	¡Que se os va la compañía	
	allá cara la montaña!	
	Por ende va sospirando.	
Suplicio	¿Por dónde?	
Gil	Por allí.	
Pascual	¡Juro a Sant que yo no vi	1075
	cómo aquel se fue ni quándo!	
Gil	Yo te juro	
	camino lleva tan duro	
	que muy mal rato le mando.	
Pascual	Gil Cestero, ¿acá estás tú?	1080
Gil	Acá estoy, soncas, ¿qué ha?	
	¡O Jesú, Jesú, Jesú!	
	El amor no sé quién hu,	
	mas muy malas vidas da.	
	Su querida	1085
	por morir se fue aborrida,	
	él tanbién perdido va.	
Pascual	¡Quál de aquellos, Gil Cestero,	
	era, soncas, el gayón?	

1073. *Estrofa irregular tanto en EPVM como en EPVP; debería comenzar con un primer verso rimado en* -i.

1072 *cara:* 'hacia'; Vitoriano ha salido de escena sin que lo advierta Suplicio, de ahí el aviso de Gil.
1073 Seguramente falta aquí un verso que regularizaría la estrofa.
1075 Sobre estas fórmulas de juramento, véase *I*, 82.
1089 *gayón:* 'galán', 'rufián'.

GIL Aquel que se fue primero, 1090
que el otro es su compañero.
Avía dél compassión
y venía
a tenelle compañía
por le dar consolación. 1095

PASCUAL Y tú, cuerpo no de Dios,
¿estavas con los de villa?

GIL Oteava, juria nos,
aquellos zagales dos,
que era vellos maravilla, 1100
tan polidos,
tan peinados y vencidos
que les ove gran manzilla.

PASCUAL ¡Dalos a ravia y a roña
los de villa y palaciegos! 1105
El amor los endimoña,
peores son que ponçoña;
todos son unos rapiegos
lladrobazes
que nunca querrían pazes. 1110
¡Dios les dé malos sossiegos!

GIL ¡Y a nosotros buen tempero!

PASCUAL Daca, juguemos un rato.

GIL ¿A qué juego, compañero?

PASCUAL A los dados, Gil Cestero. 1115
Juguemos algo del hato.

GIL Soy contento,
aunque sabes más de cuento.
Dalos acá.

1108. *EPVP:* apriegos.
1109. *EPVP:* ladrobazes.
1118. *EPVP: om.* más, *hipométrico.*

1096 *cuerpo no de Dios:* «cuerpo de Dios (o de Christo o de tal), especie de interjección o juramento que explica a veces la admiración» *(Aut.).*
1102 Véase n. 740.
1108 *rapiegos:* 'ladrones, saqueadores' (Lihani, pág. 538).
1109 *lladrobazes:* 'ladronazo, rapaz robador' (Lihani, pág. 477).

PASCUAL	Ya los saco.	
	Con esto se bate el cobre.	1120
	Sus, ¿a qué quieres jugar?	
	¿Badalassa o rica pobre?	
GIL	A todo sabes el dobre,	
	mas juguemos al azar.	
PASCUAL	Sus, juguemos.	1125
	Primero batalla echemos.	
GIL	Mas la mano me has de dar.	
PASCUAL	Toma tú la mano ya,	
	aunque te doy gran ventaja.	
GIL	Ora, sus, Pascual, ¿qué va?	1130
PASCUAL	Mi cayado, que valdrá	
	más que tu mejor alhaja.	
	¿Tú qué pones?	
GIL	Yo mi cinto de tachones.	
PASCUAL	Más essa cesta de paja.	1135
GIL	Ésta no quiero jugalla	
	porque la quiero guardar	
	para mi sobrina Olalla.	
PASCUAL	Mucho quisiera ganalla	
	yo también para la dar	1140
	a Beneita,	
	qu'el corpancho me deleita	
	y me suele gasajar.	
GIL	De jugalla soy contento,	
	a tal que tú juegues llano,	1145
	aunque pierda en un momento;	
	quien haze un cesto hará ciento.	
	Echo, si quieres, de mano.	
PASCUAL	Dale dentro.	
	Nueve puntos.	
GIL	Encuentro.	1150

1134. *EPVP:* thacones, *error gráfico.*
1136. *EPVP:* quiera.
1147. *EPVP:* hará; *EPVM:* fará.
1148. *EPVP:* echa.

1119 Es irregular en la rima este verso.

PASCUAL	El cayado yo lo gano.	
	Beneita, estáte, no hiles	
	en hoto de la cestilla.	
	El cerro no despaviles.	
	A treze tres.	
GIL	¡Gano, diles	1155
	amores de Marinilla!	
	Diez he yo.	
PASCUAL	Perdiste.	
GIL	No me acudió.	
PASCUAL	Dentro estás en la cestilla.	
	La cestilla te he ganado.	1160
GIL	Déxate dessos cestillos,	
	tórnate allá tu cayado	
	y no me hinques el dado.	
PASCUAL	¿Ya miras en los poquillos?	
GIL	Soy avaro,	1165
	a siete puntos le paro.	
PASCUAL	La cruz con los monazillos.	
	La cesta, triste de ti,	
	aun oviste de perder.	
	Beneita la avrá de mí,	1170
	luego me voy por allí	
	a ponérsela en poder.	
GIL	¡O despecho!	
	Mas hágate buen provecho,	
	que perdiendo he de aprender.	1175
PASCUAL	Ora escucha, Gil Cestero,	
	otea qué sonezillos.	

1151. *EPVP:* le.
1159. *EPVP:* estó.
1165. *EPVP:* soy escasso.
1166. *EPVP:* le passo.
1171. *EPVP:* para allí.

1167 *la cruz con los monazillos:* como indica R. Gimeno, ed. cit., la frase «puede indicar que, como al monaguillo le corresponde la cruz, corresponde a Pascual ahora la cestilla porque la acaba de ganar».

GIL	Deve ser algún gaitero.	
PASCUAL	Más cuido que rabilero,	
	o sones de caramillos.	1180
GIL	Más lechuzas.	
PASCUAL	Si las orejas te aguzas,	
	antes dirás que son grillos.	
GIL	Si quieres, vamos allá	
	a perllotrar el sonido.	1185
PASCUAL	Irguete, sus, anda acá.	
GIL	Pues la mano acá me da.	
	Dome a Dios, que estó adormido.	
PASCUAL	Vamos presto.	
GIL	Yo no puedo andar más presto.	1190
PASCUAL	Y aun yo estoy medio tollido.	

Villancico

Si a todos tratas, Amor,
como a mí,
renieguen todos de ti.
No miras, Amor, ni catas 1195
quién te sirve bien o mal;
a mí, que soy más leal,
más cruelmente me tratas.
Si a todos los otros matas
como a mí, 1200
renieguen todos de ti.
En mí, que más fe posiste,
sembraste más desventura,
más dolores, más tristura,
más días de vida triste. 1205
A los que tal pago diste
como a mí,
reniguen todos de ti.
No valen contigo ruegos,

1179 *cuido:* 'pienso'; *rabilero:* 'rabelero, que toca el rabel'.
1185 *perllotrar: VIII,* 111.

fuerças, mañas ni razones; 1210
al mejor tiempo me pones
en dos mill desassossiegos.
Si a todos tienes tan ciegos
como a mí,
reniguen todos de ti. 1215

PLÁCIDA Soledad penosa, triste,
más que aprovechas me dañas,
mal remedio en ti consiste
para quien de mí se viste;
y se abrasan las entrañas 1220
con tal fuego
que con su mismo sossiego,
con sus fuerças muy estrañas.
Muy estraño pensamiento
a mi flaqueza combate 1225
sin tener defendimiento;
para salir de tormento
cumple, triste, que me mate
sin tardança.
Ya está seca mi esperança, 1230
no sé qué remedio cate.
Remedio para mi llaga
no lo siento ni lo espero.
¡Cuitada, no sé qué haga!
Mill vezes la muerte traga 1235
quien muere como yo muero.
Ven ya, muerte,
acaba mi mala suerte
con un fin muy lastimero.
Lastimada de tal modo, 1240

1220. *EPVP:* sus e.
1223. *EPVP:* y con.

1124 Las cuatro primeras estrofas del lamento de Plácida presentan un tipo especial de encadenado al repetir en el primer verso una forma gramatical flexionada del último verso de la estrofa anterior ('estrañas'-'estraño', 'remedio'-'remedio', 'lastimero'-'lastimada').

es de fuerça que de grado
rompa la llaga del todo,
póngase el cuerpo del lodo,
pues tal fin del alma ha dado.
¡O Cupido, 1245
que la recibas te pido
entre quantas has robado!

No so yo menos que Iseo,
ni la fe ni causa mía,
mas más fe y más causa veo 1250
para dar fin al desseo
como hize al alegría.
Coraçón,
esfuerça con la passión,
fenezca ya tu porfía. 1255

¡O Vitoriano mío!,
no mío, mas que lo fueste,
este sospiro te embío
aunque de tu fe confío
que el oído no le preste. 1260
Huelga ya,
que Plácida morirá
siendo tú de amor la peste.

A sabiendas olvidaste,
¡o traidor! este puñal; 1265
cierto, muy bien lo miraste
y aparejo me dexaste
para dar fin a mi mal.
¡O cruel,
rescibe la paga dél 1270
y este despojo final!

No fue más cruel Nerón

1260. *EPVP:* que el odio no le te preste, *claro error.*
1270. *EPVP:* plaga.

1248 *Iseo:* comienza aquí otro breve catálogo de mujeres desdichadas en sus amores; en este caso, incorpora como novedad un personaje de la literatura medieval caballeresca, Isolda, la amada de Tristán.
1257 *fueste:* fuiste.

que tú eres, y esto creas.
Yo Filis, tú Demofón;
yo Medea, tú Jasón; 1275
yo Dido, tú otro Eneas.
En él, tigre,
aunque causas que peligre,
nunca en tanto mal te veas.

¡Sus, braços de mi flaqueza, 1280
dad comigo en el profundo
sin temor y sin pereza!
Memoria de fortaleza
dexarás en este mundo,
cuerpo tierno, 1285
aunque vayas al infierno
ternás pena, mas no dudo.

Por menos embaraçarme
en los miembros impedidos,
para más presto matarme 1290
muy bien será desnudarme
y quitarme los vestidos
que me estorvan;
ya los miembros se me encorvan
y se turban mis sentidos. 1295

No te turbes ni embaraces,
recobra, Plácida, fuerças;
cumple que te despedaces
y con la muerte te abraces,
deste camino no tuerças. 1300
Mano blanca,
sei muy liberal y franca

1274 *Filis:* hija de Licurgo, rey de Tracia, abandonada por Demofonte, que a su regreso de Troya había parado en aquella región, terminó suicidándose; de esos amores trató Ovidio, *Heroidas,* II.
1275 *Medea:* ver n. 385.
1276 *Dido:* abandonada por Eneas, también acabó quitándose la vida.
1287 *dudo:* 'temo'.
1302 *sei:* 'sé', forma de imperativo frecuente en la lengua medieval, pero ya arcaica en época de Encina, quien suele utilizar *sé.*

en ferir, que ya te esfuerças.
¡O Cupido, dios de amor,
rescibe mis sacrificios, 1305
mis primicias de dolor,
pues me diste tal señor
que despreció mis servicios!
Ve, mi alma,
donde Amor me da por palma 1310
la muerte por beneficios.

VITORIANO Suplicio, no sé manera
cómo podamos hallar
aquella luz verdadera
que me causa que yo muera 1315
por no la poder mirar.

SUPLICIO Acabemos,
por este valle busquemos
que nos queda de buscar.

VITORIANO Aunque yo triste me seco, 1320
eco
retumba por mar y tierra.
Yerra,
que a todo el mundo ¡o Fortuna!,
una 1325
es la causa sola dello.

1280. *EPVM:* braço, *por error.*
1308. *EPVP:* desprecia.
1309. *EPVP:* ven.
1313. *EPVM:* como la p. h., *hipermétrico.*
1324. *EPVP:* o inportuno.

1310 *palma:* 'premio'.

1320 Este poema *en eco* habría sido redactado años atrás por Juan del Encina, puesto que es recogido ya en el *Cancionero General* de 1511, dirigido como composición independiente a la marquesa de Cotrón, fols. 165*v*-166*r* («Aquí comiença una obra de Juan del Enzina llamada *Eco,* dirigida a la marquesa de Cotrón»; presenta algunas variantes con respecto al texto de la égloga: v. 1324: el m. importuna; v. 1364: el mal; v. 1372: y a mí; v. 1374: mes; v. 1378: de mis s.; v. 1386: memoria del mal; v. 1396: un mal con que me persigo; v. 1397: sigo; v. 1408: y yo consiento). Con gran habilidad lo aprovecha ahora escénicamente Encina para que Vitoriano, buscando por un valle, comunique a la naturaleza su pasión por Plácida.

Ello
sonará siempre jamás,
mas
adonde quiera que voy 1330
oy,
hallo mi dolor delante.
Ante
va con la quexa cruel
él, 1335
dando al amorosa fragua
agua.
Soy de lágrimas de amar
mar,
y daría por más lloro 1340
oro,
que el llorar me satisfaze,
haze
desenconar mi postema.
Tema 1345
tengo ya con el consuelo;
suelo
buscar de doblar cuidado,
dado
soy del todo a los enojos. 1350
Ojos
devéis ya con los sospiros
iros
a buscar la soledad;
dad 1355
a mí la guía vosotros,
otros
no querrán a tal bivir
ir.
¿Quién es el que tal dessea? 1360
Ea,
amadores, ¿ay alguno?

1336. *EPVP:* la amorosa.
1343. *EPVP:* faze.

Uno
es el más que me destruye;
huye 1365
la esperança y el remedio,
medio
no tengo para mi mal.
Al
que a mi triste sentimiento 1370
miento,
a mí mismo yo me engaño.
Año,
mes, un solo día agora,
ora 1375
no tengo ya de reposo;
poso
muy lexos a mis sentidos,
idos
son agora ya de buelo. 1380
Elo,
que lo que digo no sé,
e
mi lengua, que ya desmayas,
ayas 1385
compassión del mal que passo.
Asso
mis entrañas en centellas,
ellas
me queman el alma y vida. 1390
Ida
es mi gloria toda entera;
era

1374. *EPVM,* me es; *pero es preferible la lección del* Canc. Gral.

1388 *centellas:* la marquesa de Cotrón se llamaba Leonor Centellas, como el propio Encina la nombra en el *Romance* que compone a la prisión y muerte de su marido («Cabe la isla del Elba / el buen marqués de Cotrón...», en *Canc. Gral.,* 166*v*). El nombre explica, sin duda, la reiterada imagen y alusiones expresivas al 'fuego de amor' («fragua», «quemar», «abrasar»). Sobre esta dama, puede verse M. A. Pérez Priego, *Poesía femenina,* ob. cit., págs. 54-56.

libre, y siervo agora bramo.
Amo 1395
un mal con que me destruyo;
huyo,
mas amor, do más oviere,
hiere
mi coraçón desdichado. 1400
Hado
fue que triste me cubrió.
Yo
no sé para qué me guardo;
ardo 1405
de suerte que me refrío,
frío
que me abrasa yo consiento,
siento
los contrarios que me aquexan, 1410
quexan
de la muerte que me acabe.
¿Cabe
dentro de mí tal desconcierto?
Cierto, 1415
que tiene, con desatino,
tino,
que jamás en cosa acierta
cierta.

¡O, si ya pluguiesse a Dios 1420
dar descanso a mi fatiga!

SUPLICIO Él aya merced de nos
y nos dé gracia a los dos
que topemos con tu amiga.

VITORIANO ¿Por dó quieres? 1425

SUPLICIO Por doquiera que tú fueres,
cierto estás que yo te siga,

VITORIANO Allí, cabe aquella fuente
parece estar no sé qué.

SUPLICIO Puede ser que sea gente. 1430

VITORIANO Vamos allá prestamente,
no paremos, por tu fe.

SUPLICIO ¡Por mi vida!,
parece muger dormida.
Si es aquélla no lo sé. 1435
Si por ventura es aquélla,
gran dicha será la nuestra.

VITORIANO Mas triste de mí, si es ella,
porque me parece vella
como muerta, según muestra. 1440

SUPLICIO Ella es, cierto.

VITORIANO ¡Desdichado, yo soy muerto,
si buena suerte no adiestra!
¡O, maldita mi ventura!
Cierto es ella. ¡Muerta está! 1445
Oy entro en la sepultura
lo menos de mi tristura:
para más mal basta ya,
mi dolor
ya no puede ser mayor. 1450
¡Ay, que el alma se me va!

SUPLICIO Torna en ti, Vitoriano,
no te desmayes assí
como muy flaco y liviano.

VITORIANO ¡Mi fe! Ya, Suplicio hermano, 1455
no hagas cuenta de mí.

SUPLICIO ¿Qué es aquesto?
¿Assí te mueres tan presto?
¡O, desdichado de ti!
En mal ora y en mal punto 1460
uno del otro os vencistes,
ella muerta y tú defunto.
Un sepulcro os haré junto,
pues ambos juntos moristes.
¡Bivo está! 1465
Puede ser que tornará,
que laten sus pulsos tristes.
Desta agua le quiero echar
por ver si tornará en sí.
¡Maldito sea el amar 1470
que tanto mal y pesar

trae continuo tras sí!
¡A, mi hermano!
¡A, gentil Vitoriano!
¿No me conosces a mí? 1475

VITORIANO ¡Ay, Suplicio! Mira bien
si de todo punto es muerta.

SUPLICIO Por muerta cierto la ten,
mas mira quién es muy bien.
No te desmayes, despierta 1480
y levanta.

VITORIANO Pues mi desventura es tanta,
ten mi muerte por muy cierta.
Veamos cómo murió,
quál fue su llaga mortal. 1485

SUPLICIO Ella misma se mató;
por el coraçón se dio,
hincado tiene un puñal.

VITORIANO ¡O, cruel,
que mi puñal es aquel! 1490
Yo di causa a tanto mal.
Yo lo dexé por olvido,
burlando un día entre nos.
Mira cómo lo ha tenido
muy guardado y escondido 1495
para dar fin a los dos.
Muestra acá,
dexa, dexa.

SUPLICIO ¡Ta, ta, ta!

VITORIANO ¡Déxame matar, por Dios!

SUPLICIO Sossiega tu coraçón. 1500
¿Tu prudencia ya es perdida?
Da lugar a la razón,
que estás agora con passión.

VITORIANO Y estaré toda mi vida.
¿Vida o qué? 1505
Yo cierto me mataré,
aunque tu fe me lo impida.

SUPLICIO ¿Tú quieres perder el alma
con el cuerpo? ¿Tú estás loco?

¿Quieres de loco aver palma? 1510
Dexa estar tu fama en calma,
no la tengas en tan poco.

VITORIANO ¡O, mi Dios!
¡O, muerte! Y mata a los dos,
ven ya, muerte, que te invoco. 1515

SUPLICIO Procuremos de enterrar
aquesta que tanto amaste
en algún noble lugar.
Dexa agora de llorar;
lo llorado agora baste, 1520
que atormentas
el alma que da las cuentas
de culpas que tú causaste.

VITORIANO Pues anda, Suplicio amigo,
busca modo, por tu fe. 1525

SUPLICIO Anda, vente acá comigo;
sin que alguno esté contigo,
yo dexar no te osaré.

VITORIANO No ayas miedo,
la fe te doy de estar quedo; 1530
sobre mi palabra ve.

SUPLICIO ¿Das la fe de cavallero
de estar quedo y sossegado,
con seso y reposo entero
hasta venir yo primero 1535
y que a ti aya tornado?

VITORIANO Yo te doy
aquesta fe de quien soy
de me estar aquí assentado.

SUPLICIO Yo me voy, Vitoriano, 1540
a buscar ciertos pastores;
por esso, toca la mano
de buen amigo y hermano,
que refrenes tus dolores
entre tanto 1545

1522. *EPVP:* el a. que a de dar c.
1536. *Falta este verso en EPVM, no así en EPVP, por donde transcribo.*

y no des lugar al llanto,
mas reza por tus amores.

VIGILIA DE LA ENAMORADA MUERTA

Invitatorium

VITORIANO *Circundederunt me*
dolores de amor y fe,
¡ay, *circundederunt me!* 1550
Venite los que os doléis
de mi dolor desigual,
para que sepáis mi mal.
Yo os ruego que n'os tardéis
porque mi muerte veréis. 1555
Dolores de amor y fe,
¡ay, *circundederunt me!*
Quoniam el dios de amor
me ha tratado en tal manera
que es forçado que yo muera 1560
de muy sobrado dolor.
Cercáronme en derredor
dolores de amor y fe,
¡ay, *circundederunt me!*

1548 Comienza aquí la que llama el texto «Vigilia de la enamorada muerta», una parodia litúrgica —en las que tanto abunda la poesía del siglo XV: Rodríguez del Padrón, Juan de Dueñas, Suero de Ribera, Garci Sánchez de Badajoz, etc.—, en este caso, reelaborada sobre el oficio de difuntos e inscrita en un texto dramático, seguramente con música de canto llano y de órgano. Véase el estudio que le dedicó Guido Mancini, «Una veglia funebre profana: la *Vigilia de la enamorada muerta* di Juan del Encina», *Studi dell Istituto Linguistico* (Università di Firenze), 14 (1981), págs. 187-202.

1550 El *invitatorium* consiste propiamente en un villancico glosado, en el que son parodiados versículos de los *Salmos* 114 y 94; el villancico y su estribillo recogen el salmo 114, 3: *Circumdederunt me dolores mortis et pericula inferni invenerunt me.*

1551 Al comienzo de cada una de estas estrofas de glosa se insertan las primeras palabras de algunos versículos del salmo 94: *Venite, exsultemus Domino* (94, 1).

1558 *Quoniam Deus magnus Dominus et rex magnus super omnes deos* (94, 3).

¿Cuius spiritus es 1565
el alma del buen amante?
Quien primero va adelante
a la fin buelve al revés.
Siempre al cabo dan revés
dolores de amor y fe, 1570
¡ay, *circundederunt me!*
Hodie, los que me oís,
huid de seguir su vía,
do se pierde el alegría,
y siempre en pena morís 1575
y queriendo me pedís
dolores de amor y fe,
¡ay, *circundederunt me!*
Quadraginta annis passiones
nacen de su seguimiento; 1580
en su más contentamiento
ay mill desesperaciones,
son sus ciertos galardones
dolores de amor y fe,
¡ay, *circundederunt me!* 1585

Dirige, señor dios mío,
dios Cupido, dios de amores,
dios en cuyo mal confío,
los sospiros que te embío,
mis vías con tus clamores, 1590
porque vaya
donde es por fuerça que caya
de un error en mill errores.

1566. *EPVM:* de, *errata.*

1572 *Hodie si vocem eius audieritis...* (94, 8).
1579 *Quadraginta annis offensus fui generationi illi* (94, 10).

Psalmus

Verba mea siempre son
del amor y sus tormentos; 1595
vencido del afición,
ocupada la razón,
no tengo defendimientos.
Dios de amor,
oye tú mi gran clamor, 1600
entiende mis pensamientos.
Intende mis oraciones,
intende mis sacrificios,
entiende mis oblaciones,
entiende mis devociones. 1605
No desprecies mis servicios,
que son tales
que conforman con los males
que me das por beneficios.
Quoniam ad te, señor, 1610
orabo siempre jamás,
dios Cupido, dios de amor,
a ti demando favor
y tú nunca me lo das.
No sé cómo 1615
quanto más por dios te tomo
tanto me persigues más.
Mane triste *tibi astabo*
et videbo mi gran pena,
quoniam ves que yo te alabo, 1620
hasta ponerme en el cabo

1618. *EPVM: omite por descuido* tibi.

1594 Estas estrofas parodian el salmo 5, el comienzo de cuyos versículos se irá repitiendo en el primer verso de cada estrofa: *Verba mea auribus percipe, Domine, intellige clamorem meum* (5, 2).

1602 *Intende voci orationis meae, rex meus et Deus meus* (5, 3).

1610 *Quoniam ad te orabo, Domine, mane exaudies vocem meam* (5, 4).

1618 *Mane astabo tibi, et videbo quoniam non Deus volens iniquitatem tu es* (5, 5).

tú no afloxas mi cadena,
que se alarga
la fin de mi vida amarga
y a mayor mal me condena. 1625

Neque habitabit ya
plazer en mi coraçón,
que mi vida muerta está
y mi muerte bivirá
sin ninguna redempción. 1630
Yo, perdido,
no espero ser redemido
de tan grande perdición.

Odisti, vida, el bivir
no por salir de tormento 1635
mas porque con el morir
yo podría conseguir
vengança del pensamiento,
que la vida
no se dize ser perdida 1640
do sobra el merescimiento.

Virum sanguinum, sin duda,
dévese de aborrescer,
mas la fe que no se muda
y a la fin queda desnuda 1645
de consuelo y de plazer,
qual la mía,
que queda sin allegría
y en perpetuo padecer.

Introibo en casa tuya 1650
y aun adoraré al tu templo,
pues que soy primicia suya.

1622. *EPVP:* afloxas.
1635. *EPVP:* ya por.

1626 *Neque habitabit iuxta te malignus, neque permanebunt iniusti ante oculos tuos* (5, 6).
1634 *Odisti omnes qui operantur iniquitatem* (5, 7).
1642 *Virum sanguinum et dolosum abominabitur Dominus* (5, 7).
1650 *Introibo in domum tuam* (5, 8).

No creas qu'el morir huya,
que ya sólo en él contemplo
por dar fin 1655
en este mundo malsín
y dexar de amor enxemplo.
Domine, deduc a muerte
por tal vía y tal manera
que venga mi triste suerte 1660
a dar en otra más fuerte,
donde más pene y más muera,
porque sé
que no me faltará fe,
antes será más entera. 1665
Quoniam non est in ore
sino lágrimas del alma,
porque más mal se atesore
donde está claro que more
siempre tormento sin calma; 1670
tu vitoria
es dar la pena por gloria,
prisión por triumpho y palma.
Sepulchrum patens me espera
y aun yo estoy en esperança 1675
que la menos lastimera,
la más cierta y verdadera,
amor, que de ti se alcança,
a la luengua
muestra en su flaqueza mengua, 1680
de dolor haze mudança.
Discedant mis pensamientos,
fenezcan ya mis porfías,

1676. *EPVP:* ques la.
1679. *EPVP:* lengua.

1658 *Domine, deduc me in iustitia tua* (5, 9).
1666 *Quoniam non est in ore eorum veritas, cor eorum vanum est* (5, 10).
1674 *Sepulchrum patens est guttur eorum, linguis suis dolose agebant* (5, 11).
1682 *Decidant a cogitationibus suis* (5, 11).

paguen mis atrevimientos
las passiones y tormentos 1685
de las claras culpas mías.
¡Ay de mí!
Pues que en un día nascí,
¿cómo muero en cient mill días?
Et letentur los amantes 1690
que en mí tomarán castigo,
que aunque se vean pujantes
y en amar muy más constantes,
no desprecien su enemigo,
que desprecio 1695
no es de sabio, mas de necio:
yo por mí de mí lo digo.
Et gloriabuntur omnes
quantos te tienen temor,
pues pagas sus aficiones 1700
y les das por galardones
tormento, pena y dolor,
tú, que solo
truxiste por fuerça Apolo
a la tu prisión y amor. 1705
Domine, ut scuto bone
voluntatis de ti, dios,
porque todo lo perdone
concede que nos corone
una muerte aquí a las dos; 1710
quien bien quiere
la muerte, de ti la espere
quoniam coronasti nos.
Requiem eternam dona
de tormento y de passión 1715
a mi alma y mi persona
porque goze la corona
de perpetua perdición.

1690 *Et laetentur omnes qui sperant in te* (5, 12).
1698 *Et gloriabuntur in te omnes qui diligunt nomen tuum* (5, 12).
1706 *Domine, ut scuto bonae voluntatis tuae coronasti nos* (5, 13).

Por amores
siempre crezcan mis dolores 1720
sin ninguna redempción.
Convertere, dios Cupido,
saca mi alma del mundo,
esto te ruego y te pido
no lo pongas en olvido; 1725
da con ella en el profundo
con aquesta
que robaste agora desta,
sea yo luego el segundo.

Psalmus

Domine, in furore tuo 1730
ruégote que me condenes,
que en una carne *nunc duo,*
según las penas, *iam luo.*
Juntos cumple que nos penes
sin que acabes, 1735
pues que tú, Cupido, sabes
la razón que desto tienes.
Miserere mei, Amor.
Desesperan mis cuidados,
sea mi pena y dolor 1740
la más grave y la mayor
de los más atormentados.
Mis entrañas
sienten congoxas estrañas,
mis huessos son conturbados. 1745
Et anima mea está
muy turbada y aflegida,
nadie consuelo le da,

1730 En este *psalmus* son parodiados los versículos del salmo 6: *Domine, ne in furore tuo arguas me, neque in ira tua corripias me* (6, 2).
1738 *Miserere mei, Domine, quoniam infirmus sum; sana me, Domine, quoniam conturbata sunt ossa mea* (6, 3).
1746 *Et anima mea turbata est valde* (6, 4).

que dessea salir ya
y dexar aquesta vida 1750
no segura
sino de la sepultura
porque está ya de partida.

Convertere, señor mío,
libra mi alma de gloria, 1755
recibe en tu poderío
su libertad y alvedrío
y dexa della memoria
con mi muerte,
porque el mundo acá despierte 1760
a seguir tras tu vitoria.

Quoniam non est in morte
quien se acuerde acá de ti,
dexa la fama por norte
con que me ligue tu corte 1765
tomando castigo en mí.
En tu templo
yo quedaré por enxemplo
quando partiere de aquí.

Laboravi en mi gemido 1770
y mis lágrimas bañaron
mi lecho, que no he dormido
después que triste, perdido,
mis amores me dexaron.
Moriré, 1775
por ellos me mataré,
pues que por mí se mataron.

Turbatus est a furore
oculus meus, cuitado.

1765. *EPVM:* con que no me, *hipermétrico.*
1769. *EPVP:* partiré.

1754 *Convertere, Domine, et eripe animam meam* (6, 5).
1762 *Quoniam non est in morte qui memor sit tui* (6, 6).
1770 *Laboravi in gemitu meo, lavabo per singulas noctes lectum meum, lacrymis meis stratum meum rigabo* (6, 7).
1778 *Turbatus est a furore oculus meus* (6, 8).

Amor, no sé si te adore, 1780
si te blasfeme y desdore;
malamente me has burlado.
Bien que agora
por fuerça mi fe te dora,
confiéssote mi pecado. 1785
Discedite a me, temores,
que no podréis estorvarme
de morir por mis amores.
Vengan todos los dolores
en la muerte acompañarme. 1790
Todos quantos
oyen la boz de mis llantos,
den favor para matarme.
Exaudivit dios mi ruego
y rescibe mi oración; 1795
mi seso está ya muy ciego,
que yo me mataré luego.
No ay ninguna redempción.
Esto es cierto,
que muy presto seré muerto, 1800
ya va muerta la razón.
Erubescant mis plazeres,
no me vengan más a ver;
pues que tú, Cupido, quieres,
por el primor de mugeres 1805
soy contento padecer.
Convertantur
fletus et revereantur
et valde velociter.

1786 *Discedite a me omnes qui operamini iniquitatem, quoniam exaudivit Dominus vocem fletus mei* (6, 9).

1794 *Exaudivit Dominus deprecationem meam, Dominus orationem meam suscepit* (6, 10).

1802 *Erubescant et conturbentur vehementer omnes inimici mei, convertantur et erubescant valde velociter* (6, 11)

Requiem eternam

Nequando rapiat [ut] leo 1810
las enamoradas fuerças
de mi alma y mi desseo,
a ti, fe de lo que creo,
te requiero que no tuerças
en la muerte; 1815
aunque sé que eres muy fuerte,
parezca como te esfuerças.

Psalmus

Domine, deus de amor,
a ti, por tu poderío,
aunque no me des favor, 1820
soy contento dar, señor,
mi libertad y alvedrío.
Quantos biven
es por fuerça que cativen
su poder como yo el mío. 1825
Nequando rapiat la muerte
mi cuerpo a la sapultura,
no falte mi triste suerte,
venga la furia muy fuerte,
la más orrible y escura, 1830
que es mejor
para acabar mi dolor
con que cesse mi tristura.
Domine, deus Cupido,
si feci delitos grandes, 1835

1810. *EPVP, EPVM: omiten* ut.

1810 *Ne quando rapiat ut leo animam meam, dum non est qui redimat neque qui salvum faciat* (7, 3).

1818 Este *psalmus* parodia los versículos del salmo 7: *Domine Deus meus, in te speravi, salvum me fac ex omnibus persequentibus me et libera me* (7, 2):

1826 *Ne quando rapiat ut leo animam meam* (7, 3).

1834 *Domine Deus meus, si feci istud, si est iniquitas in manibus meis* (7, 4).

yo quiero ser muy punido,
que por ser más aflegido
sufriré quanto me mandes.
Yo ya veo
que no cumple a mi desseo 1840
que en más dilaciones andes.

Si reddidi causa al mal,
yo quiero sofrir la pena,
pues que fue el delito tal,
mortal y más que mortal, 1845
que a mayor mal me condena.
No ay quien sienta
en el mundo mi tormenta,
y en el infierno ya suena.

Persequatur mi enemigo 1850
a mi vida, que es ya suya;
a ti, dios de amor, lo digo,
tras quien yo contigo sigo
sin hallar que jamás huya.
Tú lo sabes, 1855
Amor, pues dentro en mí cabes,
que yo soy morada tuya.

Exurge, domine, in ira
y ensañça tu presunción;
con tus saetas me tira 1860
y encara y assesta y mira
que des en el coraçon
con dolores
tan grandes que a los amores
tornes en desperación. 1865

Et exurge, señor dios,

1865. *Es la lección de EPVP; EPVM:* t. en desesperación, *hipermétrico.*

1842 *Si reddidi retribuentibus mihi mala, decidam merito ab inimicis meis inanis* (7, 5).
1850 *Persequantur inimicus animam meam et comprenhendat* (7, 6).
1858 *Exsurge, Domine, in ira tua et exaltare in finibus inimicorum meorum* (7, 7).
1866 *Et exsurge, Domine Deus meus, in praecepto quod mandasti* (7, 7).

en el precepto que mandas
que un amor en tales dos
se dividiesse entre nos,
por demás entre nos andas. 1870
¿Con el ver
de tan alto merescer,
que me aparte me demandas?
Et propter hanc que yo vi
de merescimiento tal 1875
que desde quando nascí,
nunca jamás conoscí
tan buen bien como mi mal,
ni hallé
tan bien empleada fe 1880
ni que fuesse más leal.
Iudica me tú, señor,
a lo peor que pudieres,
pues, teniendo tu favor,
después vine en tanto error 1885
que despedí mis plazeres
por ausencia,
huyendo de la presencia
del primor de las mugeres.
Consumetur el plazer 1890
que en aqueste mundo tuve,
cresca siempre el padecer
sin que pueda fenescer,
pues tal fin de mi bien uve.
Como viento 1895
se passó el contentamiento
quando más contento estuve.
Iustum adiutorium da,

1878. *EPVP:* tanto bien.

1874 *Et propter hanc in altum regredere* (7, 8).
1882 *Iudica me, Domine, secundum iustitiam meam* (7, 9).
1890 *Consumetur nequitia peccatorum* (7, 10).
1898 *Iustum auditorium meum a Domino, qui salvos facit rectos corde* (7, 11).

Amor, para que me mate;
mi muerte justa será. 1900
Y venga, venga, venga ya,
sin que más rodeos cate;
no se tarde,
no cumple que más aguarde
ni que más tiempo dilate. 1905
Deus justo, juez fuerte,
áspero y cruel y fiero,
si temes darme la muerte
por pensar que estoy de suerte,
que en vida mucho más muero, 1910
no lo temas,
qu'el fuego con que me quemas
después será más entero.
Nisi conversi a ti fueren
los que procuran negarte, 1915
y aun desque se arrepintieren,
penen, mueran, desesperen
sin les dar de ti más parte,
porque sea
gran enxemplo a quien lo vea 1920
y tú puedas bien vengarte.
Et in eo se conosca
tu poder muy asoluto
sobre hedad altiva y moça,
que dentro en ti se alboroça 1925
siendo fruto de tu fruto
como yo,
por do mi fe mereció
quedar en tan triste luto.
Ecce parturit ausencia 1930

1913. *EPVP:* serás.
1922. *Así EPVM, pero la rima exigiría* conoça; *EPVP:* conozca.

1906 *Deus iudex iustus, fortis et patiens* (7, 12).
1914 *Nisi conversi fueritis, gladium suum vibrabit* (7, 13).
1922 *Et in eo paravit vasa mortis* (7, 14).
1930 *Ecce parturiit iniustitiam, concepit dolorem et peperit iniquitatem* (7, 15).

para mi desesperança,
que al fingir de penitencia
de nuevo amor de Flugencia,
concedió gran tribulança
y perdió 1935
todo el mal por donde yo
pierdo vida y esperança.

Lacum de lágrimas tristes
será ya mi coraçón
por la gran razón que vistes; 1940
vosotros, hijos, las distes
sintiendo mi perdición,
que mi fe
cayó en el lazo que armé
sin ninguna redención. 1945

Convertatur el dolor
en muerte desesperada,
yo la espero sin temor
porque sé que es muy mejor
su pena que la passada. 1950
Dolor eius,
pues que va de mal en *peius,*
venga sin tardarse nada.

Confitebor a ti, dios,
secundum la tu justicia, 1955
júntanos a estos dos
pues que ya sabes que nos
no pecamos por malicia
ni maldad,
mas por una liviandad 1960
de enamorada codicia.

1933. *EPVP:* Fulgencia.
1956. *EPVP:* a todos dos.

1938 *Lacum aperuit et effodit eum* (7, 16).
1946 *Convertetur dolor eius in caput eius* (7, 17).
1954 *Confitebor Domino secundum iustitiam eius* (7, 18).

Requiem eternam et antifona

A porta inferi digo,
del profundo,
que los que son deste mundo
reciban en mí castigo. 1965
Pater noster, niño y ciego,
a ti digo, dios de amor,
a ti te suplico y ruego
sin reposo y sin sosiego,
que apressures mi dolor 1970
de tal modo
que muera el plazer del todo
y sea mi mal mayor.

Lección primera

Parce mihi, domine,
los plazeres ya passados, 1975
pues con pesares presentes
ora son galardonados.
¿Quid est homo, los amores
sino penas y cuidados?
Disfavores les concedes, 1980
luego les son denotados.
Visitas eum al alva
con unos gozos falsados
y a la noche ya lo pruevas
en casos muy desastrados. 1985
¿Usquequo non parcis mihi?
No los males ya passados
mas bienes, si algunos tuve,
séanme ya perdonados.
¿Quare posuisti me 1990
entre los desesperados,

1974 Las tres *Lecciones* que siguen a continuación, las cuales parodian las correspondientes del oficio litúrgico, están formadas sobre distintos capítulos del *Libro de Job.* Esta primera reproduce textos de *Job,* 7, 16-21.

cercado de mill peligros,
los remedios alexados?
¿Cur non tollis ya mi vida?
Ponme con los condenados, 1995
deves dar a quien tal haze
tormentos nunca pensados.
Ecce nunc para la muerte
mis miembros aparejados.
Del bivir ya me redime, 2000
las Parcas rompan mis hados.
Credo quod mi redemptor,
qu'es amor y su esperança,
para mí esperan vengança
de muy sobrado dolor. 2005
Et quod visurus sum presto
con gran tormenta sin calma.
yo mismo y por mi alma
según demuestra mi gesto.
Et in carne mea amor 2010
dará muy gran tribulança
por tomar en mí vengança
de mi sobrado dolor.

Leción segunda

Tedet al cuerpo y al alma
de mi triste mala vida 2015
por do conviene, cuitado,
mil vezes la muerte pida.
La qual es gran amargura
de mi alma y su partida,
porque ya veo el remedio, 2020
la esperança va perdida.

2011. *EPVM:* dará muy gran tribulación; *EPVP:* dará gran tribulación; *pero ambas lecciones son incorrectas y deben corregirse conforme al metro y rima de la estrofa.*

2014 Esta segunda *lección* recoge palabras de *Job,* 10, 1-7.

Noli condenare, Amor,
a mí de mi despedida;
no sé por qué me condenes
sino a pena sin medida. 2025
¿Nunquid venga, pues, la muerte?
Buena sea su venida.
¿Nunquid, oculi, no veis
vuestra vista escurescida?
¿Nunquid, Amor, no soy tuyo? 2030
¿No está mi fe conoscida?
¿Por qué no me dais la pena
de una culpa cometida?
¿Cogitas que en ser yo vivo
tu justicia no es cumplida? 2035
Cumple para executalla
que de vivir me despida.
Ne recorderis peccata
de Plácida, qu'es sin culpa,
pues mi culpa la desculpa 2040
tú, pues fui causa, me mata.
Dirige, señor, mi dios,
las penas todas a mí,
pues las culpas yo las di
pague yo por todos dos. 2045
Dum veneris, muerte, cata
que en mí pagarás la culpa
de la culpa que desculpa
la culpa que a mí me mata.

Leción tercera

Manus tuas me hizieron 2050
las llagas del coraçón,

2023. *EPVP:* a mi alma dspedida.
2032. *EPVP:* das.
2041. *EPVP:* tú por su causa me mata.
2043. *EPVM, EPVP:* pon las penas todas a mí, *incorrecto en ambos testimonios.*

2050 El comienzo de esta *lección* tercera sigue a *Job,* 10, 8-12.

allí plasmaron de nuevo
mi firme fe y affición.
Memento quod sicut lutum
feceris mi galardón, 2055
aclarando mis errores
me ciegas más la razón.
Nonne sicut lac criaste
a Plácida con tal don
que ella fue el primor de quantas 2060
fueron y serán y son.
Pelle et carnibus vestiste
su beldad en perfeción,
y ora matar la feziste
sin ninguna compassión. 2065
Vitam et misericordiam
meresció su devoción,
que no sentencia de muerte
ni tormento ni passión.
Libera de morte eterna 2070
tú, dios de los amadores,
el alma de mis amores
que llevaste en hedad tierna.
Tremens factus sum en vella
y el sol se espanta de ver 2075
cómo tuviste poder
de matar cosa tan bella.
Quando el cielo bien discerna
la beldad de sus primores,
querrá tomar mis amores 2080
que llevaste en hedad tierna.

Cupido, *kirieleyson,*
dina Venus, *christeleyson,*
Cupido, *kirieleyson.*
Et ne nos inducas, dios, 2085
donde alguno esté entre nos,

2054. *EPVP:* m. que sicut luto.
2064. *EPVP:* heziste.
2078. *EPVP:* discierna.

sed líbrala, Amor, *a malo*,
y a mí dalo,
y estemos juntos los dos.
Ne tradas bestiis el alma 2090
de mi amiga
y a mí dame su fatiga.
En memoria perdurable
será ella,
mas yo siempre en gran querella. 2095
Dios, *exaudi* mi oración,
oye a mí,
venga mi clamor a ti,
oremus con devoción.

Oración

Asuelve, señor, el alma 2100
de Plácida de cadena,
torna su tormenta en calma
y dale vitoria y palma
ab omni malo sin pena;
y a mí, triste, 2105
de gran tormento me viste,
a mill muertes me condena.
Fidelium deus de amor,
de todos presta alegría,
a Plácida da el favor 2110
y a mí la pena y dolor,
y que muera en este día,
y allá vaya
ut gran indulgencia aya
ella por la pena mía. 2115

2089. *EPVP:* que estemos.

Fin

Por tu poder infinito
todo el poder te den,
y aun yo, tu siervo maldito,
de tus favores me quito,
assí te lo doy tanbién; 2120
mas el alma
de Plácida con gran palma
requiescat in pace, amén.

Quiero dar fin al rezar
pues que congoxas y enojos 2125
ya no me pueden dexar,
impossible es refrenar
las lágrimas de mis ojos.
Deve Amor
canonizar tal dolor 2130
pues lleva tales despojos.
¡O mártir de amor perdida,
por mi mal sacrificada,
por mí perdiste la vida,
preciosa, cruel herida 2135
por tu mano misma dada!
A ti, dios,
suplico que a todos dos
des en muerte una posada.
Yo determino matarme 2140
antes que Suplicio venga
porque no pueda estorvarme,
mas el puñal fue a llevarme
porque aparejo no tenga.
¡O Suplicio! 2145
¿Piensas hazerme servicio,
quieres que la fe mantenga?
Mantener la fe conviene

2117. *EPVP:* todo p. a ti den.
2123. *EPVM:* requiesca, *error.*

quien tiene poder de dalla;
mas tal fe no se mantiene, 2150
nadie da lo que no tiene.
Vayan al limbo a buscalla,
que allá fue
tras su alma la mi fe
de Plácida sin dexalla. 2155

Plácida, quiero que vaya
mi ánima con la tuya,
entre o caya donde caya,
la mía quiero que aya
parte de la pena suya; 2160
con morir
yo la entiendo de seguir,
aunque en el infierno huya.

Pues aquí por todo aquesto
no hallo con qué matarme, 2165
quiérome llegar muy presto
allí tras aquel recuesto
por ver si querrán prestarme
pastorcillos,
que suelen traer cuchillos, 2170
alguno para matarme.

¡O, quién tuviera un estoque
para tanto mal penoso!
Por buscar con qué lo apoque,
quiera Dios fiera no toque 2175
en este cuerpo precioso.
Entre tanto
cubrirélo con mi manto,
cumple no ser perezoso.

¡O mi alma y mi señora, 2180
mi coraçón y mi vida,
vida deste que te llora,
quédate con Dios agora,
luego será mi venida

2166. *Es la lección de EPVP; EPVM: om. erróneamente* me.

en un punto! 2185
Por morir contigo junto
ya voy presto y de corrida.

Los pastores

GIL — Pascual, pues ora es tu fiesta,
percojamos de las flores
de toda aquesta floresta; 2190
pues que tan poco te cuesta,
faz guirnalda a tus amores.
PASCUAL — Sus, cojamos,
todos dos se la fagamos.
SUPLICIO — ¡A, pastores! ¡A, pastores! 2195
PASCUAL — ¡O, qué tal que se la hize!
Un año y aún más turará.
GIL — Dame del pie, no deslize.
SUPLICIO — ¡Pastores!
PASCUAL — Mira qué dize
aquél que viene acullá. 2200
SUPLICIO — ¡A, carillos!
PASCUAL — ¡Mira qué negros gritillos
viene dando!
GIL — ¿Quién será?
Si es de los del otro día...
PASCUAL — Uno dellos me semeja. 2205
¡Dellos es, por vida mía!
GIL — Verná con qualque falsía.
PASCUAL — No nos hurte alguna oveja.
GIL — ¡Mal pecado!
De perderse avrá el ganado. 2210

2192. *EPVP:* haz.

2189 *percojamos:* con el prefijo intensificador *per-*, característico del habla pastoril, como quedó indicado en *I*, 41.

2202 *negros:* uso enfático del adjetivo, frecuente en la lengua antigua; *«negro* y *negra* se juntan a muchas cosas para denotar en ellas afán y trabajo, y hazen una graciosa frase: 'este negro comer', 'negro casamiento él hizo', 'esta negra onrilla nos obliga a todo'...» (G. Correas, *Vocabulario de refranes*).

2207 *qualque:* 'cualquier, alguna'.

PASCUAL	Reniego de tal conseja.	
GIL	Él no trae traje desso.	
	No sé si recibo engaño.	
PASCUAL	No es el tiempo ya de aquesso.	
GIL	Yo por Pascua me confiesso	2215
	todo lo de todo el año.	
SUPLICIO	¡O pastores,	
	duélanvos nuestros dolores,	
	nuestra perdición y daño!	
GIL	¿Qué daño, qué perdición	2220
	qué dolores son los vuestros?	
SUPLICIO	Son tan sin comparación	
	que ningunos otros son	
	semejables de los nuestros.	
	La fortuna	2225
	no guía vida ninguna	
	que no lleve mill siniestros.	
PASCUAL	¿Qu'es ello, qu'es ello, qué?	
	Dezínoslo, gentil hombre.	
SUPLICIO	Un caso que nunca fue:	2230
	matóse por mucha fe	
	una que Plácida ha nombre,	
	muy fermosa;	
	de muerte tan dolorosa	
	no siento quien no se assombre.	2235
GIL	¿Ella misma se mató?	
SUPLICIO	Ella misma por su mano.	
PASCUAL	Cata, cata en qué paró	
	la que por aquí passó	
	diziendo: «¡Mi Vitoriano!»	2240
GIL	¡O, cuitada!	
PASCUAL	¡Triste della, desdichada!	
	Pésame, por Dios, hermano.	
	Pues, ¿qué queréis ora vos?	
SUPLICIO	Hermanos, quier'os rogar	2245
	que vais comigo los dos,	

2218. *EPVP:* duelan os.
2246. *EPVP:* vayas.

por amor de un solo Dios,
ayudármela a enterrar,
qu'está solo
mi compañero.

GIL ¿Y adólo? 2250

SUPLICIO Allá queda a la guardar.

PASCUAL ¡O, cuerpo de Sant Llorente,
quán gentil era y tan bella!
¿Qué te parece, qué gente?

GIL ¿Dónde está?

SUPLICIO Cabe la fuente, 2255
y assentado allí cab'ella;
si le veis,
yo juro que dél avréis
mayor manzilla que della.
Vamos, no tardemos nada. 2260

GIL Durmamos primero un poco,
que hemos fecho gran velada.

PASCUAL Iremos la madrugada,
yo de sueño ya debroco.

SUPLICIO ¡Desdichado 2265
Vitoriano, cuitado,
que en peligro queda y loco!

GIL Echémonos ora un rato
en medio desta arboleda,
dormiremos sobre el hato. 2270

SUPLICIO Con tan triste desbarato
yo no sé quién dormir pueda.

PASCUAL ¡Miafé, nos!
Velad si quisierdes vos,
mas tené la lengua queda. 2275

2253. *EPVP:* quan bella.
2262. *EPVP:* hecho.
2274. *Transcribo la lección de EPVP; EPVM:* quisiéredes, *hipermétrico.*

2252 Comp. *I,* 82.
2256 *cab'ella:* 'junto a ella'.
2264 *debroco:* véase *V,* 10.

SUPLICIO Dormid, que yo provaré
tanbién si podré dormir,
y si no yo callaré
velando y vos llamaré
quando será tiempo de ir. 2280

GIL Assí sea,
cúmplase lo que dessea.

SUPLICIO Vuestro desseo cumplid.

VITORIANO Heme aquí, Plácida. Vengo
para contigo enterrarme. 2285
Mi bivir es ya muy luengo;
ora, sus, cuchillo tengo
con que pueda bien matarme
sin tardança.
Muera yo sin esperança, 2290
sin más ni más consejarme.

Quiero dar fin al cuidado,
rómpase mi coraçón
sin confessar su peccado,
que quien va desesperado 2295
no ha menester confessión.
Pues Cupido
siempre me pone en olvido,
a Venus hago oración.

Oración de Vitoriano a Venus

¡O Venus, dea graciosa! 2300
A ti quiero y a ti llamo,
toma mi alma penosa
pues eres muy piadosa
a ti sola aora llamo,
que tu hijo 2305
tiene comigo letijo,
nunca escucha mi reclamo.

2279. *EPVP:* os.
2287. *EPVP:* un c.
2304. *EPVP:* agora.

A ti, mi bien verdadero,
mis sacrificios se den
como te los dio primero 2310
tu siervo Leandro y Hero,
Tisbe y Píramo tanbién;
tú, señora,
recibe mi alma agora.

VENUS ¡Ten queda la mano, ten! 2315
Vitoriano, ¿qué es esto?
¿Assí te quieres matar?
¿Assí desesperas? Presto
torna la color al gesto,
no quieras desesperar, 2320
que esto todo
ha sido manera y modo
de tu fe esperimentar.
Si Cupido te olvidó,
aquí me tienes a mí; 2325
no te desesperes, no.
Plácida no se mató
sino por matar a ti,
y no es muerta;
yo te la daré despierta 2330
antes que vamos de aquí.
Confía en mi poderío,
y jamás no te aconteça
apartarte de ser mío;
da libertad y alvedrío 2335
a quien es de amor cabeça,

2323. *EPVP:* la esprimentar.
2333. *Lección exigida por el metro y la rima; EPVM:* acontesca; *EPVP:* conteça.

2311 Las parejas de amantes ahora citadas son de amores leales y fieles, aunque también trágicos puesto que todos se dieron muerte a sí mismos. Leandro murió ahogado al cruzar a nado el Helesponto para entrevistarse con su amada Hero, quien asimismo se arrojó al mar (Ovidio, *Heroidas,* XVIII y XIX). También acabaron con el suicidio y la inmolación de ambos amantes los amores de Píramo y Tisbe (Ovidio, *Metamf.,* IV).

no contrastes
do con tus fuerças no bastes
y tu soberbia feneça.

VITORIANO ¿Dó me vino tanto bien 2340
que tú, mi bien y señora,
sin sobervia, sin desdén,
sin mirar quién soy ni quién,
a mi clamor vengas ora?

VENUS Tú ten fe, 2345
que del modo que ante fue
te la daré biva agora.

VITORIANO ¡O mi señora y mi dea,
remedio de mi consuelo!
Si te plaze que te crea, 2350
haz de manera que vea
Mercurio venir del cielo,
pues su officio
es conceder beneficio
de dar vida en este suelo. 2355

VENUS Sossiega, Vitoriano.
Cumple oír, ver y callar,
que de reino soberano
verná Mercurio, mi hermano,
prestamente sin tardar. 2360
Calla y mira,
qu'el que a Apolo dio la lira
le verná a resuscitar.

Los versos

Ven, Mercurio, hermano mío,
ruégote que acá desciendas 2365

2339. *EPVM, EPVP:* fenezca.
2362. *EPVM y EPVP:* la vida; *Rosalie Gimeno, ed. cit., corrige verosímilmente:* la lira, *lección que aceptamos.*

2362 Alude a la lira inventada por Mercurio, fabricada con el caparazón de una tortuga y con los intestinos de dos vacas que robó a Apolo, su hermano, y a quien, a su vez, se la entregó a cambio de lo robado.

y muestra tu poderío.
En aqueste cuerpo frío
cumple que el ánima enciendas
y la influyas;
pues mis cosas son tan tuyas, 2370
conviene que las defiendas.

Tus potencias no son pocas,
Mercurio, si bien discierno.
Das elocuencia en las bocas
y las ánimas revocas 2375
y las sacas del infierno;
con tu verga
haz que se levante y yerga
este cuerpo lindo y tierno.

MERCURIO Venus, por amor de ti 2380
yo soy contento y pagado;
vete, hermana, tú de aquí
y déxame el cuerpo a mí,
que este oficio a mí me es dado.

VENUS Yo me voy 2385
y aqueste cargo te doy.

MERCURIO Yo cumpliré tu mandado.
Cuerpo de elemento escuro,
por mi poder soberano,
te requiero y te conjuro 2390
que de aqueste suelo duro
te levantes bivo y sano.
Alma triste,
que mis hechos ya bien viste,

2373. *EPVM, EPVP:* Cupido, *pero es claro error.*
2383. *EPVP:* dexa mi.

2377 *verga:* se refiere al caduceo, vara delgada y dorada rodeada de dos culebras, que era atributo de Mercurio. Algunos dioses paganos, como Apolo y Mercurio, fueron considerados en la Edad Media como una especie de magos o brujos, en este caso, bondadosos. Mercurio se muestra aquí como nigromante y su conjuro recuerda lejanamente otros famosos, más tétricos, de la literatura de la época (*Laberinto de Fortuna, Celestina,* etc.).

torna a tu cuerpo mundano. 2395
Torna, torna, no ayas miedo
de bolver en este mundo,
que con el poder que puedo
te haré bivir muy ledo,
muy alegre y muy jocundo. 2400
No te tardes,
que el amor por quien tú ardes
no tiene par ni segundo.
Según la vida passada
y muerte, que todo es uno, 2405
tú serás bien consolada.
Despierta, no tardes nada,
ya no avrás bivir fortuno
ni tempero;
que recuerdes te requiero, 2410
por mi madre, dea Juno.
Los que vieren levantarse
un cuerpo sin coraçón,
y sin coraçón mudarse,
no deven maravillarse 2415
de aquesta resurreción.
¡Sus, levanta,
no tengas pereza tanta,
que yo buelvo a mi región!

VITORIANO ¡O, Plácida, mi señora! 2420
¿Es possible que estás biva?
¿Estás biva, matadora
deste siervo que te adora
y(a) sin merced se cativa?
¡O, mi alma, 2425
oy ganas triunfo y palma
de una gloria muy altiva!

2424. *EPVM:* ya sin m.; *EPVP:* ya tu m.

2440 Se refiere a las aguas del río Leteo, río del olvido, que se encontraba en el infierno de la antigüedad y el paganismo.

¿Es sueño aquesto que veo?
Aún no creo qu'es verdad,
que te veo y no lo creo; 2430
gózase tanto el desseo
quanto penó mi maldad.

PLÁCIDA ¡O, mi amor,
pues que se secó el dolor,
floresca nuestra beldad! 2435

Desque del mundo partí
y al infierno me llevaron,
¡o, quántas cosas que vi!,
mas de tal agua beví
que todas se me olvidaron! 2440
No me queda
cosa que acordarme pueda,
sino a ti, que allá nombraron.

Y aun diéronme tales nuevas
que muy presto allá serías. 2445

VITORIANO Desso no ay que dudar devas,
que aun aquí traigo las pruevas.

PLÁCIDA ¿Tanbién matarte querías?

VITORIANO Sí, par Dios.

PLÁCIDA Dios nos dé vida a los dos 2450
de plazeres y alegrías.

Muchas gracias y loores
al dios Mercurio se den,
y a Venus, que los amores
destos dos sus servidores 2455
resuscitaron tanbién;
y a Cupido,
aunque me puso en olvido
y dio de mí gran desdén.

VITORIANO ¡O, válame Dios del cielo, 2460
en quánto estrecho me vi!
Suplicio, lleno de duelo,

2432. *EPVP:* pena.
2447. *EPVP:* trayo.

fue a buscar muy sin consuelo
adónde enterrarte a ti.
Yo me espanto 2465
cómo se ha tardado tanto.
Vístete, vamos de aquí.

SUPLICIO ¡Sus, pastores, qu'es ya tarde!
Vamos ya, por vuestra vida,
porque el coraçón se me arde; 2470
no cumple que más se aguarde,
pues que el alva ya es venida.
GIL Vamos.
PASCUAL Vamos.
SUPLICIO Ea, no nos detengamos,
vamos presto y de corrida. 2475
GIL Pues no dedes priessa tanta
que os ayáis de tornar solo.
PASCUAL ¡Sus, levanta, Gil, levanta,
que aquesta nueva me espanta!
GIL Y aun a mí, juro a Sant Polo. 2480
Demos prissa
antes que diga la missa
el nuestro crego Bartolo.
Trayamos el cuerpo luego
a la hermita de Sant Pabro. 2485
SUPLICIO Aguijemos, yo os lo ruego.
GIL Y aun haremos con el crego
que la entierre par del lauro
que allí está.
SUPLICIO Y mi mano le pondrá 2490
un lindo título de auro.
Mas en el mismo laurel
se porná con un cuchillo.
PASCUAL Pues vamos pensando en él.
GIL Y el caso fue tan cruel 2495

2481. *EPVP:* priessa.
2482. *EPVM: om.* la; *EPVP:* la miessa.
2485. *EPVP:* Pablo.

	que es gran dolor escrevillo	
	y aun pensallo,	
	pero no puedo acaballo.	
PASCUAL	Yo, soncas, me maravillo.	
SUPLICIO	Porque su fama no muera,	2500
	déxame, yo labraré	
	un título dentro y fuera	
	que diga desta manera:	
	«Yo, Plácida, me maté	
	con mi mano	2505
	por dar a Vitoriano	
	los despojos de la fe.»	
GIL	Muy bien dize, juro a ños,	
	esta trónica a mi ver;	
	letrado devéis de ser.	2510
	Mas cata, allí vienen dos,	
	un hombre y una muger.	
PASCUAL	¿Quién serán?	
GIL	Semejan Benita y Juan.	
PASCUAL	Ellos, soncas, deven ser.	2515
SUPLICIO	Antes me parece a mí	
	que es Vitoriano aquél.	
	¡Es él! ¡Cierto, cierto, sí!	
	¡Y aun Plácida viene allí,	
	biva y sana, y aun con él!	2520
GIL	¿Es possible?	
SUPLICIO	¡O milagro tan terrible!	
PASCUAL	¡Dios me guarde della y dél!	
	Deve ser qualque fantasma	
	... ... [-ado]	2525
	... ... [-asma]	

2514. *EPVP:* semeja Beneyta y J.
2525. *Faltan tres versos para completar la estrofa, tanto en EPVM como en EPVP.*

2504 Comp. el epitafio con la *Ég. Fileno, Zambardo y Cardonio* (vv. 665 y ss.) donde es, como aquí, cosa de letrados y no de rústicos, pues debe preservar la fama del muerto.
2509 *trónica:* 'retórica'.

... ... [-asma]
o vos nos avéis burlado.
Cata, cata,
¿una muger que se mata — 2530
puede a vida aver tornado?

Vitoriano — Ven a mí, Suplicio, ven,
plégate de mi ventura,
de mi tesoro y mi bien,
que tengo ya viva a quien — 2535
es gozo de mi tristura,
que Mercurio
vino con tan buen argullo
que escusó la sepultura.

Suplicio — ¿Cómo, cómo fue? — 2540
Dímelo, Vitoriano.

Vitoriano — El misterio no lo sé,
mas sé que por mi gran fe
yo soy libre, vivo y sano
con mi amiga. — 2545
No sé cómo te lo diga,
Suplicio, mi buen hermano.

Suplicio — ¿Quién te la resuscitó?

Vitoriano — Mercurio del cielo vino
y Venus se lo rogó, — 2550
y a la vida la tornó
como clemente y benigno.

Suplicio — ¡O, qué gloria,
qué triunfo y qué vitoria!
¡Quién fuera de vello digno! — 2555

Pascual — Juri a nos que es gran prazer
gasajar estos garçones,
que de tanto padecer
se pudieron guarecer.

Suplicio — ¡Sus a ello, compañones! — 2560

Pascual — Compañero,

2538. *Así en EPVM y EPVP; R. Gimeno propone:* augurio.

¿queréis que os traya un gaitero
que nos faga fuertes sones?

GIL — Corre, ve a traello, Pascual,
no te pares, ve saltando; 2565
aguija presto, zagal,
no te vayas passeando.
Y si estuviere cenando
y de recuesto,
dale priessa y tráelo presto, 2570
que quedamos ya cantando

Fin

El gaitero, soncas, viene;
sus, a la dança priado,
salte quien buenos pies tiene,
y a vos, Plácida, conviene 2575
que saltéis por gasajado
sin tardança.

VITORIANO ¡Todos entremos en dança!

PLÁCIDA ¡Soy contenta y muy de grado!

2563. *EPVP:* haga.
2575. *Es la lección de EPVP; EPVM:* y aun a vos P. c., *hipermétrico.*

2579 Nótese que en la danza intervendrán todos los personajes, todos los cuales también han ido quedando en escena.

Índice de palabras comentadas en las notas

Colección Letras Hispánicas

ÚLTIMOS TÍTULOS PUBLICADOS

275 *Pero..., ¿hubo alguna vez once mil vírgenes?,* ENRIQUE JARDIEL PONCELA.
Edición de Luis Alemany.

276 *La Hora de Todos y la Fortuna con seso,* FRANCISCO DE QUEVEDO.
Edición de Jean Bourg, Pierre Dupont y Pierre Geneste.

277 *Poesía española del siglo XVIII*
Edición de Rogelio Reyes.

278 *Poemas en prosa. Poemas humanos. España, aparta de mí este cáliz,* CÉSAR VALLEJO.
Edición de Julio Vélez (2.ª ed.).

279 *Vida de Don Quijote y Sancho,* MIGUEL DE UNAMUNO.
Edición de Alberto Navarro.

280 *Libro de Alexandre.*
Edición de Jesús Cañas Murillo.

281 *Poesía,* FRANCISCO DE MEDRANO.
Edición de Dámaso Alonso.

282 *Segunda parte del Lazarillo.*
Edición de Pedro M. Piñero.

283 *Alma. Ars moriendi,* MANUEL MACHADO.
Edición de Pablo del Barco.

285 *Lunario sentimental,* LEOPOLDO LUGONES.
Edición de Jesús Benítez.

286 *Trilogía italiana. Teatro de farsa y calamidad,* FRANCISCO NIEVA.
Edición de Jesús María Barrajón.

287 *Poemas y antipoemas,* NICANOR PARRA.
Edición de René de Costa.

288 *Silva de varia lección II,* PEDRO MEXÍA.
Edición de Antonio Castro.

289 *Bajarse al moro,* JOSÉ LUIS ALONSO DE SANTOS.
Edición de Fermín J. Tamayo y Eugenia Popeanga (5.ª ed.).

290 *Pepita Jiménez,* JUAN VALERA.
Edición de Leonardo Romero (3.ª ed.).

291 *Poema de Alfonso Onceno.*
Edición de Juan Victorio.

292 *Gente del 98. Arte, cine y ametralladora,* RICARDO BAROJA.
Edición de Pío Caro Baroja.

293 *Cantigas,* ALFONSO X EL SABIO.
Edición de Jesús Montoya.

294 *Nuestro Padre San Daniel,* GABRIEL MIRÓ.
Edición de Manuel Ruiz Funes.

295 *Versión Celeste,* JUAN LARREA.
Edición de Miguel Nieto.

296 *Introducción del Símbolo de la Fe,* FRAY LUIS DE GRANADA.
Edición de José María Balcells.

298 *La viuda blanca y negra,* RAMÓN GÓMEZ DE LA SERNA.
Edición de Rodolfo Cardona.

299 *La fiera, el rayo y la piedra,* PEDRO CALDERÓN DE LA BARCA.
Edición de Aurora Egido.

300 *La colmena,* CAMILO JOSÉ CELA.
Edición de Jorge Urrutia (5.ª ed.).

301 *Poesía,* FRANCISCO DE FIGUEROA.
Edición de Mercedes López Suárez.

302 *El obispo leproso,* GABRIEL MIRÓ.
Edición de Manuel Ruiz-Funes Fernández.

303 *Teatro español en un acto.*
Edición de Medardo Fraile.

304 *Sendebar.*
Edición de M.ª Jesús Lacarra.

305 *El gran Galeoto,* JOSÉ ECHEGARAY.
Edición de James H. Hoddie.

306 *Naufragios,* ALVAR NÚÑEZ CABEZA DE VACA.
Edición de Juan Francisco Maura.

307 *Estación. Ida y vuelta,* ROSA CHACEL.
Edición de Shirley Mangini.

308 *Viento del pueblo,* MIGUEL HERNÁNDEZ.
Edición de Juan Cano Ballesta.

309 *La vida y hechos de Estebanillo González (I).*
Edición de Antonio Carreira y Jesús Antonio Cid.

310 *Volver,* JAIME GIL DE BIEDMA.
Edición de Dionisio Cañas (3.ª ed.).

311 *Examen de ingenios,* JUAN HUARTE DE SAN JUAN.
Edición de Guillermo Serés.

312 *La vida y hechos de Estebanillo González (II).*
Edición de Antonio Carreira y Jesús Antonio Cid.

313 *Amor de Don Perlimplín con Belisa en su jardín,* FEDERICO GARCÍA LORCA.
Edición de Margarita Ucelay.

314 *Su único hijo,* LEOPOLDO ALAS «CLARÍN».
Edición de Juan Oleza.

315 *La vorágine,* JOSÉ EUSTASIO RIVERA.
Edición de Montserrat Ordóñez.

316 *El castigo sin venganza,* LOPE DE VEGA.
Edición de Antonio Carreño.
318 *Canto general,* PABLO NERUDA.
Edición de Enrico Mario Santí.
319 *Amor se escribe sin hache,* ENRIQUE JARDIEL PONCELA.
Edición de Roberto Pérez.
320 *Poesía impresa completa,* CONDE DE VILLAMEDIANA.
Edición de José Francisco Ruiz Casanova.
321 *Trilce,* CÉSAR VALLEJO.
Edición de Julio Ortega.
322 *El baile. La vida en un hilo,* EDGAR NEVILLE.
Edición de María Luisa Burguera.
323 *Facundo,* DOMINGO SARMIENTO.
Edición de Roberto Yahni.
324 *El gran momento de Mary Tribune,* JUAN GARCÍA HORTELANO.
Edición de Dolores Troncoso.
326 *Cuentos,* HORACIO QUIROGA.
Edición de Leonor Fleming.
327 *La taberna fantástica. Tragedia fantástica de la gitana Celestina,* ALFONSO SASTRE.
Edición de Mariano de Paco.
328 *Poesía,* DIEGO HURTADO DE MENDOZA.
Edición de Luis F. Díaz Larios y Olga Gete.
329 *Antonio Azorín,* JOSÉ MARTÍNEZ RUIZ, «AZORÍN».
Edición de Manuel Pérez.
331 *Mariana Pineda,* FEDERICO GARCÍA LORCA.
Edición de Luis Martínez Cuitiño.
332 *Los siete libros de la Diana,* JORGE DE MONTEMAYOR.
Edición de Asunción Rallo.
333 *Entremeses,* LUIS QUIÑONES DE BENAVENTE.
Edición de Christian Andrés.
334 *Poesía,* CARLOS BARRAL.
Edición de Carme Riera.
335 *Sueños,* FRANCISCO DE QUEVEDO.
Edición de Ignacio Arellano.
337 *La estrella de Sevilla,* ANDRÉS DE CLARAMONTE.
Edición de Alfredo Rodríguez.
339 *Teatro,* JUAN DEL ENCINA.
Edición de Miguel Angel Pérez Priego.

WITHDRAWN FROM STOCK QMUL LIBRARY
QMW LIBRARY (MILE END)

DE PRÓXIMA APARICIÓN

Poesía, JOSÉ DE ESPRONCEDA.
Edición de Domingo Ynduráin.
Poesía, JOSÉ LEZAMA LIMA.
Edición de Emilio de Armas.

[illegible]
Edición de Antonio Carreño.
[illegible]
Edición de Enrique Martín [illegible]
[illegible]
Edición de Roberto Pérez.
[illegible]
Edición de José Francisco Ruiz Casanova.
[illegible]
Edición de Julio Ortega.
[illegible]
Edición de María [illegible]
[illegible]
Edición de Roberto Yahni.
[illegible]
Edición de Dolores Troncoso.
[illegible]
Edición de [illegible]
[illegible]
[illegible]
Edición de [illegible]
[illegible]
Edición de [illegible]
[illegible]
Edición de [illegible]
[illegible]
Edición de Luis Martínez Cuitiño.
[illegible]
Edición de [illegible]
[illegible]
Edición de [illegible]
[illegible]
Edición de [illegible]
[illegible]
Edición de [illegible]
[illegible]
Edición de [illegible]
[illegible]
Edición de Miguel Ángel Pérez Priego.

De próxima aparición

[illegible]
Edición de Domingo Ynduráin.
[illegible]
Edición de [illegible]

WITHDRAWN
FROM STOCK
QMUL LIBRARY